Poésie et profondeur

Jean-Pierre Richard

Poésie et profondeur

Éditions du Seuil

En couverture :

à gauche : *Rimbaud* par Verlaine.
à droite : *Baudelaire* par lui-même.
en haut : *Verlaine* par Ladislas Loëvy.
en bas : *Nerval* par Flameng.

ISBN 2-02-004350-5

A mon père

« *Le monde crée en moi le lieu de son accueil.* »

Jean Wahl.

LES QUATRE ESSAIS *que voici constituent la suite de ceux qui furent publiés en 1954 sous le titre de* Littérature et Sensation. *Ici encore j'ai tâché de situer mon effort de compréhension et de sympathie en une sorte de moment premier de la création littéraire : moment où l'œuvre naît du silence qui la précède et qui la porte, où elle s'institue à partir d'une expérience humaine; moment où l'écrivain s'aperçoit, se touche et se construit lui-même au contact physique de sa création; moment enfin où le monde prend un sens par l'acte qui le décrit, par le langage qui en mime et en résout matériellement les problèmes. Ce n'est là, bien sûr, qu'un unique moment. Nous savons maintenant que toute conscience est conscience de quelque chose, que l'homme a cessé d'être nature, île, prison, essence. Nous savons qu'il se définit par ses contacts, par sa façon de saisir le monde et de se saisir par rapport à lui, par le style de la relation qui l'unit aux objets, aux autres hommes, à lui-même. Or il m'a semblé que la littérature était l'un des lieux où se trahissait avec le plus de simplicité et même de naïveté cet effort de la conscience pour appréhender l'être. C'est au contact d'un beau vers, d'une phrase heureuse, d'une image, d'un adjectif, voire d'une inflexion, d'un rythme ou d'un silence que tout grand écrivain découvre et crée à la fois sa grandeur d'écrivain et sa vérité d'homme. La grande littérature constituerait dès lors comme le domaine électif de la relation heureuse.*

A propos de ces quatre poètes j'ai donc essayé de retrouver et de décrire l'intention fondamentale, le projet qui domine leur aventure. Ce projet, j'ai cherché à le saisir à son niveau le plus élémentaire, celui où il s'affirme avec le plus d'humilité, mais aussi avec le plus de franchise : niveau de la sensation pure, du sentiment brut, ou de l'image en train de naître. Comme il s'agissait ici de poésie, la sensation ne pouvait d'ailleurs se séparer de la rêverie qui l'intériorise et la prolonge. C'est dire tout ce que ce livre doit aux recherches de Gaston Bachelard. J'ai tenu l'idée pour moins importante que l'obsession, j'ai cru la théorie seconde par rapport au rêve. J'ai pensé que la vérité d'un poète était inscrite en ses poèmes plutôt qu'en ses discours sur la poésie, discours que j'ai d'ailleurs tâché de lire comme autant de poèmes...

Ce qui signale toute grande œuvre d'art, c'est assurément sa cohérence interne. Entre les divers plans de l'expérience on y voit s'établir des échos, des convergences. Lire, c'est sans doute provoquer ces échos, saisir ces rapports nouveaux, lier des gerbes de convergence. Nerval rêve par exemple à l'être comme à un feu perdu, enseveli : aussi recherche-t-il à la fois le spectacle des soleils levants et celui des briques roses qui luisent au soleil couchant, le contact de la chevelure enflammée des jeunes femmes ou la fauve tiédeur de leur chair bionda e grassotta. *Le même projet le fait encore rêver à une alchimie universelle capable de provoquer le feu par le feu, d'éveiller l'amour par l'amour, de susciter l'être grâce au besoin que nous avons de lui. De la suite des attitudes nervaliennes se dégage alors une physionomie de Nerval, à partir de laquelle nous pouvons redescendre dans le détail vécu ou écrit de son existence et mieux en apprécier le sens.*

Cet effort de lecture ne peut bien entendu pas aboutir à la saisie d'une vérité totale. Chaque lecture n'est jamais qu'un parcours possible, et d'autres chemins restent toujours ouverts. Le chef-d'œuvre c'est justement l'œuvre ouverte à tous les vents et à tous les hasards, celle qu'on peut traverser dans tous les sens. J'ai donc choisi de lire Nerval, Baudelaire, Rimbaud et Verlaine selon une perspective qui m'a paru dans leur cas privilégiée et qui est celle de la profondeur. Il m'a semblé que leur aventure poétique consistait en une certaine expérience de l'abîme, abîme de l'objet, de la conscience, d'autrui, du sentiment ou du langage. L'être pour eux est bien perdu dans les solitudes profondes, et c'est du fond de cette profondeur qu'il se manifeste aux sens et à la conscience. C'est donc la profondeur qu'il va s'agir pour eux de conquérir, de parcourir, d'apprivoiser.

Nerval tâche ainsi de concilier surgissement et profondeur, conscience et ubiquité. A tous les niveaux de cette distance intérieure — dont Georges Poulet est désormais pour nous l'explorateur attitré, — à tous les points du temps et de l'espace, il projette des images mythiques de lui-même. Il se veut à la fois total, égal au monde et identique à lui-même, universel et personnel, éternel et temporel. Il s'atteint et se réalise lui-même dans l'obscure poésie des Chimères, *dans ce langage étincelant et vertical où se superposent les sens les plus lointains, les plus contradictoires. — Baudelaire a la vocation du gouffre: tantôt plongé en lui, à la poursuite du « Dieu qui se retire », — et c'est le vertige, l'effroi, — tantôt envahi par lui, pénétré par la splendeur de ses lumières, par la suavité de ses voix, de ses parfums, de ses vapeurs, il peut aussi le vaincre directement et le convertir en profondeur. Il y parvient soit par la grâce physique de la transparence, du « feu clair qui remplit les espaces limpides », soit par les vertus actives du mouvement, de l'eurythmie, soit enfin par le pouvoir de sa « sorcellerie évocatoire ». Verbe, adjectif, substantif composent chez lui une trinité parfaite; ils réalisent un équilibre et une plénitude du langage qui ne se retrouveront jamais sans doute après lui; ils créent un état de paix ondulatoire où gloire, familiarité, solennité, souffrance et profondeur se trouvent merveilleusement accordés comme pour résoudre, dans un pur bonheur d'expression et d'expérience, toutes les dissonances d'un destin apparemment manqué.*

Rimbaud, qui sort tout entier de Baudelaire, veut au contraire nier la profondeur. Ou plutôt il se propose de la dépasser et pour cela d'extraire d'elle sa promesse d'élévation, sa charge d'avenir. Par l'explosion, l'envol, le jet, la métamorphose, le laconisme, la révolte, il tente d'édifier un monde sans en-dessous, un univers délivré de l'origine et de la nostalgie. Mais il réclame aussi que ce monde soit harmonieux et fraternel. Divisé entre son intention de liberté et son besoin d'architecture, incapable de se fabriquer les espaces nouveaux où ce futur monde pourrait établir ses assises, — espaces dont seul le langage des Illuminations *arrive à nous suggérer la qualité physique, la dimension essentielle, cette dimension paradoxale de tendre vigueur ou d' « égoïsme bienveillant »... — il ne peut que se taire et renoncer.*

Verlaine enfin, que nous méconnaissons aujourd'hui, poursuit une expérience non moins paradoxale. A la profondeur il veut en somme ôter son fond, *et donc son fondement. Loin que sa sensation le conduise vers un objet précis, point originel du temps et de l'espace, elle ne lui indique que le vide. S'il pense, c'est au rien, à rien. La profondeur devient chez lui largeur diffuse, vastitude, pure indétermination. Et Verlaine consent à s'absenter de soi pour n'aller nulle part, à se laisser envahir par le vague, l'impersonnalité, par ce néant positif qu'il nomme fadeur. Moins fort cependant que Nerval, Rimbaud ou Baudelaire, il ne pousse pas jusqu'au bout l'aventure. Avec* Sagesse *il s'arrête, prend peur et recule. Il revient au quotidien, au nommé, à la vie distincte et particulière. Drame d'un être qui s'égare pour n'avoir pas voulu vraiment se perdre, ni atteindre à cette extrémité où, tout entier disparu, il se serait peut-être retrouvé.*

« Il faut légèrement couler le monde et le glisser, non pas l'enfoncer », disait Montaigne. Dans une note de la Nouvelle N. R. F., *Maurice Blanchot commente ce propos, le rapproche de déclarations semblables de Nietzsche et de Valéry et suggère que la littérature moderne devrait se détourner de toute profondeur. Peut-être en effet Nerval et Baudelaire ne sont-ils pas des écrivains modernes. Sans doute aussi Rimbaud est-il le premier de nos contemporains. Mais cette expérience de la profondeur à laquelle ils se sont tous trois, et si tragiquement, livrés, on conçoit mal qu'elle ne puisse plus concerner les hommes d'aujourd'hui. Je veux bien que la profondeur ait pu souvent servir de prétexte à la nostalgie, de champ à la gratuité, de refuge à la complaisance ou à la fuite. On accuse souvent aujourd'hui en elle la dimension favorite de toutes les mystifications qui nous défigurent et nous asservissent. C'est pourtant elle, et elle seule, qui pourra faire exister l'horizontal, qui fondera la relation, le glissement heureux de conscience à conscience, le libre étalement des surfaces, l'emboîtement des formes, le contact vrai. Tout l'effort poétique de notre époque, et je songe à des hommes aussi différents que Char, Ponge, Emmanuel, Cayrol ou Bonnefoy, vise sans doute à rétablir un tel contact. Pour tous ces poètes il s'agit, il me semble, de traverser la profondeur et d'en ressortir délivré, fraternel. D'une manière ou d'une autre, tous s'enfoncent dans l'innombrable, dans l'impossible, dans la mort, pour ensuite, ou pour en même temps en resurgir vivant. Expérience paradoxale, et pourtant chaque jour recommencée et réussie, qui lie la littérature à l'impossibilité de la littérature, et qui fonde l'être sur une familiarité active du néant.*

Londres, mai 1955

Géographie magique de Nerval

Le monde qui se compose ainsi dans la tête des enfants est si riche et si beau, qu'on ne sait s'il est le résultat exagéré d'idées apprises, ou si c'est un ressouvenir d'une existence antérieure et la géographie magique d'une planète inconnue. (Voyage en Orient.)

I

> On monte et l'on descend, on traverse des bois et des plaines, et la blanche dentelure des Alpes brille toujours à l'horizon. Au point du jour nous roulons sur un beau pavé, nous passons sous plusieurs portes... Nous sommes à Berne, la plus belle ville de Suisse assurément[1].

Voilà bien l'allure de Nerval voyageur, le ton de Nerval journaliste. Ici il traverse la Suisse, et de ville en ville, de colline en vallée, de coche en diligence il tient pour nous le journal de ses sensations. Journal fidèle, à fleur de terre et de moment. Dans ces impressions rien d'arrangé, de réflexif; simplement elles se succèdent. On monte, on descend, on s'arrête, on cause avec un voisin, on dîne, on dort, puis on repart. La seule loi du déplacement c'est ici l'absence de loi, la soumission au hasard et à l'instant. « J'aime à dépendre un peu du hasard [2], » écrit Nerval; et ailleurs : « Je cherche à constater simplement les chemins du pays, la solidité des voitures, ce qui se dit, se fait et se mange çà et là dans le moment actuel [3] ». Le moment actuel, voilà

1. *Voyage en Orient*, éd. Clouard, I, p. 23. — 2. *Id.*, I, p. 18. — 3. *Id.*, I, p. 26.

l'unité temporelle du voyage. Anecdotes, renseignements touristiques, descriptions, réflexions amusantes, la narration rassemble tout cela en un présent qui prétend exprimer l'essence d'une réalité discontinue et passagère. Aucune germination de l'impression, aucune contamination volontaire de la sensation par le sentiment ou par la métaphore. Nerval voyage, il nous le dit lui-même, pour collectionner des images. Avec légèreté, avec brio, il se laisse glisser *çà et là* sur un tapis de conversations et de paysages. Inlassablement il parcourt une surface toujours recommencée.

Parfois le glissement s'arrête, le *çà et là* devient un *ici*, les sensations s'ordonnent, elles forment un panorama. Au lieu de les saisir au vol, dans l'éclair d'un instant, le voyageur fixe les choses devant lui et les possède ensemble. Immobilisés, étalés, les plans du paysage se détachent alors les uns sur les autres. « Scutari [se dessine] au loin sur son horizon découpé de montagnes bleuâtres » [4]; Stamboul « brille au loin sur l'horizon », « tandis que son profil [se prononce] avec netteté, rappelant ces dessins piqués d'épingles que les enfants promènent devant les lumières [5] ». Les récits de voyage sont pleins de notations semblables : le réel s'y fixe en un graphisme sans épaisseur, lignes et points y interdisent tout glissement de la matière ou de la forme, un horizon net y définit les bornes du lointain. Ce découpage est si parfaitement réussi que toute la réalité du paysage finit par s'absorber en lui. Déjà limité à une surface, le spectacle se réduit à un profil. Après une esthétique du kaléidoscope, Nerval nous propose un art de la carte postale.

Cet art méritait d'être analysé pour des raisons essentiellement négatives : il nous décrit un personnage qui *n'est pas* Nerval, qui est même une sorte d'*anti-Nerval*. Relisons le prologue d'*Aurélia* et nous y trouverons la raison véritable de son voyage : Nerval voyage pour essayer de se guérir. A peine sorti de la maison de santé, il tâche d'oublier ses phantasmes, et pour cela il tente de se fabriquer un nouvel être. Il essaie de sentir comme tout le monde, de façon ordinaire, inoffensive. Il veut se persuader,

4. *Id.*, III, p. 124. — 5. *Id.*, III, p. 36.

il veut persuader tous ses amis que sa folie a été un accident, un épisode désormais dépassé. Il s'efforce éperdument d'être ce qu'*il n'est pas* :

> J'affectai la joie et l'insouciance, je courus le monde, follement épris de la variété et du caprice; j'aimai surtout les costumes et les mœurs bizarres des populations lointaines : il me semblait ainsi que je déplaçai les conditions du bien et du mal, les termes pour ainsi dire de ce qui est *sentiment* pour nous autres Français [6].

Aveu essentiel : courses voyageuses, gaieté mondaine, brio journalistique, regards superficiels, caprice des instants, tout cela faisait donc partie d'une cure. Gérard voyageur vit d'affectation, il s'oblige à être normal. Il veut opérer en lui un transfert d'être et changer jusqu'aux structures de sa sensibilité. Mais ni le sentiment ni l'être véritable ne se laissent si aisément déplacer, travestir. Sous la légèreté voulue, l'obsession a tôt fait de transparaître : à bien lire le *Voyage en Orient*, on la voit se manifester à chaque page, et là même où Nerval croit l'avoir le plus définitivement conjurée.

Parfois elle se trahit de façon négative, sous forme d'un ennui, d'un vide. Quelque chose manque à la réalité pour être ressentie comme vraiment réelle : quelque chose qui est peut-être le don de surprendre. « Si admirables que soient certains aspects de certaines contrées, il n'en est point dont l'imagination s'étonne complètement et qui lui présentent quelque chose de stupéfiant et d'inouï... [7] » Tout ayant déjà été vécu dans l'imagination, la mémoire ou la littérature, chaque pays connu ne peut que se réduire à son *poncif*. A quoi bon dès lors partir pour l'Égypte ou pour la Turquie? C'est de Paris, écrit Gérard à Théo, qu'on en jouit le mieux. Le plus beau paysage se trouve d'avance irréalisé par toutes les descriptions qui ont précédé sa découverte, et la dérision, c'est que Nerval journaliste ne peut lui-même qu'en donner une description de plus, c'est-à-dire contribuer à la déflorer encore davantage, à en renforcer la convention.

A la limite, cette impression de banalité débouche sur la vision

6. *Œuvres*, éd. de la Pléiade, p. 360. — 7. *V. O.*, I, p. 31.

d'un univers-cliché, d'un monde de théâtre. La réalité n'est plus que le décor où se joue la comédie de la réalité. Ainsi à Baden-Baden, où rien n'est vrai : « Ces arbres sont découpés, ces maisons sont peintes, ces montagnes sont de vastes toiles tendues sur châssis... [8] » ou à Lichtental, où « les troupeaux font partie du matériel du pays, et sont entretenus par le gouvernement [9] ». Face à Lausanne encore, « les cimes de neige couronnent (une) perspective d'opéra »; c'est tout « le *poncif* de la nature suisse [10] ». Munich, aux murs badigeonnés, est une véritable ville d'opérette, les courtisanes y sont de « véritables courtisanes de comédie... [11] ». Tel est le malheur du tourisme intégral : tout y devient comique ou insignifiant. Sans danger, le monde y est aussi sans force. On s'y déplace en pleine et pâle convention, dans un univers d'apparences, on s'y meut vers un « horizon décoloré [12] ».

Et pourtant il semble qu'il suffise de dénoncer cette apparence, de souligner en elle un pur paraître, d'affirmer que ce monde du théâtre n'est pas un monde réel pour retrouver, sous la surface ou sous le voile, sous tout ce que Nerval nomme magnifiquement la *trame*, les signes d'une réalité vigoureuse. Cette démarche de dénonciation et de dépassement se reproduit à chaque minute du voyage nervalien : c'est elle qui confère à la production journalistique de Nerval sa duplicité, son caractère si étrangement pathétique. Car sous le masque du chroniqueur ou du librettiste se trahit à chaque instant le vrai Gérard, celui d'*Aurélia*, des *Chimères* ou du docteur Blanche. Point même d'écrivain plus profondément, plus totalement présent dans chacun de ses mots, de ses gestes ou de ses délires.

Voyez par exemple comment pour Gérard voyageur la *collection* des sensations et des instants se mue en une recherche orientée, en « une *poésie* des lieux et des hasards [13] ». Cette surface sur laquelle il se laissait glisser, la voici qui s'amenuise, qui laisse transparaître au-dessous d'elle d'autres couches d'images et de réalité. Le lac de Genève devient « l'image affaiblie [14] » du golfe de Naples; chaque objet engage à la poursuite d'un autre

8. *Lorely*, p. 52. — 9. *Id.*, p. 59. — 10. *V. O.*, I, p. 21. — 11. *Id.*, I, p. 42. — 12. *Lorely*, p. 25. — 13. *Œuvres*, p. 304. — 14. *V. O.*, I, p. 120.

objet, le monde se creuse, l'instant s'entrouvre. « Sous l'enveloppe du présent [15] », renaissent les images du passé, s'esquissent les mirages du futur. « Au delà de l'horizon paisible, je sens toujours l'éblouissement de ce mirage lointain qui flamboie et poudroie dans mon souvenir... [16] » Et la ligne d'un horizon trop net s'égare bientôt dans l'éblouissement de cette flamme insaisissable, dans ce foyer toujours situé en un *au-delà*, ou en un *en-deçà* de l'impression. Quant au hasard, pour peu qu'on l'interroge, il dévoile vite son vrai visage, qui est bien moins celui de la coïncidence que celui de la nécessité. « Sous la trame uniforme de la vie », il semble alors que l'on voie ressortir « certaine ligne tracée sur un patron invisible, et qui indique une route à suivre, sous peine de s'égarer [17] ». Plus de zigzags, de çà et là : le voyage a désormais un but inéluctable, et la route qu'il prescrit à chaque voyageur s'appelle son destin.

Tout l'effort de Nerval, on voit bien maintenant à quoi il vise : à suivre cette ligne invisible, à rentrer en possession de ce destin. Et puisque c'est dans les choses que ce destin a été inscrit, c'est d'elles aussi qu'il va falloir l'extraire. Chaque paysage sera donc dépassé vers un être, une vérité personnelle de ce paysage, vers une structure à la fois spatiale et temporelle qui lui conférera son sens et sa valeur. La géographie nervalienne ne décrit pas le monde : elle l'explore, le révèle à lui-même, elle découvre en lui les routes d'un bonheur ou d'un salut, elle se veut « la géographie magique d'une planète inconnue [18] ». Mais cette planète inconnue, comprenons bien que c'est la terre elle-même, une terre redécouverte et recréée. Comprendre Nerval, c'est refaire avec lui les gestes successifs de cette seconde genèse; c'est revivre avec lui son aventure dans la triple perspective particulière où elle se poursuit, dans le triple champ imaginaire de la profondeur, du surgissement et de l'identité.

15. *V. O.*, I, p. 142. — 16. *Id.*, II, p. 447. — 17. *Id.*, II, p. 297. — 18. *Id.*, I, p. 31.

II

Nerval en Orient, c'est d'abord aux femmes qu'il s'intéresse. S'il les regarde avec tant d'insistance, c'est bien sûr parce qu'il est parisien et que ce sont des femmes, mais c'est surtout parce qu'il ne peut pas *vraiment* les regarder, parce que ce sont des femmes invisibles. Voilées ou cloîtrées, défendues par une épaisseur d'étoffe ou de muraille, elles l'appellent tout en le fuyant, elles incarnent pour lui un refus doublé d'un mystère. De ce mystère, Nerval cultive sans doute assez complaisamment l'excitation à l'usage du public parisien qui lira ses articles. Mais cette excitation dépasse de loin le simple plan de la curiosité journalistique : elle rejoint évidemment en lui une irritation existentielle. Ce n'est point par grivoiserie qu'il contemple si passionnément ces faces masquées, qu'il rêve même l'achat d'une femme musulmane, d'une femme qui lui appartiendrait et qu'il aurait donc le droit de dénuder, de dévoiler. C'est que tout être dissimulé lui semble insupportablement lointain, injustement refusé. Interdite, opacifiée par l'obstacle, chaque femme voilée lui est un rappel de la transparence perdue, et donc de la *faute* qui se situe selon lui à l'origine de cette perte. « Tout est plein, tout est vivant dans ce monde, *où depuis le péché des voiles obscurcissent la matière* [19]. » C'est bien notre péché, — péché originel, mais aussi péché recommencé par chaque homme particulier à chaque époque de l'histoire, — qui obscurcit l'objet, qui masque les visages, qui mure chacun d'entre nous dans sa singularité et dans sa solitude. Pour retrouver la transparence, la nudité des choses et des êtres, pour parvenir à éveiller l'amour chez la femme qu'on aime, pour redevenir sensible à la valeur concrète d'un sourire, d'un ciel ou d'une fleur, il faudrait donc obtenir la

19. *Les Illuminés*, p. 398. Nerval prête ces mots à Cazotte, mais ils résument admirablement son propre *credo*.

rémission de ce péché. Faute de gagner ce pardon, Nerval pourra seulement s'efforcer. Mais il s'efforcera toujours, toute son œuvre nous en est témoin, avec le même courage, la même modestie têtue. Point de passion chez lui plus essentielle que celle qui le pousse à traverser écrans et trames, à marcher vers la profondeur défendue, à *dévoiler l'être*.

Quelle joie dès lors que de se reposer sur la nudité soudain offerte d'un visage : « J'avouerai que je n'étais pas fâché, pour un jour que je passais en Grèce, de voir au moins un visage de femme... [20] » Et si les lois du pays interdisent que le visage se montre à nu, Gérard comptera sur la rencontre d'une indiscrétion et d'une coquetterie pour amincir au maximum l'obstacle, pour recréer entre homme et femme un semblant de transparence : « A Constantinople, à Smyrne, une gaze blanche ou noire laisse quelquefois deviner les traits des belles musulmanes, et les édits les plus rigoureux parviennent rarement à leur faire épaissir ce frêle tissu... [21] » Ou bien encore c'est la joie plus incisive d'une fente ouverte dans l'écran, d'un minuscule espace accordé, où se concentrent dramatiquement toutes les puissances d'expression et tous les moyens d'échange :

> C'est derrière ce rempart que des yeux ardents vous attendent, armés de toutes les séductions qu'ils peuvent emprunter à l'art. Le *sourcil*, l'*orbite de l'œil*, la *paupière* même, *en dedans des cils* sont avivés par la teinture, et il est impossible de mieux faire valoir le peu de sa personne qu'une femme a le droit de faire voir ici... [22]

Le maquillage souligne ici la pathétique exiguïté de la fente, il exaspère le cerne de l'œil afin de mieux enfoncer le regard et de signaler l'ardente profondeur d'une *personne*. Dans son *Éloge du Maquillage*, Baudelaire proposera de même d'immobiliser corps et visage sous une couche de fards, de les glacer en un pur jeu de surfaces où se creusera mieux l'éclat surnaturel de l'œil. Que cet éclat lui-même se refuse, que la femme voilée se close absolument sur soi, et cette clôture en accroîtra davantage encore le prix, la valeur à demi religieuse :

20. *V. O.*, I, p. 154. — 21. *Id.*, I, p. 160. — 22. *Id.*, I, p. 162.

L'Égypte, grave et pieuse, est toujours le pays des énigmes et des mystères; la beauté s'y entoure, comme autrefois, de voiles et de bandelettes, et cette morose attitude décourage aisément l'européen frivole [23].

Mais pour l'Européen épris de sérieux, passionné d'être, pour Gérard lui-même, l'Égyptienne voilée participe à l'ambiguïté de tout sacré. Absolument absente mais suprêmement présente, transcendante, mais paralysée par sa transcendance, morte et vivante, elle est à la fois femme-déesse et femme-momie.

Lever le voile, ce serait franchir le *seuil* de l'autre : geste violemment émouvant quand on se souvient à quel point Nerval fut toujours obsédé par les barrières, par les portes fermées, par toutes les expressions concrètes de la limite. Son seul vrai problème, n'est-ce pas celui de l'*accès?* S'il aima tant voyager, ce fut peut-être pour le seul plaisir de franchir ces seuils artificiels : les frontières. Chaque douane traversée faisait renaître en lui l'espoir d'un dévoilement immédiat, d'une terre nouvelle brusquement accordée. « N'imagine-t-on pas, quand on va passer la frontière d'un pays, qu'il va tout à coup *éclater* devant vous dans toute la splendeur de son sol, de ses arts, et de son génie? » Et dans la gamme nervalienne des lumières l'*éclat* signale en effet la révélation directe d'un être, la vérité soudain manifestée. Mais le malheur, c'est que cette révélation ne se produit presque jamais, que l'être refuse d'éclater :

...Il n'en est pas ainsi, et chaque nation ne se découvre à l'étranger qu'avec lenteur et réserve, laissant tomber ses voiles un à un, comme une pudique épousée... [24]

La première vertu du voyageur, ce sera donc la patience. Il n'y a pas ici un, mais plusieurs seuils de réalité à dépasser avant de parvenir au cœur de l'être. Le monde nervalien se constitue en une épaisseur de voiles superposés, de couches d'existence qui se recouvrent les unes les autres. Ce qui fait l'opacité des choses, ce n'est pas chez Nerval, comme chez un Baudelaire par exemple, la vaporisation du moi ou l'excessive dépense de l'être, l'embrumement ou la fatigue. C'est l'entassement des

23. *Id.*, I, p. 160. — 24. *Lorely*, p. 25.

enveloppes, la sédimentation des expressions et des apparences. Monde-gigogne, où la recherche devra dans la durée et dans l'effort vaincre une succession d'obstacles et patiemment réduire une pudeur de l'être. De là naît le schéma d'une connaissance elle aussi successive, à base de dépassements et d'épreuves : une connaissance qui se confondrait avec une initiation. Dans l'amour comme dans le voyage, Nerval essaie donc de réintroduire les démarches de l'occultisme, les rites de la franc-maçonnerie.

Ce qui le séduit dans ces rites initiatiques, c'est leur caractère de fixité. La tradition garantit l'ordre de la progression, elle conduit sûrement le futur initié à travers une suite immuable d'épreuves. Elle donne en somme à la chasse spirituelle un cadre et un soutien. Mais justement cette connaissance demeure pour Nerval idéale, théorique. Il n'est pas sûr qu'il ait jamais été initié et que donc il ait pu concrètement profiter d'un tel soutien, ni jouir d'une telle sécurité. Il est certes tenté par toutes les traditions ésotériques; — et cet éclectisme nous est déjà un signe d'incertitude; mais toute son œuvre nous témoigne en outre, et quelquefois tragiquement, qu'il mena sa propre recherche avec les seuls moyens du bord, dans la nuit, l'angoisse et la solitude. L'ascèse revêt chez lui la forme d'un long tâtonnement, d'une ambulation ténébreuse. Et cette façon d'approcher l'être se retrouve jusque dans ses démarches les plus concrètes : l'un des lieux nervaliens les plus obsessionnels, les plus maléfiques, n'est-ce pas justement le *labyrinthe ?*

Suivons Gérard à la découverte d'une ville inconnue : « Tu sais avec quelle rapidité et quelle fureur d'investigation je parcours les rues d'une ville étrangère... [25] » Ne soyons pas surpris par cette fureur : elle le pousse très sûrement à la recherche d'un cœur géographique, d'un « centre ardent et éclairé [26] » à partir duquel la ville sera sûrement connue et possédée. La quête se développe donc en deux temps successifs. D'abord il faudra descendre dans le labyrinthe, se perdre dans l'épaisseur, s'enfoncer dans l'horreur poudreuse du multiple et de l'anonyme. Au Caire, Gérard se plonge

25. *V. O.*, I, p. 88. — 26. *Id.*, I, 61.

> ... dans l'inextricable réseau des rues étroites et poudreuses, à travers la foule en haillons, l'encombrement des chiens, des chameaux et des ânes, aux approches du soir dont l'ombre descend vite grâce à la poussière qui ternit le ciel et à la hauteur des maisons...[27]

La recherche se poursuit ici en un véritable cauchemar d'étouffement et de pulvérulence. Le « labyrinthe confus » se rétrécit jusqu'aux dimensions d'un boyau multiple et écrasé. La sécheresse, la vétusté de cette ville-terrier en annoncent en outre l'écroulement : « Partout la pierre croule et le bois pourrit. » Et la foule fantomatique qui bouche ces rues, qui les « peuple » « sans les animer », n'est qu'un état humain de la même malédiction poussiéreuse. A Vienne, ville plus humide, c'est la brume, cette poussière d'eau, qui constitue l'obstacle : le peuple des rues y est comme un brouillard humain. De toute façon c'est la foule qui barre l'accès de la ville, de l'être : la foule, c'est-à-dire une humanité infinitésimale et dépersonnalisée. Le thème de la foule-écran recoupe ainsi le thème maléfique de la poussière, tous deux se réduisant, comme on le verra, au thème de la division, c'est-à-dire finalement au thème de la faute. Tout comme l'opacité de la matière, l'impénétrabilité de la foule est bien pour Nerval une suite concrète du péché.

Dans cette masse hostile s'esquissent des mouvements, se dessinent des appels d'être. On a même parfois l'impression que la foule se déplace vers son propre dedans, qu'elle se met à converger vers une vérité ombilicale. Ce sont là des espèces de grâces sensibles dont il n'est qu'à suivre l'invitation. A La Haye, par exemple, Nerval éprouve « il ne sait quelle *animation extraordinaire*, quels sons lointains de violons et de trompettes » qui lui « révèlent l'existence d'un divertissement public [28] ». Il se laisse alors porter par cette animation, par ces courants de foule. Au Caire il suit un cortège de mariage (sans savoir qu'il s'agit d'un mariage), pénètre avec lui dans la maison nuptiale, et grâce à un mot magique appris de son drogman, — le mot *tayeb*, merci, — il parvient à participer à toute la cérémonie : image idéale d'une

27. *Id.*, I, p. 163. — 28. *Lorely*, p. 187.

initiation réussie. Ailleurs il se laisse mouvoir par un remous humain ou attirer par une lumière, et soudain la dernière limite se trouve franchie, le réel est touché :

> ... Plus loin la foule bigarrée se pressait sous les portes sombres, et tout à coup, à peine l'enceinte franchie, je me trouvai en plein cœur de la grande ville...[29]

Et le changement de temps grammatical, le passage de l'imparfait au passé simple, marquent admirablement ici le triple dépassement d'une étroitesse, d'une ombre et d'une diversité. Ils signalent l'émergence à un autre niveau de l'être, qui est aussi un autre état de la durée.

Telle quelle, cette obsession du labyrinthe se retrouve à tous les niveaux de l'expérience nervalienne. Toujours elle y désigne un malaise de la possession, un trouble du contact. Pour être heureux, restons lointains : telle fut longtemps la grande règle de la stratégie amoureuse nervalienne. Aimée de loin, contemplée sur une scène de théâtre, Jenny Colon se donnait à lui sans réserve; elle s'offrait dans l'éclat net de son détachement, « brillant dans l'ombre de sa seule beauté, comme les heures divines qui se découpent, avec une étoile au front sur les fonds brunis des fresques d'Herculanum [30] ». Mais si Gérard veut saisir Jenny, s'il entreprend de normalement l'aimer, tout se complique, Car il ne s'agit plus alors pour lui d'admirer une *seule beauté*, mais de conquérir un être, plus de contempler une forme, mais de pénétrer une conscience [31]. Les *Lettres à Jenny Colon* témoignent pathétiquement de la difficulté d'une telle entreprise. Nous y assistons à la montée d'un trouble intérieur, à un obscurcissement de toutes les certitudes sentimentales et finalement à un naufrage de l'être. A mesure que se rétrécit l'espace qui les sépare, et que son amour « se prend à la réalité », tout devient entre eux ambigu, vertigineux : « Ma volonté, jusque-là si nette et si précise, a éprouvé un moment de vertige. » Gérard avance vers Jenny, mais il n'a pas « su calculer sa marche », « étudier le carac-

29. *V. O.*, I, p. 61. — 30. *Œuvres*, p. 261. — 31. Ces distinctions ont été établies par Georges Poulet dans sa très belle étude sur *Sylvie, ou la pensée de Nerval*, parue dans les *Cahiers du Sud* d'octobre 1938.

tère » de la jeune femme, et « trouver ses secrets[32] ». Il progresse au hasard, il tâtonne, il se trompe, commet des fautes, s'enlise. Toute la beauté de ces lettres tient à leur mélange d'immobilité et de vertige, de fièvre et de ressassement. Gérard y cherche simultanément l'amour dans toutes les directions possibles, et il ne trouve jamais devant lui qu'un vide, qu'un silence. Pourtant il ne renonce pas à toucher l'insaisissable réalité, le *cœur* de l'autre :

> Madame, vous m'avez dit qu'il fallait trouver le chemin de votre cœur... Eh bien, je suis trop ému pour chercher, pour trouver. Ayez pitié de moi, guidez-moi. Je ne sais; il y a des obstacles que je touche sans les voir, des ennemis que j'aurais besoin de connaître. *Éclairez-moi dans ces détours, où je me heurte à chaque pas*[33]...

Plainte émouvante par sa simplicité, et parce que le mélange intérieur d'espoir et d'angoisse y débouche sur un pur aveu d'impuissance. A lui seul, Nerval ne *peut* pas traverser le labyrinthe; il aurait pour cela besoin de recevoir une grâce. Aussi supplie-t-il Jenny de l'éclairer, de le conduire à elle. Pour l'attendrir il lui propose même une épreuve : « Maintenant je n'ai plus qu'un mot à dire. Admettez une épreuve. » Si Jenny admettait cette épreuve, elle transformerait l'errance sentimentale en quête rituelle. Le labyrinthe amoureux serait initiatiquement parcouru et vaincu. Et l'on sait que toute la fin d'*Aurélia* est portée par un espoir semblable : Gérard y considère les souffrances de sa folie comme une série d'épreuves ordonnées en vue de son salut. Mais avec Jenny, il n'est pas de salut, ni de réponse. L'*Étoile* refuse de descendre à lui, de fixer sur lui son chatoyant regard, comme elle le fera dans le rêve des *Mémorables*. A peine possédée, Jenny se dérobe, puis meurt. Et c'est seulement dans cette mort que paradoxalement Gérard parvient à la rejoindre.

Toute connaissance passe donc par un labyrinthe, et souffre d'y passer. Le dédale est l'instrument d'une médiation douloureuse et nécessaire, le lieu double d'un châtiment et d'une traversée. Il est curieux de voir son obsession commander le déroulement de mainte affabulation nervalienne, et même des plus apparemment anecdotiques. Dans les *Nuits d'Octobre* par exemple, Nerval nous

32. *Œuvres*, p. 724. — 33. *Id.*, p. 719.

confie son projet d'aller pêcher la loutre à Creil, sur les bords de l'Oise. Projet apparemment sans difficulté, mais dont on saisit tout de suite le caractère aventureux si l'on se souvient que Creil est situé au cœur même du Valois, c'est-à-dire dans la zone nervalienne magique et interdite, au centre d'une double profondeur d'espace et de mémoire. Et comment en effet aller à Creil? Autrefois, nous dit Nerval, tout était simple, on s'y rendait tout droit : mais la civilisation, pour vouloir raccourcir le trajet, a en fait tout brouillé. « Le système des chemins de fer a dérangé toutes les voitures des pays intermédiaires... il faut faire dix lieues à droite ou dix-huit lieues à gauche, en chemin de fer, pour y parvenir, au moyen des correspondances, qui mettent encore deux ou trois heures à vous transporter dans des pays où l'on arrivait autrefois en quatre heures. » Et le chemin de fer lui-même est un « chemin tortu, bossu, qui fait un coude considérable avant de parvenir à Creil »... Donc de toutes façons nous n'échapperons pas au labyrinthe. Au lieu de la rectitude ancienne nous avons le choix entre deux dédales, l'un composé d'un relais compliqué de diligences — et c'est le thème du zigzag, de la marche discontinue, — l'autre continu, mais métallique, « ferroviaire et bossu », c'est-à-dire pour Gérard artificiel et profondément maléfique... « La spirale célèbre, que traça en l'air le bâton du caporal Trim, n'était pas plus capricieuse que le chemin qu'il faut faire, soit d'un côté, soit de l'autre [34]. » Le pays magique décidément se défend bien.

Mais cela ne suffit pas encore. Gérard se décide finalement pour la diligence, il la manque, et il s'engage alors dans une longue errance parisienne, qui prend peu à peu l'aspect d'une véritable descente aux Enfers. Carrières de Montmartre, goguettes de Pantin, bas-fonds, *charniers* des Halles : tels sont les lieux visiblement démoniaques que traverse sa promenade. Qu'il s'agisse bien pour lui d'un franchissement de la nuit, d'une nuit dangereuse et maléfique, cela nous est révélé par le petit détail suivant. Un matin, après avoir bu toute la nuit dans un café avec d'horribles chiffonnières, il parvient à grand-peine à s'échapper :

34. *Œuvres*, p. 131-132.

> Le soleil commence à percer le vitrage supérieur de la salle, la porte s'éclaire. Je m'élance de cet enfer *au moment d'une arrestation*, et je respire avec bonheur le parfum des fleurs entassées sur le trottoir de la rue aux Fers [35].

Retour parfumé à la lumière. Mais la menace de l'arrestation continue à peser sur le marcheur dédalique. Comme un héros de Kafka, Nerval se sent poursuivi, il se sait même d'avance condamné. Un peu plus tard dans son voyage, à Senlis, il est en effet arrêté et mis en prison. Pour quelles raisons, direz-vous? Aucune, sinon qu'il a perdu son passeport, c'est-à-dire sa justification, la preuve de ce qu'il est, de son identité. L'errance se continue alors entre deux gendarmes. Et quand de cauchemar en cauchemar, après avoir traversé un affreux labyrinthe onirique, « des corridors, des corridors sans fin ! Des escaliers, des escaliers où l'on monte, où l'on descend, où l'on remonte, et dont le bas trempe toujours dans une eau noire [36] »... Gérard arrive enfin au but, à Creil, il est trop tard, le moment est passé : « Mon ami le limonadier, après sa chasse, était parti pour Clermont afin d'assister à un enterrement. Sa femme m'a montré une loutre empaillée [37]... » Animal empaillé, ami parti à un enterrement : ces symboles désignent visiblement une absence. Au cœur du labyrinthe, Nerval a seulement trouvé une double image de la mort.

Il existe pourtant chez lui des labyrinthes bénéfiques, des dédales qui débouchent sur l'être. Dans l'un de ses ouvrages sur l'imagination matérielle [3], Gaston Bachelard a admirablement analysé celui d'*Aurélia*. Il en a reconnu le caractère dynamique, l'heureuse fluence :

> Je crus tomber dans un abîme qui traversait le globe. Je me sentais emporté sans souffrance par un courant de métal fondu, et mille fleuves pareils, dont les teintes indiquaient les différences chimiques, sillonnaient le sein de la terre comme les vaisseaux et les veines qui serpentent parmi les lobes du cerveau [39].

Plus ici de frottement ni de tâtonnement; aucune nausée de

35. *Œuvres*. p. 122. — 36. *Id.*, p. 124. — 37. *Id.*, p. 138. — 38. *La Terre et les Rêveries du Repos*, p. 231. — 39. *Œuvres*, p. 366.

nuit ou de clôture. Nerval se sent glisser dans le ferme bonheur d'une humidité substantielle. Le métal fondu, qui est pour lui comme un sang chthonien, soutient admirablement la coulée de son rêve. Loin de lui suggérer des images d'égarement, la traversée du souterrain prend alors la forme d'une véritable exploration de la matière. La terre y dévoile au rêveur sa structure intérieure, elle déplie devant lui la complexité d'une physiologie qui la rend étrangement semblable à un organisme intelligent. Le rêveur se sent glisser parmi « les lobes d'un cerveau », il y participe à la joie d'une irrigation merveilleuse et il y éprouve concrètement le mystère d'une matière à demi spiritualisée par le bonheur de sa propre fluence. « J'eus le sentiment que ces courants étaient composés d'âmes vivantes, à l'état moléculaire, que la rapidité de ce voyage m'empêchait seule de distinguer... » Cette matière déjà subtilisée s'ouvre enfin sur une transparence : « Une clarté blanchâtre s'infiltrait peu à peu dans ces conduits, et je vis enfin s'élargir, ainsi qu'une vaste coupole, un horizon nouveau où se traçaient des îles entourées de flots lumineux [40]. »

Au bout de la nuit il peut donc y avoir une lumière; à la sortie du labyrinthe, Nerval découvre une terre inconnue. Ou n'est-ce pas plutôt une terre oubliée? Car ce pays, il le retrouve, c'est un paysage dont l'image avait seulement été obscurcie en lui par une épaisseur de durée. Et le voyage dédalique traverse aussi cette durée; en même temps qu'à un centre il atteint à une origine. Comprenons bien que pour Nerval tout avènement coïncide avec une renaissance, toute sensation authentique rajeunit. A peine par exemple a-t-il admiré tel parc viennois, qu'il ajoute, comme surpris par la vivacité de son impression : « Ah ! vois-tu, nous sommes encore jeunes, plus jeunes que nous ne le croyons... [41] » C'est le seul don d'émotion qui affirme ici la jeunesse. Chaque spectacle émouvant nous ramène à la fois à un « berceau du monde » et aux sources personnelles de notre vie, à un état d'enfance commun à l'homme et à la terre. Dans le temps comme dans l'espace, c'est la sensation heureuse qui nous fait franchir notre propre labyrinthe, qui nous rend à celui que

40. *Œuvres*, p. 366. — 41. *V. O.*, I, p. 67.

nous étions autrefois, et que nous n'avons pas cessé d'être, à celui que nous sommes vraiment.

Rajeunissante pour l'être qui l'éprouve, cette sensation recrée enfin une fraîcheur du paysage. Elle nettoie l'objet, le décape, elle lui redonne comme aux premiers temps le pouvoir de s'avouer lui-même; elle le revêt délicieusement de tous les attributs concrets de l'innocence. Ainsi dans les lignes suivantes d'*Aurélia* :

> Les vieux meubles luisaient d'un poli merveilleux, les tapis et les rideaux étaient comme remis à neuf, un jour trois fois plus brillant que le jour naturel arrivait par la croisée et par la porte, et il y avait dans l'air une fraîcheur et un parfum des premières matinées tièdes du printemps [42].

Admirable vision d'un monde décrassé, décroûté, où le *neuf* se manifeste sous l'espèce des qualités sensibles à la fois les plus enfoncées dans une intimité matérielle, et les plus familièrement étalées sur la surface des choses, luisance, brio, poli, fraîcheur, tiédeur... Rêvons surtout à ce mixte de fraîcheur et de tiédeur qui suggère la présence intérieure d'une source chauffante, d'un feu à peine né. Grâce à la porosité d'une matière intérieurement lavée, ce feu peut désormais venir habiller du dedans et baigner la forme. Au bout du labyrinthe onirique chaque objet est bien « une île entourée de flots lumineux », de flots qu'il a lui-même sécrétés. Point de soleil qui s'impose du dehors au paysage : dans les rêves, nous dit Nerval, les choses irradient leur propre feu, elles sont à elles-mêmes leur propre soleil. Le but final du voyage labyrinthique, ce n'est sans doute rien d'autre que cet état d'ardente franchise, de jeunesse réenflammée.

III

L'idéal, ce serait que cette flamme s'élevât d'elle-même au grand jour, que cette jeunesse trouvât en elle assez de force pour

42. *Œuvres*, p. 372.

se manifester spontanément sur les surfaces du monde quotidien. Car même dans les cas les plus favorables, le thème de l'exploration labyrinthique garde toujours quelque ambiguïté. D'autres thèmes le contrarient souvent, thèmes maléfiques, comme les thèmes de défense violée, ou les thèmes plus concrets encore de claustration, d'étouffement, de dissimulation. Même si le souterrain s'ouvre sur une lumière, ce nouvel horizon se trouve quelque peu discrédité par l'horreur préalable de son accès. Aucun doute que pour Nerval l'être ne se situe en un cœur de l'objet ou de la conscience : mais cet être y est justement si bien caché qu'on ne peut pas l'y chercher sans souffrance, ni même l'y atteindre sans malaise.

Ce malaise peut prendre la forme d'une dichotomie à la fois physique et morale. Toujours prêt à redisposer l'univers selon les perspectives de la Faute, Gérard identifie alors être souterrain et être infernal, feu central et feu maudit; la descente en soi-même devient une descente aux Enfers. Il faut relire ici l'admirable histoire d'Adoniram, telle que Nerval nous la conte dans le *Voyage en Orient*. On y voit Adoniram, fils et maître de la flamme, se laisser absorber par la contemplation d'un feu et descendre en rêve dans les entrailles de la terre. Comme Gérard dans le rêve d'*Aurélia*, il traverse des zones de matière subtilisée, raréfiée, attiédie, il ressent des secousses, des « bourdonnements singuliers », « des battements sourds, réguliers, périodiques » qui lui annoncent « le voisinage du cœur du monde [43] ». Et soudain il atteint ce cœur. La vie éclate, « des populations apparaissent à travers ces hypogées; le travail les anime, les agite... une voûte éclaircie s'étend comme un ciel immense... [44] » La profondeur s'élargit ici en un mouvement de pure générosité physique : car ce feu central prodigue son bienfait jusqu'à la surface de la terre. Par l'intermédiaire d'un réseau veineux de métal fondu il entretient par en dessous la chaleur et la vie chez les hommes. Mais le maître de cet éden souterrain n'en reste pas moins le grand réprouvé Caïn lui-même, — et c'est de lui qu'Adoniram descend. On lui montre le tombeau du grand ancêtre, où Caïn tout à la fois,

43. *V. O.*, III, p. 214-215. — 44. *Id.*, p. 216.

s'enorgueillit et gémit de son crime. La réalité du monde rejoint alors une malédiction du monde, et la faute s'inscrit au cœur de l'être.

Comprenons que la fin de la quête nervalienne c'est bien toujours un état d'intimité, de tiédeur matérielle; mais cette tiédeur, dans la mesure où elle a été enfoncée, ravalée au sein d'une épaisseur défendue, paraît maintenant à Nerval une tiédeur humiliée, une intimité punie. Caïn a beau se vouloir l'ami et le défenseur des hommes, il n'en reste pas moins le grand réprouvé. Toute recherche souterraine de l'être risque donc de voir rejaillir sur elle un peu de cette réprobation. C'est comme si les voiles jetés sur la matière ne signifiaient plus désormais un volontaire retrait, une *pudeur* de l'être, mais bien une punition infligée du dehors, au nom d'un être supérieur, d'un dieu céleste, à l'être de la terre et des hommes. Et certes Nerval peut choisir d'exister dans cette punition : maintes fois il opte pour la malédiction, la sainte de l'abîme et les dieux souterrains. Mais ce choix cependant ne le décrit pas tout entier. Dans la mesure où il implique une exclusion, c'est-à-dire une séparation, il ne répond pas au génie profond de Nerval qui recherche toujours la réconciliation physique, la continuité spirituelle, et qui ne s'épanouit tout à fait que dans un certain climat de *familiarité absolue*.

Puisque la recherche souterraine de l'être empêche cette familiarité, puisque la profondeur y reste toujours plus ou moins entachée de diabolisme, Gérard devra donc trouver d'autres lieux et d'autres images qui lui offriront la jouissance d'une profondeur délivrée : d'une profondeur *surgie*. Ce devront être des lieux où la notion d'intimité ne se trouve pas dégradée par les figures maléfiques de l'enfoncement ou de la clôture, des lieux à la fois protégés et ouverts, grottes par exemple, ou bien volcans. L'avantage de la *grotte* c'est ainsi qu'elle recueille une existence sans tout à fait la faire disparaître. Elle recouvre, mais n'enfonce pas. Dans la sédimentation de ses boues ou dans la paix de ses eaux internes elle couve les germes du futur, les *dents du dragon*. Mais sa protection ne dégénère jamais en étouffement, et la grotte relève toujours d'un climat de porosité, d'humidité heureuses. Dans les meilleurs cas elle évoque la libre mollesse d'un monde originel — « cette caverne a été pétrie dans la terre encore molle [45] » — ou les images d'une rondeur maternelle, d'un univers-berceau. Elle reste en outre d'un accès facile : pour y entrer, aucun labyrinthe à traverser, elle est de plain-pied avec le monde, avec la mer. N'importe qui peut y descendre, y rêver, y voir nager la sirène ou *verdir* — c'est-à-dire renaître — la naïade. L'être s'y présente à la fois dans le mystère de sa conservation et dans celui de sa germination, de son possible surgissement. Car la grotte est aussi un lieu d'où l'on sort, d'où l'on débouche. Elle est un cœur de la terre situé à la surface de la terre, et c'est pourquoi, rejoignant une intimité sans succomber à une épaisseur, elle est chargée pour Nerval d'une telle magie.

Dans cette appréhension d'une profondeur non profonde, la rêverie volcanique rejoint la rêverie spéluncale. Le volcan est bien une grotte enflammée, une grotte active, imminente, disponible, et donc dangereuse. Cette promesse d'être qui n'existait dans la grotte qu'à l'état de torpeur boueuse risque ici de se réaliser brusquement : trop brusquement même puisqu'elle peut faire éclater la terre. Le volcan est donc ambigu; bienfaisant en tant que feu possible, être profond, malfaisant en tant que feu actuel, être explosé.

On sait la place tenue dans la mythologie nervalienne par l'éruption du Vésuve qui se produisit pendant l'un des séjours de Gérard à Naples, séjour évoqué dans *Octavie* et dans plusieurs sonnets des *Chimères*. Or il est remarquable de voir comment Nerval situe cet événement dans deux climats très différents, selon qu'il le rêve dans son annonce ou dans ses suites. Imaginée dans son imminence, l'éruption volcanique lui apparaît comme une sorte d'annonciation matérielle :

> La terre a tressailli d'un souffle prophétique... [46]

Dans le sonnet à J.-Y. Colonna, Gérard va jusqu'à imaginer qu'il a lui-même provoqué cette montée du feu :

> Sais-tu pourquoi là-bas le volcan s'est rouvert?
> C'est qu'un jour nous l'avions touché d'un pied agile [47]...

45. *Œuvres*, p. 421. — 46. *Id.*, p. 31. — 47. *Id.*, p. 29.

Cette réouverture de la source de feu signifie un réveil de l'être, une résurrection des Dieux — « Ils reviendront, ces Dieux que tu pleures toujours. » — Mais, conséquence immédiate, l'éruption pulvérise la terre, elle oblitère le ciel :

Et de sa poudre au loin l'horizon s'est couvert [48].

Dans les deux sonnets les images qui suivent cette évocation, et sur lesquelles s'achève le poème, sont loin de suggérer un surgissement victorieux de l'être. Elles disent plutôt le sommeil — la sibylle endormie sous l'arc de Constantin, — sommeil abrité, à demi spéluncal, la brisure — « Depuis qu'un duc Normand brisa tes dieux d'argile... » — ou la mort enclose, le tombeau de Virgile. Dans le récit d'*Octavie*, l'éruption apparaît mieux encore comme un avortement d'être, et même comme une tentative ténébreuse : à peine sorti des bras de la sombre magicienne qui l'a ensorcelé, Gérard s'aperçoit qu'il étouffe, qu' « une poussière chaude et soufrée (l') empêche de respirer » ; il n'échappe à cette nausée que par un recours à l'altitude — au « Pausilippe altier », — et à la mer. Ce qui discrédite au fond le volcan, c'est sa violence. Il contient un feu impatient, un être coléreux, entré en lutte avec l'épaisseur de la terre. Au lieu de s'insinuer, sa véhémence se révolte. Le feu bénéfique sait au contraire se glisser dans toutes les entrailles du monde, il irrigue la terre sans la violenter. Et s'il lui faut paraître au jour, il s'arrangera pour y émerger doucement, par toute une gamme de transitions sensibles. Le volcan heureux, ce sera chez Nerval le feu jailli de l'eau, le soleil qui se lève au-dessus de la mer.

Par le volcan nous apercevons en tout cas l'importance du *complexe igné* de Nerval. Dans l'une de ses excellentes études sur Nerval, François Constans [49] a bien montré l'étendue de cette obsession. Depuis Adoniram jusqu'aux héroïnes des *Filles du Feu*, en passant par le Prométhée de *La Pandora* et par le lama d'argile d'*Aurélia*, il est vrai que toute une lignée de créatures nervaliennes n'existent que par la flamme : une flamme d'ailleurs capable de provoquer hors d'elle d'autres flammes, comme

48. *Ibid.* — 49. *Mercure de France.* Avril et mai 1948.

il ressort de l'aventure napolitaine. Si le Vésuve fait éruption, c'est parce que Gérard l'a « touché d'un pied agile » : lui-même homme de feu, il lui suffit d'effleurer la montagne de feu pour causer son embrasement. Nous touchons ici à l'un des aspects les plus étranges, mais aussi les plus vivifiants du génie nervalien. Intellectuellement, sentimentalement, spirituellement, Gérard se rêve lui-même comme un homme-volcan : « Ton ami flamboie et pétille; on le touche, il en sort du feu... [50] » Ce feu, ce brio volcanique, cette facilité à pétiller et à réchauffer autrui, ce n'est rien d'autre au fond que le *génie*. Le génie n'est peut-être ici que le don de surgissement, que l'aptitude au génie. Il réclame hors de lui une contagion, et se sépare mal d'une générosité d'être.

Réciproquement Nerval comptera sur le génie des autres. Il aura besoin de leur chaleur. Toute sa vie, il craindra que son feu ne s'éteigne. Le froid, le gel, la neige lui sont des signes indubitables du néant, et l'on ne peut s'empêcher de penser que son suicide par une glaciale nuit de janvier s'inscrit tragiquement dans la logique de ses rêves. Cette nuit-là il dut croire sa flamme morte. Or toute sa vie, l'amitié l'avait protégé contre un tel désastre. Rechercher la flamme d'autrui, non pas pour s'en laisser paresseusement pénétrer, mais pour s'obliger soi-même à rallumer son propre feu : tel fut chez lui le sens de la sympathie humaine, et, sur un autre plan, de l'amour. Avec Théo comme avec Jenny, il croit découvrir des êtres capables de ranimer son être. Pour cela il lui suffit de découvrir dans la froide étoile une certaine naïveté de cœur, une fraîcheur de sentiments :

> La conjugaison éternelle du verbe « aimer » ne convient peut-être qu'aux âmes tout à fait naïves; mais je vous ai dit combien je suis jeune encore d'émotions, et il m'a semblé qu'il y avait dans votre cœur une fraîcheur de sentiments qui n'avait peut-être jamais été comprise [51]...

Aimer quelqu'un, c'est deviner en lui cette fraîcheur qui soit comme un reste d'enfance, et c'est du même coup se rendre digne de faire revenir vers soi cette fraîcheur, de se rajeunir à elle,

50. *V. O.*, I, 102. — 51. *Œuvres*, p. 732.

d'être aimé. L'amour heureux provoque ainsi une aimantation de la jeunesse par la jeunesse, un commun retour à l'origine, un réveil du feu par le feu.

Que ce réveil s'opère trop brutalement, et ce sera l'accident. Comme dans l'acte alchimique manqué, l'être n'est plus alors animé, mais embrasé, détruit. Il semble bien que quelque désastre de cet ordre se soit produit entre Gérard et Jenny. Qu'est-ce que le bonheur d'aimer? Une joie volcanique, nous dit Nerval, « la suprême joie qui fait éclater toutes les facultés humaines... ». Mais cet éclatement qui projette l'être vers la joie d'une conquête extérieure, peut tout aussi bien rompre ses structures intimes. L'amour provoque alors un éparpillement de la personne, un étrange égarement des facultés :

> Mais pour les cœurs plus profondément épris, l'excès d'émotion mêle pour un instant tous les ressorts de la vie, le trouble est grand, la confusion est profonde, et la tête se courbe en frémissant, comme sous le souffle de Dieu [52]...

Lignes terribles, qui nous peignent l'irruption d'un inconnu, d'une folie au cœur même de l'extase amoureuse. Par excès d'inflammation passionnelle, Gérard se retrouve en face de Jenny dans un état d'immobile frénésie, silencieux et comme paralysé au sein d'un nuage de cendres. D'où provient cette épouvantable confusion? D'une impuissance physique, nous dit G. Sébillotte. Et cela est probablement vrai. Mais il semble que cette impuissance prenne elle-même sa source, — la suite de cet essai le montrera — dans une incapacité plus profonde, dans un trouble existentiel de l'identité. L'être s'y découvre soudain aliéné, séparé de lui-même; le ressort de sa vie se bloque, il ne peut plus *répondre* :

> Hélas ! que sommes-nous, pauvres créatures, et comment répondre dignement à la puissance que le ciel a mise en nous ! Je ne suis qu'un homme, et vous une femme, et l'amour qui est entre nous [53]...

Phrase demeurée pathétiquement inachevée, peut-être parce que l'amour reste toujours *entre* les êtres, et qu'il n'arrive jamais

52. *Œuvres*, p. 733. — 53. *Ibid.*

à les réunir vraiment. Sans doute faudrait-il être un dieu pour atteindre à la transparence du sentiment : hommes et femmes sont voués au malentendu ou au silence. Tantôt c'est autrui qui se tait et s'éloigne, tantôt c'est moi qui ne peux pas répondre aux avances d'autrui. Pour Gérard, son involontaire silence constitue donc l'insignité suprême, le signe même d'une impuissance à être. Dans l'échelle des désastres intimes, la profusion égale le tarissement, le foyer explosé vaut bien le foyer éteint.

A quel feu vais-je donc me vouer? A quelle flamme pourrai-je me ranimer sans en même temps me détruire? Nerval regarde autour de lui, dans la nature : il y découvre le *soleil*. Voilà le feu bénéfique, l'astre provocateur de vie et de chaleur, le grand ranimateur d'existence. Le soleil enjoint à chacun de nous de retrouver son propre soleil. Ainsi, en 1854, Nerval malade débarque à Bade à l'*Hôtel du Soleil*, et le voici qui, déjà réconforté par le contact vivifiant du Rhin, se sent soudain miraculeusement rajeuni :

> De l'hôtel du Soleil à l'hôtel... de la Fleur.
> Je ne loge plus au Corbeau, — c'était sinistre, mais me je sens déjà flamboyer comme un astre, et, quelque temps éteint, je me suis rallumé à ce vieux *soleil* de mes plus beaux jours.
> Est-ce que j'avais laissé tout à fait mourir le *feu sacré* ?...[54]

Sous l'allure de plaisanterie, on devine ici le ton de l'angoisse, et l'on voit reparaître le grand mythe de réconfort solaire. C'est bien le soleil qui entretient en nous *le feu sacré*. C'est de lui seul que nous pouvons espérer la renaissance. Et cette renaissance d'ailleurs ne s'arrête pas à l'homme, elle intéresse aussi bien les objets, la matière dite inanimée, que justement elle incite à s'animer, à s'enflammer de l'intérieur.

A cette incitation, toutes les substances ne cèdent pas également. Certaines résistent, se constituent en écrans opaques : les poussières par exemple. D'autres, sans hostilité particulière, se contentent d'opposer au regard une dureté imperméable à toute pénétration et à toute émergence. Pierre ou rocher s'éclairent peu du dedans, ils se définissent par la fermeté de leurs surfaces,

54. *Œuvres*, p. 1052.

par leur caractère crispé et croûteux. Si un esprit s'accroît parfois sous cette écorce, il aura bien de la peine à la franchir : ce n'est pas souvent chez Nerval que *l'œil* intérieur soulève la *paupière* rocheuse. Le roc remplit pourtant une fonction onirique importante; il est ce qui se dresse éternellement, ce qui a résisté à l'effritement de la matière, à l'usure des siècles : substance témoin, squelette imputrescible de la terre. Gérard rêve ainsi à la curieuse expression d'*ossements* par laquelle les gens du Valois désignent les clochers blancs en forme d'arêtes de leurs églises [55]. Ou bien, mettant le pied sur « les monts rocailleux » de la Grèce, il croit fouler les « os puissants » de la « vieille mère » des hommes et des races. On voit que si le roc se refuse à accueillir les rêves de surgissement actuel, il supporte admirablement un autre besoin d'égale importance : l'exigence d'une solidité éternellement surgie. La pierre, et spécialement la pierre angulaire, le pic montagneux, le roc aiguisé par l'érosion des âges — les « anciens monts rongés par la mer du déluge [55] » — reviennent dans le paysage nervalien à chaque réaffirmation d'une architecture primitive, d'une identité retrouvée à travers l'écoulement des âges. Ainsi, dans l'admirable sonnet à Mme Sand, des *Nouvelles Chimères*, où le roc de Salzbourg se soude au roc de Tarascon, pour affirmer, depuis Du Bartas jusqu'à Nerval, la solidité, la rugosité d'un même lignage.

Les substances favorites de Nerval seront pourtant celles qu'il croira le mieux capables de répondre au feu : substances sans écorce, définies par l'ouverture et par la porosité. Ce sera par exemple la tendre brique rose du fameux château Henri IV qui obsède sa rêverie. Si elle occupe une place si visiblement privilégiée dans la géographie magique de Nerval, c'est en raison de l'écho chaleureux qu'elle renvoie à l'appel de chaque soleil couchant. Nul doute que pour Nerval le feu du soleil ne réveille un feu de la brique, n'atteigne un foyer, d'ailleurs non éclaté, diffus, éparpillé dans la finesse de son grain, et qui répartit également sa lueur sur le plan lisse des façades. La brique luit en profondeur, elle laisse transparaître une chaude

55. *Œuvres*, p. 239.

épaisseur, elle suggère une densité à la fois homogène et aérée. Son tendre feu réchauffe le regard. Que ce qu'elle garde encore de malléable, de trop offert, d'invertébré, s'unisse à la densité d'un squelette rocheux, et nous aurons l'édifice idéal. Les angles du château Henri IV sont bâtis en pierre blanche, parfois même en pierres doucement jaunies. Et ce jaune nous suggère à la fois le dépôt d'une patine temporelle et l'opération d'un réchauffement solaire; il dégage comme une double radiation de feu et de mémoire... Quant au toit du château, il est couvert d'ardoises, c'est-à-dire d'une substance à la fois tendre et noire, susceptible de répondre elle aussi à l'appel d'une certaine lumière. La brique enferme en elle la rougeur des soleils couchants, mais l'ardoise possède une âme lunaire. Elle a une pâleur substantielle qui ressort sous l'œil de l'astre des nuits. Devant le château de Fontainebleau, Gérard peut jouir de « cet étrange contraste de la brique et de l'ardoise, s'éclairant des feux du soir ou des reflets argentés de la nuit [56] ». Substances sœurs malgré leur apparent contraste : toutes deux sont chargées de promouvoir l'être depuis leur profondeur jusque vers leur surface, d'avouer le feu intérieur, de le remettre au monde [57].

Autour du chateau de briques, et comme pour en soutenir la vigueur, s'étendent un parc, de grands ombrages, tout un foisonnement herbeux et feuillu. C'est que pour Nerval, comme pour Rimbaud, le végétal constitue le signe non équivoque d'une poussée vitale, d'une émergence d'être. De même que la brique s'affirme en s'enflammant, la terre se déclare en se couvrant de feuilles. Herbes, arbres, mousses supportent également une *verdeur* du monde.

56. *Id.*, p. 146. — 57. Cette parenté se fonde d'ailleurs sur un rapport astrologique. Car la lune a été elle-même *ranimée* par le feu solaire. Elle est donc un soleil au second degré, si nous en croyons du moins les étranges, mais si nervaliennes théories que Nerval prête à l'un des *Illuminés*, Quintus Aucler : « Le soleil est fait pour la lune, et darde sur elle ses rayons, stimule par eux ce qu'il y a en elle de lumineux, et ainsi elle nous éclaire; la lune est faite pour le soleil, elle ouvre son sein pour recevoir ses rayons et ses influences qu'elle nous verse. » (*Les Illuminés*, p. 471.)

« Je me repose en voyant la campagne si verte et si féconde; je reprends des forces dans cette terre maternelle... » Verdeur signifie bien fécondité, jeunesse retrouvée : et cela nous explique pourquoi l'obsession du vert atteint chez Nerval à de telles profondeurs d'intimité. Il a la hantise de l'effeuillé, du fané, du jauni. Il souffre physiquement quand *on le prive d'herbe :* interné quelques jours en 1832 à la prison de Sainte-Pélagie, il s'asphyxie par manque de végétation :

> Pas une herbe ne pousse
> Et pas un brin de mousse
> Le long des murs grillés
> Et frais taillés !...
>
> Faites-moi cette joie,
> Qu'un instant je revoie
> Quelque chose de vert
> Avant l'hiver ! [58]

C'est que le *vert* lui est un infaillible symptôme de l'état calorique de la terre; il s'en sert pour mesurer son degré d'échauffement ou de refroidissement, et pour situer aussi sa propre vitalité à l'intérieur d'un cycle cosmique des saisons. S'il voyage, il surveille avec une attention presque maladive le feuillage des arbres, il règle son exaltation sur l'intensité de leur verdure. Un buisson dépouillé le désespère, le moindre bourgeon lui redonne confiance et joie de vivre.

Regardons-le par exemple en 1844 voyager de Paris à Amsterdam [59]. Il quitte Paris dans un état de gel intérieur. Tout y est « en proie à la pluie, à la bise, au froid prématuré; hors de la ville les feuilles jaunies tombaient de toutes parts ». Mais au second jour, la terre se réchauffe, le voyageur sort de sa déréliction : « L'horizon s'éclaircit un peu, le ciel prit des teintes d'opale, le feuillage se montra moins rare et plus vert. » Bientôt le soleil luit, la végétation s'affirme et se colore, la terre répond par un sourire à la chaleur solaire : « Les champs commencèrent à se couvrir de plantes-bandes roses, violettes, bleues, qui sou-

58. *Id.*, p. 48. — 59. *Lorely*, p. 263.

riaient parfois sous un pâle rayon de soleil ». A Lille, la santé végétale triomphe, « le temps est superbe, le soleil dans toute sa force ». Gérard reprend alors appétit : il entreprend de *manger* cette verdure, d'en absorber physiquement la fraîcheur : « On me sert à dîner des petits pois verts et des fraises. » Une fois opérée cette véritable transfusion de sève, il n'est plus de retombée possible, et ce voyage à travers les signes végétaux nous révèle alors sa vraie nature : il s'agissait en fait d'un voyage à reculons dans le temps, d'une remontée aux sources. « Dès lors, plus une feuille jaune; l'année remonte à son enfance, et j'ai peur, en allant plus loin, de trouver les arbres en bourgeons. »

Le végétal a bien ici valeur originelle. La feuille jaillit d'une profondeur temporelle d'existence. Ne nous étonnons donc pas de voir, dans un rêve d'*Aurélia*, les feuilles vaguement recourbées d'un arbre suggérer à Nerval « les figures de ses aïeux [60] ». Il connaît alors la tentation d'aller directement rechercher ce passé dans le cœur de la feuille, de plonger dans la vie végétale elle-même pour y saisir une jeunesse, une source éternelle de verdeur. On le voit dans *Sylvie* se tailler des chemins à travers le touffu des halliers, le fouillis des buissons; ou bien, dans *Aurélia*, marcher sous des voûtes de verdure, des treilles lourdement chargées de feuilles. Ce qu'il y cherche c'est un contact rétabli avec l'origine, la sève amoureuse du monde. Et ce contact sera d'autant plus ardemment recherché que cette sève lui semblera rare, avare d'elle-même. Dans la sécheresse d'Égypte ou de Syrie, le moindre oasis de verdure comble en Nerval une véritable soif d'existence. Il s'y enfonce, s'y vautre « dans le vert glauque de la végétation [61] », ou bien il s'y arrête à l'ombre succulente d'un bel arbre, « tente de soie verte inondée d'une douce lumière [62] ». Au cœur de l'intimité végétale on voit alors se recréer ces deux lieux d'élection de la géographie nervalienne : la grotte et le labyrinthe.

Pour aisément abriter les rêveries d'intimité, le végétal n'en a pas moins comme fonction première de manifester et d'actualiser un être. D'autant plus satisfaisant alors qu'il sera plus dyna-

60. *Œuvres*, p. 402. — 61. *V. O.*, III, p. 105. — 62. *Id.*, I, p. 346.

mique, plus généreusement tourné vers un dehors. A Damiette, en pleine horreur d'aridité et de pulvérulence, voici un pur éclatement de végétalité :

> Les palmiers sont plus beaux et plus touffus; les figuiers, les grenadiers et les tamarins présentent partout des nuances infinies de verdure. Les bords du fleuve, aux affluents des nombreux canaux d'irrigation, sont revêtus d'une végétation toute primitive; du sein des roseaux qui jadis fournissaient le papyrus et des nénuphars variés, parmi lesquels peut-être on retrouverait le lotus pourpré des anciens, on voit s'élancer des milliers d'oiseaux et d'insectes. Tout papillote, étincelle et bruit... [63]

Sensations et souvenirs s'unissent en ce paysage pour composer une parfaite orgie végétale. La *touffe* y incarne un foisonnement, une prolixité d'être; les *nuances infinies* de la verdure y affirment une vie inégalement affleurée, progressivement vivante. Cette vie, nous la voyons prendre sa source en un *centre*, cœur concret du nénuphar ou du roseau, cœur mémoriel du papyrus et du lotus. C'est à partir d'une intériorité double, à la fois matérielle et temporelle, que l'être végétal déploie en tous sens sa profusion. Et cette profusion atteint à un tel degré de richesse, de violence que le végétal se trouve bientôt par elle dépassé, anéanti. L'explosion végétale débouche sur une joie aérienne, sur un envol d'oiseaux, d'insectes et de fleurs. Et ces fleurs éclatées, notons-le bien, sont le plus souvent des fleurs rouges : achèvements logiques de la végétalité flamboyante de Nerval.

Le vert aboutit donc à du rouge. Toute verdeur soutient et promet une ferveur. Marcel Proust, merveilleux lecteur de Nerval, a bien aperçu ce rapport. Dans son *Contre Sainte-Beuve*, il note « l'atmosphère bleuâtre et pourprée de Sylvie [64] ». Le bleuâtre, c'est un vert atmosphérique, un état de végétalité aérienne, le plus souvent d'ailleurs recueilli dans les renfoncements du paysage. Le bleu devient bleuâtre en se gonflant de vert, en s'alourdissant de sève germinative. Proust développe ensuite sa remarque en soulignant, contre toute une tradition affadissante, la violence de la sensation primitive chez Nerval : « La

63. *V. O.*, II, p. 38. — 64. *Contre Sainte-Beuve*, p. 166.

couleur de *Sylvie*, c'est une couleur pourpre ou violacée, et nullement les tons aquarellés de leur France modérée. A tout moment, ce rappel du rouge intervient, tirs, foulards rouges, etc... Et ce nom lui-même pourpré des deux I — Sylvie, la vraie Fille du Feu [65]. » Sylvie, fille du feu, mais fille aussi de la forêt, comme son nom l'indique, fille d'un feu mêlé à la vie végétale et probablement issu d'elle. On la voit tout au long du récit cueillir des fleurs de feu, — boutons d'or, digitales, — manger des fruits de feu — fraises..., — surgir de la mémoire avec le soleil levant. Elle appartient à un climat de succulence enflammée et de tendresse herbeuse : non point en effet diluée comme une figure d'aquarelle, mais chaude et duveteuse comme un tissu de feu, comme un velours pourpré.

Le même veloutement prépare et environne l'apparition de la sœur ennemie de Sylvie, Adrienne. Mais Adrienne a moins d'existence que Sylvie, elle est plus spirituelle et plus lointaine ; son velours empruntera donc davantage à tous les éléments du paysage — lune ou brouillards — qui signifient pour Nerval l'irréalité. Le lieu même de son surgissement diffère : c'est un espace vide et comme magiquement délimité, au centre d'un décor d'arbres et de flammes, devant une façade de briques, « dans une grande place verte encadrée d'ormes et de tilleuls, dont le soleil couchant perçait le feuillage de ses traits enflammés [66] ». Du fond de cette végétation enflammée, du fond de son sang royal, du fond aussi de cette terre valoisienne « où pendant plus de mille ans a battu le cœur de la France [67] », à partir de cette profondeur multiple d'un paysage si visiblement sursaturé d'être et tout orienté autour de sa venue, Adrienne peut alors surgir. Elle se place aussitôt en un cœur de ce paysage, elle s'isole au milieu du cercle des chanteuses, si bien que tout converge vers elle, s'exprime en elle, et chante par sa voix. « Fleur de la nuit, éclose à la pâle clarté de la lune, fantôme rose et blond glissant sur l'herbe verte [68] », elle s'élève bientôt au-dessus de cette herbe, s'évapore, s'envole avec le brouillard, avec « les faibles vapeurs condensées qui déroulaient leurs blancs flocons

65. *Id.*, p. 168. — 66. *Œuvres*, p. 265. — 67. *Ibid.* — 68. *Id.*, p. 267.

sur la pointe des herbes », rendue alors au silence et à la nuit sans perdre pour autant de son éclat, de sa phosphorescence. Avant sa disparition, Gérard a pu poser sur sa tête deux branches de laurier « dont les feuilles lustrées (éclatent) sur ses cheveux blonds aux rayons pâles de la lune [69] ». Sur la tête d'Adrienne ce laurier va donc briller tout comme brillait l'ardoise sur le toit du château de Fontainebleau. Ne nous trompons pas sur le sens de cet éclat : son appartenance peut bien être lunaire, sa succulence nocturne, son origine herbeuse, Adrienne n'en reste pas moins pour Nerval une vraie *fille du feu.*

C'est que l'érotisme nervalien postule toujours le feu. Pour que Nerval désire une femme, il faut que cette femme l'ait enflammé. Entendons ceci fort matériellement. On sait que Nerval et Gautier passèrent une bonne partie de leur jeunesse à parcourir l'Europe *au pourchas du blond :* ils pourchassaient un certain type de femme, — la femme *bionda e grassotta* — dont ils avaient trouvé chez les maîtres vénitiens quelques radieux exemples. Or nul doute que pour Gérard cette blondeur de chevelure n'ait concrètement figuré une ardeur charnelle, une efflorescence de sensualité. A la fenêtre du château Henri IV se penche toujours, vivant foyer parmi le rougeoiement des vitraux et des briques, une jeune femme blonde. Cette chevelure affiche de façon si troublante une chaleur sexuelle que Gérard éprouve son premier mouvement de désir, « un trouble inconnu », au moment où sur la pelouse de Mortefontaine les longs anneaux roulés des cheveux dorés d'Adrienne lui effleurent la joue. Plus tard, rencontrant à Meaux une femme-mérinos, dont la chevelure « pousse comme les plantes », et sur la tête de qui « on voit des tiges qui supportent quatorze ou quinze branches [70] », il ne se tient plus de joie : cette prolifération capillaire lui paraît moins monstrueuse que miraculeuse, il y voit une toison d'or. Et si cet or se met à rougeoyer, cela vaudra bien mieux encore. A Vienne, il se laisse enchanter par une jeune Anglaise « aux beaux cheveux blonds, à reflets rouges [71] ». N'oublions pas surtout la chevelure rouge de Jenny Colon. La femme aux cheveux blonds ou roux, c'est

69. *Œuvres*, p. 266. — 70. *Id.*, p. 123. — 71. *V. O.*, I, p. 102.

pour Nerval la femme-flamme, la femme qui le brûle et qui peut lui donner son feu.

Bionda, cette femme est aussi *grassotta ;* la même chaleur qu'elle affirme dans le blond de sa chevelure, on peut aller la rechercher et la savourer jusque dans la plus douillette intimité de sa chair. Chair grassouillette, mais non pas adipeuse ni opaque : bien plutôt intérieurement transparente, irriguée de sang, tièdement agitée par les rythmes d'une vitalité heureuse. Cette générosité intérieure se trahit sur l'épiderme par les délices de la *carnation :* teint éclatant des Viennoises, velours pourpré de Sylvie, « satin rosé » des Flamandes. Car c'est surtout en Flandre, au pays de Rubens, que la *grassotta* triomphe, réunissant dans la joie d'une seule exaltation sensuelle la plupart des thèmes heureux à travers lesquels s'est jusqu'ici poursuivie la recherche nervalienne de l'être :

> Ce n'est point impunément qu'on met le pied dans la ville de Rubens ! On se voit pris de tous côtés par la couleur... Ici c'est le soleil se couchant dans des draps de pourpre; là ce sont des jardins parés de charmilles aux feuilles rougies par l'automne; les maisons sont de briques rouges, et ta couleur chérie, ô maître, resplendit encore sur les traits des descendantes de tes modèles. Ces chairs roses et transparentes, ces chevelures épaisses dont l'or a des reflets vermeils, toute cette luxuriante et vivace nature fleurit sur le sol de ta bonne Flandre, comme les roses de ses jardins [72].

Orgie rouge, qui n'atteint à un tel degré d'effervescence que grâce à une complète traversée de toutes les trames sensibles. A travers surfaces ou épidermes le désir s'y est enfoncé jusqu'à une certaine intimité chaleureuse de la matière, qui irradie également son feu à travers toutes ces incarnations transitives que sont fleurs, chairs, briques, terres, soleils. Le charme de la Flamande, c'est de participer à une tiédeur profonde et unanime. La souplesse un peu molle de sa chair, sa lente élasticité annoncent à Gérard les mouvements internes d'un être calmement ruminé, d'une fécondité couvée. La Frisonne se signale au con-

72. *Lorely*, p. 275.

traire par une vivacité de pure surface, qui n'éveille en lui aucune émotion :

> Elles sont très vives, très spirituelles même et n'ont rien du calme flamand; cependant on sent une certaine froideur sous cette animation, qui étincelle comme les prismes irisés de la neige aux rayons d'un soleil d'hiver... [73]

Comprenons bien que cet épiderme faussement étincelant ne contient pour Gérard aucune sincérité charnelle. L'agitation éparpillée de la Frisonne vise seulement à distraire le désir, à le détourner de son vrai but, qui serait la saisie profonde. Mais la Frisonne étincelle sans luire, elle n'a pas de profondeur. Superficielle et froide, elle constitue l'antithèse vivante de la *grassotta*. Ce n'est pas au contact d'une telle femme que Gérard pourra se ranimer; ce n'est pas en une telle chair qu'il désirera enfoncer, perdre, et retrouver sa vie.

A bien considérer le charme de la *bionda e grassotta*, on s'aperçoit qu'elle réalise charnellement l'une des associations sensibles que Nerval a toujours le plus ardemment poursuivies : elle est l'image d'une flamme humide, d'une liquidité ardente; sa chair réalise une parfaite union de l'eau et du feu.

Or on sait la place essentielle que tient l'*eau* dans la géographie magique de Nerval. Tous ses paysages bénéfiques en sont imbibés et même saturés. Le Valois, recouvert de sources, d'étangs et de rivières, se signale par son extraordinaire coefficient d'humidité : tout y dégoutte l'existence, mousses, forêts, prairies, et jusqu'à cette eau aérienne, le brouillard. La Hollande; noyée de brumes, est en fait pour Nerval recouverte d'eau : il nous raconte comment il s'y promène sur une terre qui *est* un fond de mer, en regardant au-dessus de sa tête passer les quilles des navires... La sèche Égypte puise toute sa vie dans la douceur du Nil, eau sacrée où vit un dieu dissous. Quant au Liban, terre suprême et séminale, il offre à Nerval la joie d'une eau superlative, d'une humidité

73. *Lorely*, p. 192.

lactée: Liban, dit Gérard, c'est *leben*, terre de vie, terre de lait. Dans le Valois Gérard s'abreuvait d'être : au Liban il *tette* la vie.

En elle-même l'eau nervalienne n'est pourtant pas spécialement bénéfique. Coupée des autres éléments, et surtout séparée du feu, elle apparaîtrait même plutôt hostile. Nerval rapporte dans le *Voyage en Orient* une curieuse conversation, au cours de laquelle un médecin suédois lui soutint que « l'eau était une pierre », « un simple cristal naturellement à l'état de glace, lequel ne se trouvait liquéfié dans les climats au-dessous du pôle que par une chaleur relativement forte, mais incapable cependant de fondre les autres pierres ». Et Gérard ajoute que cet entretien lui laissa une vive et désagréable impression : « On peut n'aimer pas à avaler de la pierre fondue [74]... » L'eau participe curieusement ici du dégoût nervalien de la froideur rocheuse. L'humidité serait-elle donc un paradoxal sous-produit de la sécheresse? Peut-être, s'il est vrai que, pour Nerval, fraîcheur égale tiédeur, et que l'eau véritable c'est celle qui aura été traversée, *mouillée* par le feu.

Comprenons ici que pour la rêverie nervalienne aucun élément n'est *en soi* bénéfique ou maléfique. Tous deviennent bénéfiques en se conjuguant, maléfiques en s'opposant. L'eau sans le feu, la terre sans l'eau, le feu sans l'eau et sans la terre : ce sont là divers aspects d'une même malédiction, celle d'une matière divisée et qui se bat contre elle-même. L'entreprise de réanimation du monde à laquelle se livre Nerval devra donc commencer par réconcilier les divers éléments, ou, mieux encore, par les faire s'engendrer les uns les autres. Elle débutera par une liquéfaction de la pierre, se poursuivra par un embrasement de l'eau, s'achèvera en une volatilisation générale de la matière. Or on sait, — et Georges Le Breton l'a récemment rappelé [75] — que l'acte alchimique poursuit ce même but, qu'il emploie pour cela des moyens analogues, et que sa progression traverse des phases très exactement similaires. Là aussi il s'agit de réveiller un feu intérieur par le moyen d'un feu extérieur, de provoquer ouvertement et de manifester l'occulte. L'opération alchimique brise

74. *V. O.*, III, p. 100. — 75. Dans *Fontaine*, nos 44 et 45, année 1945.

d'abord la terre, l'effrite et la dissout en eau; puis elle brûle et volatilise cette eau; enfin elle opère, par le mariage fraternel du mercure et du soufre, cette union du même et du même qui obsède si profondément Nerval. La gamme même des teintes alchimiques — noir, blanc, vert, rouge — recouvre très exactement la dialectique concrète des couleurs à travers lesquelles on a vu se poursuivre la quête nervalienne de l'être. On conçoit donc que les symboles alchimiques puissent — en particulier dans les *Chimères* — si fidèlement illustrer le dynamisme, et jusqu'aux accidents de la recherche personnelle. Après tout, ce que tente Nerval ce n'est hors de lui qu'une transmutation du monde, en lui qu'une alchimie de son propre destin.

Dans l'opération de cette alchimie l'eau joue un rôle de support, de transition. Elle confère à la matière une continuité qui autorise la progression, puis le surgissement de l'être. Elle remplit heureusement la profondeur, lui donne fluence, onction, ductilité. Le rêve la traverse sans s'arrêter en elle. Elle est donc seulement justifiée quand elle a porté l'être, le feu, depuis son fond jusqu'en sa surface, lorsqu'elle en a réalisé l'émergence. Joie du nénuphar, de la feuille éclose sur l'étang, du feu follet jailli du marécage, des fleurs de pourpre livrées « au courant des ruisseaux [76] »... Un degré de plus, et la fleur rouge s'envole, elle devient oiseau ou papillon. Être mixte, végétal détaché du sol, « fleur sans tige », « harmonie entre la plante et l'oiseau [77] », ce dernier désigne un état charmant de volatilité transitive. La déesse détache « avec son arc son corset d'or bruni », l'eau sans doute se soulève, un vautour passe, « et de blancs papillons la mer est inondée »... Ces papillons, il faut les voir sortir de l'eau juste au moment où des pigeons jaillissent aussi de leur nid et où toute la solidité du monde, jusque-là réunie en une dure *colonne* diamantée, se défait et s'épand en long déploiement de rougeur :

> ... Les ramiers s'envolent de leur nid;
> De ton bandeau d'azur à ton pied de granit
> Se déroule à longs plis la pourpre de Judée [78].

Visiblement ici un être se dégage. Mais ce dégagement peut

76. *Œuvres*, p. 39-40. — 77. *Id.*, p. 49. — 78. *Ibid.*

mal tourner : tout comme la cendre du Vésuve, les papillons s'éparpillent et retombent finalement en neige sur la mer.

La neige du Cathay tombe sur l'Atlantique...

Ce rêve de surgissement aquatique atteint à ses images les plus exquises avec les thèmes du voile, ou de l'écharpe envolée sur les eaux : c'est ici la surface même de la mer qui se détache de l'épaisseur, se soulève et se volatilise. Cette image croise d'ailleurs d'autres rêveries fort différentes, celles de l'être démasqué, de l'opacité traversée. Elle n'est même chez Nerval si obsédante que pour satisfaire à un double vœu de dévoilement et de métamorphose. Quand « Lanassa fait flotter ses voiles sur les eaux » ou quand les cieux « rayonnent sous l'écharpe d'Iris », nous assistons en même temps au démasquement d'un être et à la transmutation d'une matière. Ce voile, c'est un air directement issu de l'eau, et qui garde jusqu'au sein de sa transparence nouvelle quelque chose de l'épaisseur étalée, de la texture liée qui caractérisait sa station liquide. *L'arc-en-ciel* — l'écharpe d'Iris — vaporise ainsi l'humidité, il la transforme en éclat et en atmosphère. C'est alors, comme le dit merveilleusement Nerval, que « le ciel flotte comme un rideau de soie sur la Terre [79] ».

A ce bonheur ouvert de la surface aquatique, rideau de soie, voile flottant, papillons envolés, s'oppose le malheur de toutes les surfaces closes : croûtes ou écorces. Ces surfaces sont chez Nerval porteuses d'une intention très expressément maléfique : elles se proposent de rompre la continuité cosmique, d'arrêter la circulation vitale des chaleurs et des sèves, elles veulent cloisonner le monde. Comme toujours le mythe vient reprendre et moraliser ici la rêverie. A cette malédiction de la croûte, Nerval découvre, dans l'histoire d'Adoniram, une origine théologique et une intention punitive. Nous y voyons le dieu céleste, jaloux du dieu souterrain, du feu central, essayer d'en arrêter le rayonnement avant qu'il ne puisse atteindre par en-dessous la surface du globe et réchauffer les hommes. L'homme, fils de Caïn, se trouve alors par elle séparé de son père : « Adonaï qui règne

79. *Œuvres*, p. 520.

autour des mondes *mura la terre*... Il en résulte que la terre mourra à ses habitants. Elle vieillit déjà, la fraîcheur la pénètre de plus en plus... Le soleil lui-même pâlit [80]. » Cette terre murée, qui interdit à l'homme l'accès de ses sources profondes, se trouve à l'origine de toutes nos dégénérescences. Privés d'un contact vrai avec l'épaisseur, hommes et choses ne peuvent que languir sur les surfaces desséchées du monde. L'écorce terrestre arrête en somme le surgissement; elle coupe l'être de sa fleur humaine; elle sépare inversement la chair de la profondeur vivante qui devrait la soutenir et la fonder.

Cette écorce, de quoi se compose-t-elle? Pas forcément d'une matière dure. Pour état favori, elle aurait plutôt la poussière. Et l'on comprend alors pourquoi Nerval est si péniblement obsédé par la pulvérulence. La poussière naît d'une contradiction et d'une déchirure, elle est le produit d'une sécheresse et d'un éclatement. C'est une substance parcellaire, formée d'une infinité de fragments isolés qu'aucune sympathie matérielle ne réunit plus les uns aux autres. Il est donc juste qu'elle se retrouve dans la croûte, puisqu'elle est elle-même une image parfaite et comme une expression limite de l'être divisé. L'infinitésimale division qui constitue son essence, fait d'elle une sorte d'équivalent matériel, de rappel concret de la faute. Et elle figure en même temps comme une sanction de cette faute puisqu'elle s'oppose à toute traversée de la matière, à toute renaissance ou réunification du monde.

Nerval va donc souffrir de la poussière, et cela de façon très physique. A travers la pulvérulence il a l'impression que l'être ne peut plus se glisser, que la vie s'étouffe. Un pays incarne au maximum pour lui l'angoisse poussiéreuse, c'est l'Égypte. Le ciel y « absorbe toute humidité », la « poudre épaisse qui charge l'horizon » ne s'y découpe jamais en frais nuages comme nos brouillards [81] ». Le feu ne peut alors naître à l'air qu'au prix d'une pénible déchirure de la terre : « A peine le soleil au plus haut point de sa force parvient-il à percer l'atmosphère cendreuse sous la forme d'un disque rouge, qu'on croirait sorti des forges lybiques du dieu Phtah. » Soleil encore brut, à demi souterrain,

80. *V. O.*, III, p. 219. — 81. *V. O.*, I, 236.

presque sauvage, qu'aucune transition aquatique n'a pu attendrir. Au lieu d'être un avènement, son arrivée présente tous les signes d'une éruption, quand ce ne sont pas ceux d'une faiblesse, d'un avortement d'être : « Le soleil éclate tout à coup au bord du ciel, précédé seulement d'une vague couleur blanche; quelquefois il semble avoir peine à soulever les longs plis d'un linceul grisâtre, et nous apparaît pâle et privé de rayons, comme l'Osiris souterrain[82]. » La poussière est une cendre, l'Égypte un cimetière, le sable du désert un voile étouffant et rongeur : « C'est Typhon qui triomphe pour un temps des divinités bienfaisantes; il irrite les yeux, dessèche les poumons, et jette des nuées d'insectes sur les champs et sur les vergers. » Belle vision d'une poussière méchamment animée, d'une dessication et d'une voration sableuses.

Il suffit pourtant que la poussière se pénètre d'eau pour qu'elle redevienne humaine et bienfaisante. Le limon nervalien n'est qu'une poussière réconciliée avec l'humide, et donc dotée d'homogénéité, de plasticité, de ductilité. C'est pour Gérard la substance première dans laquelle ont été pétris les hommes — les enfants du limon — et c'est lui aussi qui, au fond des étangs ou des grottes, recouvre les *dents du dragon*, c'est-à-dire nourrit et couve les germes de toutes les renaissances futures. Mais comprenons que le limon n'est lui-même bénéfique qu'à condition de s'associer à une flamme. Toute boue qui refuse ou qui combat le feu se pénètre d'hostilité et soulève une répugnance. Telle est par exemple la boue diluvienne, « amas de boue inféconde où se traînaient des reptiles », celle qui recouvre le globe au moment où les enfants du limon sont entrés en guerre contre les Eloïms, les fils du feu, — et où le feu vaincu s'est trouvé repoussé jusque dans les cavernes les plus reculées de la terre. Reptilité et viscosité supportent alors une nausée de la boue froide.

Mais pour créer l'homme il avait fallu mettre une étincelle dans l'argile, donc réconcilier eau, terre, feu [83]. On voit comment

82. *Ibid.* — 83. « Adonaï plaça une étincelle imperceptible au centre du moule de terre dont il s'avisa de faire l'homme, et cette parcelle a suffi pour réchauffer le bloc, pour l'animer et le rendre pensant, mais là-haut, cette âme lutte contre le froid... » (*Voyage en Orient*, III, p. 218.)

le mythe recouvre une fois de plus chez Nerval toute la profondeur de la rêverie. Car la vraie boue pour lui ce n'est pas la boue diluvienne, celle qui ne lave le monde qu'en en éteignant le feu, celle qui donc marque et symbolise un conflit cosmique, et comme une désastreuse rupture de l'histoire; c'est au contraire la boue chaude, celle qui se charge d'abriter et de transmettre la flamme, une boue qui possède autant de tendresse que la douce chair de la *grassoita*. C'est par exemple la glaise d'où est tiré l'extraordinaire lama onirique d'*Aurélia:* matière si subtile, si facilement fécondée par le feu central qu'elle se revêt en sa surface « d'une végétation instantanée d'appendices fibreux, d'ailerons et de touffes laineuses [84] ». Toute cette végétation, cotonneuse ou ailée, nous en connaissons maintenant le sens, nous savons qu'elle inscrit sur une surface les signes d'un être profond. Mais l'important, c'est la rapidité avec laquelle la glaise a transmis ici l'élan vital depuis le centre du lama jusqu'en sa périphérie. Peut-on même parler de rapidité, puisque cette transmisssion n'occupe aucune durée, qu'elle est *instantanée ?* On saisit alors le caractère miraculeux de l'existence limoneuse : elle met chaque portion de la matière en communication constante et immédiate avec une totalité des choses; elle supprime la distance, et d'une certaine manière elle abolit le temps. Elle réalise, à travers l'épaisseur, une interpénétration substantielle des choses qui constitue aussi une merveilleuse promiscuité de l'être avec lui-même. En plein cœur de l'opaque, elle réinstalle un équivalent matériel de cette vertu perdue : la transparence.

On devine alors quels spectacles vont combler le plus pleinement la sensibilité nervalienne : ce seront ceux qui marieront l'opacité à l'émergence, qui lieront intimement et comme biologiquement l'altitude à la profondeur. Ce sera, par exemple, le soleil qui se lève au-dessus de la mer. Dans le *Voyage en Orient*, nous voyons très souvent Nerval se lever avant l'aube; penché sur une proue de navire, il guette ardemment l'apparition imminente, il jouit de l'instant ambigu où « l'éther (vibre) déjà des feux du soleil encore invisible [85] ». Puis l'astre paraît : vision

84. *Œuvres*, p. 383. — 85. *V. O.*, II, p. 94.

magique parce que le surgissement du feu s'y accompagne d'un dévoilement intérieur de l'être par lui-même et d'une réanimation progressive du monde :

> Voyez déjà, de cette ligne ardente qui s'élargit sur le cercle des eaux, partir des rayons roses épanouis en gerbe, et ravivant l'azur de l'air qui plus haut reste sombre encore. Ne dirait-on pas que le front d'une déesse et ses bras étendus soulèvent peu à peu le voile des nuits étincelantes d'étoiles... [86]

Le jaillissement reste ici continu, comme si la profondeur liquide d'où surgit finalement le feu avait réussi à lui donner un *fondu*, une tendresse radieuse, une force nouvelle d'expansion et de contagion. Le soleil s'épanouit en gerbe, il est doté d'efflorescence. Quant à la métaphore finale, elle marque un nouveau et merveilleux mariage du mythe et de la rêverie. Car l'aurore c'est bien pour Nerval ce feu caché qui monte à travers une profondeur de nuit et d'eau; mais c'est aussi un avènement, la renaissance d'une vie, la traversée d'une trame, l'accession à un royaume; c'est bien « l'aurore aux doigts de rose » qui « lui ouvre les portes de l'Orient [87] ».

De cette altitude profonde, un passage d'*Aurélia* va nous proposer une forme plus précieuse encore. Au lieu d'y voir la profondeur engendrer la hauteur, nous y suivons les démarches d'un dynamisme inverse qui prétend s'enfoncer dans l'altitude même. Gérard y rêve d'abord qu'il s'élève sur les flancs d'une montagne, au sommet de laquelle, en un merveilleux détachement du monde, vit une race élue. « On a souvent parlé de nations proscrites, vivant dans l'ombre des nécropoles et des catacombes; c'était ici le contraire sans doute. Une race heureuse s'était créé cette retraite aimée des oiseaux, des fleurs, de l'air pur et de la clarté. » Mais Gérard ne saurait se contenter d'un bonheur de culmination : il lui faut approfondir cette joie aérienne, lui redonner une intimité, dans le temps comme dans l'espace. En son sommet la montagne s'entrouvre alors, et Gérard rêve qu'il descend dans la hauteur : « Il me semblait que mes pieds s'enfonçaient dans les couches successives des édifices des différents

86. *V. O.*, I, p. 111. — 87. *Ibid.*

âges. » Profondeur physique et temporelle qui n'est pas un abîme, mais qui s'organise, comme toute réalité nervalienne, en couches temporelles d'être, et qui possède donc une structure orientée : au bout de cette descente historique, le rêveur découvre un lieu originel : « Je me trouvai enfin dans une vaste chambre... Sans rien demander à personne je compris que ces hauteurs, et en même temps ces profondeurs étaient la retraite des habitants primitifs de la montagne [88]. » Une hauteur qui est en même temps une profondeur : Gérard n'a pas à chercher plus loin. Il tient ici cet être primitif qu'il avait si obstinément poursuivi à travers tant de réalités ambiguës, tant de spectacles à la fois donnés et refusés, surgis et enfouis, célestes et chthoniens, enflammés et aquatiques. La géographie magique de Nerval atteint ainsi à son objet véritable et à son plein bonheur au moment où, dans les figures de l'éploiement et de l'altitude, elle recrée les signes physiques d'un centre, d'une origine ou d'un recueillement.

IV

Cette union que Nerval poursuit hors de lui, dans les choses, il tente aussi de la réaliser en lui, sur le plan de la vie intérieure et de la relation humaine. L'équivalent intime de l'altitude, c'est l'assurance de soi, la domination de son destin et la claire vision de l'autre, l'aptitude à « diriger son rêve éternel au lieu de le subir ». Quant à l'exigence de profondeur, elle prend, en se retournant vers le dedans, la forme d'une véritable obsession de l'identité. Cette obsession, qui débouchera finalement dans la folie, s'apparente pourtant à toutes les autres rêveries nervaliennes. Du dehors au dedans, de l'objet à la conscience se retrouvent le même dynamisme créateur, les mêmes structures, les mêmes voies de cheminement. On a vu par exemple l'univers objectif s'organiser devant Nerval comme un monde gigogne,

88. *Œuvres*, p. 370.

une réalité formée d'épaisseurs successives de temps et de matière. Son monde intérieur se dispose de façon fort analogue : aux nappes matérielles d'existence répondent des couches d'identité, à la multiplication des enveloppes ou des voiles correspondent le dédoublement de la personne, la prolifération des ressemblances. Et comme Gérard cherchait par delà l'opacité matérielle à retrouver une transparence de l'objet, il essaie maintenant de s'atteindre et de se regarder lui-même à travers l'épaisseur amoncelée de sa propre mythologie.

Mythologie étonnamment proliférante : en lui et hors de lui, dans la mémoire ou dans les livres, dans l'histoire ou dans la légende, partout Gérard projette et retrouve sa propre image. Partout aussi il redécouvre la femme aimée et voit se recommencer leur aventure. Sylvie, Adrienne, Artémis, Aurélia, Jenny, Catherine de Russie, Solima, Sophie Darves, Louise d'Orléans... Sous ce baroque défilé de masques se dessine toujours la même persistante identité.

Cette identité multiforme se conjugue à la première personne — « Je suis le ténébreux, le veuf, l'inconsolé, le prince d'Aquitaine » — : une première personne qui fixe l'immuable essence du *même*. Car il est remarquable que le *je* nervalien ne subisse au cours de tous ses transferts mythologiques aucune mutation, aucune métamorphose. Il ne *devient* pas comme le *je* rimbaldien; il ne s'affadit pas comme le *je* verlainien; il ne s'expose même à aucun élargissement métaphorique comme le *je* de Baudelaire. Nerval ne se rêve pas ciel, cimetière, ou coucher de soleil : il se rêve seulement Adoniram, Hakem, ou prince d'Aquitaine, c'est-à-dire encore et seulement Nerval. Content de se retrouver partout éternellement semblable à lui-même, il s'exalte en affirmant lyriquement sa permanence :

> La treizième revient, c'est encor la première
> Et c'est toujours la même, ou c'est le seul moment... [89]

Le pronom personnel, *je* ou *elle*, a pour fonction de supporter un éternel retour de ces *toujours*, de ces *encors*. Il soutient un

89. *Œuvres*, p. 31.

relais permanent d'identités. Lieu satisfait d'un ressassement, organe d'une monotonie, il ne se permet aucun mouvement, sinon de répétition. Mais à force d'indéfiniment se reproduire et de très exactement se recouvrir, il finit par acquérir une sorte de rémanence, et comme une épaisseur résonnante. Alors se trouve paradoxalement rétabli dans le pullulement du *même* le sentiment d'une profondeur de la conscience, ou mieux d'un *relief* de l'identité.

Comment cette identité a-t-elle pu si aisément se dédoubler, se propager? Nous touchons ici à l'un des ressorts essentiels du génie nervalien. Toujours Nerval rapproche, compare, réunit; le plus léger indice lui signale une ressemblance, tout lui est preuve d'identité. Fou, il se prend pour Napoléon, croit que l'Himalaya *est* le Massif Central, que « les Mérovingiens *sont* des Indous, des Persans et des Troyens ». Mais la folie prolonge seulement chez lui — et c'est ce qu'il soutint toujours — l'activité la plus originalement créatrice. Voyez par exemple comment il utilise tout le bric-à-brac érudit ou scientifique qu'il ne se lasse jamais d'accumuler : généalogie, étymologie, homonymie lui servent également à justifier la permanence et la réapparition du *même*. Il aime l'alchimie parce que sa symbolique réduit à un seul drame les aventures cosmiques apparemment les plus diverses, et la cabale parce qu'elle ramène le monde à l'unité. Dans cette quête de la ressemblance tout lui est bon, et jusqu'aux trouvailles les plus saugrenues, aux coïncidences verbales, aux calembours : Gérard, c'est γῆρας, le vieux (*defunctus*), mais c'est aussi geai-rare, l'oiseau enfermé, peut-être le phénix; la reine de Saba, ce sera la reine *du* Sabbat, Jenny Colon; et Jenny Colon c'est encore Colonna, la dure colonne de Saphir d'où s'envolent les ramiers du sonnet à Madame Aguado. Ces jeux sont infinis, ils font la joie des exégètes, mais il faut bien comprendre leur intention profonde. En se multipliant sans fin Gérard s'approfondit et se rassure. Tout en dépassant la gratuité sans fondement d'un moi quotidien, il découvre et recrée un monde illuminé par les feux d'une identité triomphante, un monde sans danger puisque tout finalement y revient au même, à lui-même. A se retrouver identique dans les régions les plus inattendues de l'espace ou du temps, il acquiert l'agréable sentiment que l'être lui est totalement connu, absolument familier.

Mais il risque aussi d'égarer quelque chose d'infiniment plus précieux : la conscience de soi, l'assurance de sa véritable identité. Le pullulement du même ne reste inoffensif que si l'être traverse la suite de ses masques sans s'attacher à aucun d'eux. Pour que Gérard échappe à la folie, il aurait fallu qu'un sentiment d'*ipséité* domine et contrôle toujours en lui l'identité proliférante. Or ce fut le contraire qui arriva : à force d'être *le même*, Gérard ne réussit plus à être *lui-même*.

La raison de cet échec est simple. Elle tient à la nécessaire épaisseur du masque, et au fait que chaque personnage nouveau doit bien réincarner le *même*, lui prêter un état civil, une existence. Le danger, c'est alors de me laisser aller à la contagion de cette existence, au vertige d'un destin sans transparence qui est à la fois le mien et celui d'un autre. Comme le Brisacier de son *Roman Tragique*, Nerval devient prisonnier de ses rêves :

> Oui, depuis cette soirée, ma folie est de me croire un Romain, un empereur, mon rôle s'est identifié à moi-même, et la tunique de Néron s'est collée à mes membres, qu'elle brûle, comme celle du centaure dévorait Hercule expirant. Ne jouons plus avec les choses saintes, même d'un peuple et d'un âge éteint depuis si longtemps, car il y a peut-être quelque flamme encore sous les cendres des dieux de Rome... [90]

Lignes doublement éclairantes : elles nous décrivent d'abord chaque identité nouvelle comme une tunique de Nessus, une apparence qui colle à l'être et qui finit par l'absorber. La viscosité particulière à chaque masque empêche alors la conscience de se glisser en d'autres masques. La folie de Nerval, on le voit, provient moins d'une prolifération d'identité que d'un arrêt de cette prolifération : Nerval fou se bloque et s'enferme en une seule image de lui-même... Mieux : si cette tunique de Nessus colle, surtout elle brûle, sa contagion est celle d'une ardeur retrouvée. « Il y a peut-être quelque flamme encore sous les cendres des dieux de Rome... » Jouer Néron, c'est rallumer la flamme de

90. *Œuvres*, p. 176.

Néron, réveiller son être profond, et c'est donc risquer de succomber à la chaleur de cet éveil, de cet incendie. Gloire et dangers d'une imagination qui, à tous les sens du mot, *joue avec le feu.*

Ce danger menace d'ailleurs l'écrivain tout autant que l'acteur. Et peut-être même davantage, car le mot est sans doute plus contagieux, plus absorbant que le geste. La profondeur onirique de chaque vocable et l'écoulement narratif du langage font bien de la littérature le domaine électif de l'illusion. « L'entraînement d'un récit », écrit Nerval, peut vous pousser à vous incarner dans le héros de votre imagination, « si bien que sa vie devienne la vôtre et qu'on brûle des flammes factices de ses ambitions et de ses amours [91] ». Ainsi glissons-nous trop facilement du *factice* au *réel*, à un réel brûlant de tous les feux imaginaires. Grandeur et aussi dérision de l'acte littéraire : la même flamme qu'il ne parvenait pas à allumer dans la trop existante Jenny, Nerval la découvre maintenant par le seul fait d'écrire dans toutes ses héroïnes de rêve, et il se laisse consumer par elle. La raison d'un si étrange sacrifice, c'est sans doute qu'il ne sépare pas l'être de la croyance :

> Ah ! je crois être amoureux, ah ! je crois être malade, n'est-ce pas ? Mais si je *crois* l'être, je le *suis* [92].

Se croire Néron ou Napoléon, c'est le devenir vraiment. Comment dès lors le rêve pourrait-il dominer la suite de ses images ? C'est au contraire l'identité imaginaire qui attire l'identité réelle, qui la prend à son piège. Dénouement désastreux, mais prévisible : écrivain perdu dans la littérature, Nerval ne fait ici que pousser à son extrémité la logique intérieure de toute création.

Comme Baudelaire connaîtra la hantise du gouffre, voici donc Nerval livré au vertige de l'identique. Au lieu de le rassurer, la découverte du même le trouble maintenant, l'affole :

> Aimer une religieuse sous la forme d'une actrice ! — et si c'était la même ! — Il y a de quoi devenir fou ! C'est un entraînement fatal où l'inconnu vous attire comme le feu follet fuyant sur les joncs d'une eau morte... [93]

91. *Œuvres*, p. 170. — 92. *V. O.*, II, p. 290. — 93. *Œuvres*, p. 267.

Le feu follet illustre merveilleusement ici son inquiétude. C'est bien, comme toute flamme nervalienne, un feu sorti de l'eau; mais cette eau reste morte, elle ne le vivifie plus par en-dessous, ne le relie plus à aucune fidélité matérielle. A l'inverse du soleil levant, le feu follet ne jaillit pas vraiment d'une épaisseur liquide : il se contente de danser sur une surface d'eau, il se définit par le détachement et le caprice, il renie en somme la bénéfique continuité des éléments. Flamme erratique, déracinée, tantôt ici et tantôt là, fuyant, insaisissable, il ne peut, son nom l'indique bien, que nourrir un affolement.

Au lieu de s'affirmer, le *je* nervalien va donc vaciller, s'interroger : au *je suis* va succéder le *suis-je?*, au *et* le *ou*, à la répétition l'alternative :

> *Suis-je* Amour *ou* Phœbus, Lusignan *ou* Biron?...
> Car *es-tu* reine, ô toi la première *ou* dernière,
> *Es-tu* roi, toi le seul *ou* le dernier amant?

Cette alternance de l'identité soutenue et de l'identité doutée assure toute la respiration intérieure des *Chimères;* et chaque sonnet dénoue à sa façon cette dialectique, *El Desdichado* préférant par exemple le bonheur de l'alternative assumée :

> (« Modulant *tour à tour* sur la lyre d'Orphée
> Les soupirs de la sainte et les cris de la fée »),

Artémis élisant le choix, donc l'exlusion (« La sainte de l'abîme est *plus* sainte à mes yeux »). Mais Gérard ne peut lui-même s'en tenir à aucune de ces solutions provisoires : il lui faut vivre jusqu'au bout la logique de l'identité multipliée, du *même* égaré dans sa propre richesse. De la clinique du Docteur Blanche, Gérard signe ainsi une de ses lettres les plus délirantes : « Un fou qui se croit sage, et qui le serait si X : Gérard [94]. » Nerval, c'est bien en effet désormais un *x*, un inconnu, à la fois n'importe qui et tout le monde. L'identique se couronne, s'achève dans une folie de l'anonyme.

Pis encore : cette identité affolée, Gérard en vient bientôt à imaginer que quelqu'un la lui a volée. Dépossédé de soi, il tient

94. *Œuvres*, p. 846.

son aliénation pour une usurpation. L'auteur de son égarement, celui qui fait danser devant lui le vertige des masques et celui qui partout prend sa place, son être, ce sera son malin génie, son *double*. Ce thème du double, si fréquent dans la littérature romantique, prend ici une valeur spécialement douloureuse en raison des racines qu'il jette jusque dans l'expérience la plus intime. Si Nerval se sent double en effet, c'est parce qu'il éprouve une difficulté particulière à se rassembler tout entier en chacune de ses attitudes ou de ses paroles, à pleinement adhérer à soi. Toujours une partie de lui se détache et reste en arrière, ou plutôt en-dessous, attardée en une autre couche d'existence. Voyons-le par exemple s'adresser à Jenny :

> Je vous ai dit mes souffrances avec le sourire sur les lèvres, de peur de vous effrayer : je vous ai raconté avec calme des choses qui me tenaient au cœur... ; je faisais aussi la parodie de mes propres émotions; il me semblait qu'il était question d'un autre... [95]

Celui qui parle se sent distant de celui qui éprouve; entre le sentiment et son expression, entre la profondeur et sa surface, il s'est produit une coupure. Le mal naît à partir d'une rupture de la continuité intérieure, qui provoque une irresponsabilité de l'expression et une gratuité des signes. L'unité de la personne, la conviction du sentiment se trouvent alors perdues. L'obsession nervalienne du double se fonde sans doute sur une conscience pathologique de ce que l'on nommerait aujourd'hui la séparation du *pour soi* et du *pour autrui*.

Ce divorce est si gravement ressenti qu'il va jusqu'à être rêvé ou perçu en autrui même. Gérard fou éprouve chez ses amis les plus chers les effets d'une division toute semblable à celle qui le paralyse :

> Les personnes les plus chères qui venaient me voir et me consoler me paraissaient en proie à l'incertitude, c'est-à-dire que les deux parties de leurs âmes se séparaient aussi à mon égard, l'une affectionnée et confiante, l'autre comme frappée de mort à mon égard [96].

On voit la gravité de ce dédoublement : loin d'affecter la

95. *Œuvres*, p. 716. — 96. *Id.*, p. 381.

seule conscience, il entraîne une dichotomie sentimentale et même une division éthique de l'être. Gérard manichéen imaginait un monde divisé par la croûte terrestre en deux aires ennemies, hauteur céleste et profondeur démoniaque; il se rêve maintenant lui-même écartelé entre deux identités antagonistes, occupé par la double présence d'un *moi* bénéfique et d'un *moi* maléfique. Et cette division ne s'arrête pas à lui, la femme aimée subit une coupure équivalente. A l'image d'une femme aérienne et céleste s'oppose la figure, identique et ennemie, d'une femme charnelle ou souterraine. Sur tous les plans de l'être l'identité devient dualité.

Une fois dédoublé, le *même* entre en conflit contre lui-même, le moi égaré devient un moi déchiré. Ce qu'il y a d'ailleurs de pire dans cette obsession, c'est que la déchirure n'y fait pas cesser l'égarement : entre les deux aspects de sa personne, Gérard reste incertain. Il se sent double, mais il ne sait jamais si le vrai moi, le *bon* à tous les sens du mot, c'est lui, ou si c'est l'autre. Une seule erreur d'attribution, le bon génie pris pour le mauvais génie, ou inversement, et ce serait la catastrophe. *Aurélia* nous raconte comment une telle erreur peut compromettre à jamais le salut de l'âme. Gérard alors recule, il n'ose plus affirmer *qui* il est. Quand on lui donne son portrait, il le trouve ressemblant, mais comme pourrait l'être un portrait posthume, et il écrit en marge, « *Je suis l'autre* ». Mot définitif, épouvantable, et qu'il faut sans doute, pour le mieux comprendre, opposer au si voisin, et pourtant si différent « *JE est un autre* » de Rimbaud. Car le JE de Rimbaud est tout animé par un mouvement de conquête, il se dirige vers une liberté sans bornes, celle même qu'exprime l'article indéfini : *un* autre. Et le caractère indéfini de cette métamorphose réussit d'une certaine manière à objectiver le *JE* qui la supporte. Ce je *est* un autre, il passe à la troisième personne, et il vit ce passage comme une délivrance, comme un avènement à la *poésie objective*. Nerval ne sort pas au contraire de la poésie subjective. Son JE reste le lieu d'une intimité déchirée, d'un débat sans issue. L'*autre* est là, voisin, familier, personnel en même temps qu'innombrable : ce n'est pas *un* autre, c'est *l'*autre, le trop connu, lui-même. Il vit à la première personne, uni au *je* par la soudure d'une indéfaisable et vertigineuse identité. Aucune échappée, sinon l'union mystique, si souvent rêvée et mise en scène par Nerval, du même et du même, le mariage du frère et de la sœur, du soufre et du mercure. Hors de là, un seul aboutissement possible : Jean Richer [96 bis], sans doute le meilleur érudit nervalien, a pu soutenir l'hypothèse que si Gérard se suicida, ce fut pour supprimer l'*autre*, pour tuer son double.

Hors le suicide, comment se ressaisir? Il faudra trouver un moyen d'échapper au *même* et à son vertige. « La raison, pour moi, c'était de conquérir et de fixer mon idéal [97]. » Pour cela rien de plus efficace peut-être que d'incarner cet idéal, de lui redonner un poids, une garantie terrestres. La comédienne envoûte et désespère parce qu'elle change et feint sans cesse, parce qu'elle est professionnellement le lieu d'une identité multipliée, volatilisée. Mais la petite Sylvie est tout le contraire d'une comédienne, on peut se fier à elle; son grand avantage, nous dit Nerval, c'est qu'elle *existe*. Et cette existence se fixe en s'étendant hors d'elle-même. La chair de Sylvie se rattache à un monde concret, elle jaillit directement d'une nature et porte en elle les signes évidents d'une origine matérielle. Sylvie, c'est la femme-feuille, la femme-buisson, tout comme Octavie est la femme-poisson. L'une sort des halliers, l'autre de l'eau marine. Êtres mixtes, mi-humains et mi-naturels, cousins de la vertigineuse Mélusine, ou de la mythique sirène, qui nage et *verdit* dans sa grotte. Le *Voyage en Orient* nous fait même assister à la naissance d'un de ces êtres chimériques :

> Il mê paraissait tout naturel que cette femme qui réalisait si complètement mon idéal, se trouvât là dans ma cange, au milieu du Nil, comme si elle se fût élancée du calice d'une de ces larges fleurs qui montent à la surface des eaux... [98]

Plus de distance ici entre le surgissement de la femme et le jaillissement de la fleur; la même tendresse liquide baigne pétale et épiderme :

> Ma main rencontra la sienne; sa peau douce, onctueuse et fraîche comme un pétale de fleur, ses bagues dont les ciselures m'effleurèrent, *me convainquirent de sa réalité*.

96 *bis*. Cet essai recoupe en divers endroits les conclusions de son excellent *Gérard de Nerval et les Doctrines Ésotériques*. — 97. *Œuvres*, p. 290. — 98. *V. O.*, II, p. 319.

Voici l'idéal fixé : la fraîcheur encore aquatique de la peau témoigne en faveur de l'existence de la femme, elle constitue pour Nerval un parfait indice de réalité. Il est d'ailleurs bien d'autres indices, tous ceux par exemple qui signalent un instinctif attachement à la nature, violence d'un appétit ou hardiesse d'un contact. Octavie mord des citrons, elle participe de leur succulence acide et marque le monde de sa dent. Sylvie cueille des fleurs, mange des fraises, fait flamber une omelette. Séduisantes pour Gérard parce que charnellement liées au monde, lestées de matière, engagées sans remords dans le cycle des grands mouvements élémentaires.

Pourtant leur matérialité ne suffit pas. Chargée de substance, enracinée, l'identité n'en doit pas moins rester fidèle à un modèle abstrait. Chaque visage féminin doit imiter le *seul* visage. Il faut que Sylvie chante comme Adrienne, qu'Octavie joue la déesse Isis. Gérard leur demande en somme à la fois de détruire et de justifier son obsession. Il veut que leur réalité bouche l'abîme du même; mais il réclame aussi que cette réalité s'ouvre à de nouvelles perspectives d'identité. Cette exigence contradictoire ne peut être remplie que dans une profondeur de mémoire. La Sylvie du souvenir — du début du récit — est bien à la fois individuelle et typique, petite fille du Valois et fée des légendes. C'est que la mémoire affective, tout en sauvant la crudité spécifique du senti, y a recomposé le monde selon les exigences du « rêve éternel ». Elle a rendu la Sylvie d'autrefois toute poreuse à l'invasion des ressemblances, elle l'a magiquement grandie et transfigurée. Mais la Sylvie réelle, celle de la fin du récit, n'est que Sylvie : c'est une Sylvie sans halo ni résonance, une Sylvie réduite à elle-même, donc nécessairement dégradée et déchue.

Nerval sera dès lors tenté d'abandonner la naturalisation du *même*, et de chercher à fixer autrement l'identité : dans l'abstraction d'une *forme* éternelle. Passage de la terre au ciel, de la naïade à l'étoile, de la fée à la sainte : conversion de l'existence à l'essence. Cette forme essentielle, comment l'appréhender? Non plus dans un mouvement de gourmandise, mais par un acte de contemplation. Dans *Aurélia*, la déesse apparaît en rêve à Nerval et lui dévoile ainsi le mystère de son unicité :

Je suis la même que Marie, la même que ta mère, la même aussi que sous toutes les formes tu as toujours aimée. A chacune de tes épreuves, j'ai quitté l'un des masques dont je voile mes traits, et bientôt tu me verras telle que je suis... [99]

L'identité se fonde donc désormais sur le fait que la diversité des personnages apparaît comme visiblement issue d'un être unique. Aperçu et vécu dans sa genèse, le *même* se trouve maintenant expliqué du dedans et donc justifié. L'essence affirme son pouvoir émanatoire; elle avoue qu'elle produit les masques. L'orientation de la quête imaginaire va donc s'inverser. Il ne s'agira plus d'aller d'une surface vers une profondeur, ni d'atteindre par delà la chair des choses jusqu'à un centre existentiel; il faudra épouser le mouvement contraire par lequel l'unité engendre circulairement le multiple, et développe à partir d'un point central et fixe toute la richesse successive d'un univers masqué :

Étendu sur un lit de camp, je crus voir le ciel se dévoiler et s'ouvrir... D'immenses cercles se traçaient dans l'infini, comme les orbes que forme l'eau troublée par la chute d'un corps; chaque région, peuplée de figures radieuses, se colorait, se mouvait et se fondait tour à tour, et une divinité, toujours la même, rejetait en souriant les masques fugitifs de ses diverses incarnations, et se réfugiait enfin, insaisissable, dans les mystiques splendeurs du ciel d'Asie [100].

Le ciel se dévoile, Gérard traverse enfin l'opacité des choses, il touche au secret de leur origine. Situé au point d'impact de la pierre et de l'eau, à l'endroit où naissent les cercles, en ce « centre à la fois mystérieux et accessible [101] » d'où va rayonner toute la matérialité du monde, il ne lui reste plus qu'à épouser de l'intérieur les incarnations multiples et passagères de la forme.

S'il y réussissait vraiment, il s'identifierait à la déesse, il deviendrait lui-même dieu : il dirigerait son rêve éternel, au lieu de le subir ou de le poursuivre. Mais voici que la phase ultime de la vision lui dérobe l'objet de son extase : la déesse, dit-il, « se réfugie insaisissable dans les mystiques splendeurs du ciel d'Asie ». L'es-

99. *Œuvres*, p. 399. — 100. *Id.*, p. 364. — 101. *V. O.*, I, p. 315.

sence reste donc transcendante, et Gérard aura beau saisir la genèse des masques, la réalité même de la forme lui glissera toujours entre les doigts. Douloureux paradoxe : la déesse se montre en une fuite, elle lui apparaît en une évanescence. Parfois elle s'évanouit dans l'acte de son éploiement : Aurélia « se met à grandir sous un clair rayon de lumière, de telle sorte que peu à peu le jardin prenait sa forme, et les parterres et les arbres devenaient les rosaces et les festons de ses vêtements, tandis que sa figure et ses bras imprimaient leurs contours aux nuages pourprés du ciel ». « Je la perdis de vue, ajoute Nerval, à mesure qu'elle se transfigurait car elle semblait s'évanouir dans sa propre grandeur... [102] » La forme disparaît ici dans l'excès de son incarnation, elle s'égare dans une nature, dans un *dehors* indéfiniment expansif. Inversement, elle peut s'évanouir vers le mystère d'un dedans, de son propre centre. Au chapitre IV de *Sylvie* nous avons vu Adrienne s'absorber peu à peu dans son isolement, avant de disparaître dans les profondeurs de son château, dans la retraite de son couvent, dans la close intimité de sa race et de sa virginité.

Qu'elle se dirige vers un centre ou vers une largeur, cette fuite de la forme est toujours aussi décevante. A quoi bon voir se former les cercles si leurs centres se dérobent toujours ? A quoi bon saisir les lois d'engendrement du monde si le vivant moteur de cette genèse reste lui-même insaisissable ? Le choix de la forme éternelle privait déjà Gérard de toute la chair des choses : voici que cette forme elle-même s'évide, qu'elle n'est plus qu'une nostalgie ou qu'un vestige de la forme. Par fidélité à la femme essentielle, nous voyons ainsi Nerval passer toute sa vie à refuser les femmes véritables : mais il n'en possède pas pour autant les créatures de son rêve, et les femmes imaginaires restent pour lui insaisissables. Non seulement, comme il le dit lui-même, il a lâché la proie pour l'ombre, mais il a dû lâcher l'ombre elle-même. Au lieu de se peupler heureusement de songes, celle-ci s'est creusée devant lui, elle est devenue un lieu vide d'espoirs ou de prestiges, et comme l'image matérielle d'une mort :

102. *Œuvres*, p. 374.

> Les mortels en sont-ils venus à repousser toute espérance et tout prestige, et levant ton voile sacrée, déesse de Saïs ! le plus hardi de tes adeptes s'est-il donc trouvé face à face avec l'image de la mort? [103]

Au fond de l'ombre, derrière tous les voiles, peut-être n'y a-t-il que le rien. Mais cela même, pense Nerval, ne doit pas décourager notre recherche : c'est sa grandeur particulière que d'avoir obstinément, modestement, voulu toujours atteindre l'être à travers « tant de portes ouvertes sur le néant [104] ».

Tel est le dilemme de Nerval. Si le réel se limite à la simple épaisseur d'une existence individuelle et matérielle, il se discrédite par son opacité, son absurdité, son irréalité. S'il prétend se dépasser lui-même, se fonder en un sens ou en une forme, il s'évide et s'irréalise de façon plus radicale encore. Nerval se trouve donc partagé entre le vertige d'une forme sans contenu et la gratuité d'une matière sans fondement. D'un côté il connaît la déception d'une éternité vide, de l'autre il éprouve la désillusion d'une durée vivante, mais que cette vie même voue à l'épuisement, à l'achèvement et à la mort. Des deux côtés, dans le type ou dans la substance, dans Aurélia ou dans Sylvie, il ne rencontre finalement qu'échec, qu'inexistence. Telle est la moralité de *Sylvie*.

Mais telle n'est pas l'ultime moralité de Nerval lui-même. Toujours et jusqu'au sein de la folie, il essaiera de trancher le dilemme. *Aurélia*, *Sylvie*, *Les Chimères* nous sont les témoins de son effort. Il y veut tout garder, tout réconcilier, et même les termes apparemment les moins réconciliables : temps et éternité, être et paraître, forme et matière, fixité et diversité, mort et immortalité. Il a besoin d'une jeunesse qui soit aussi une vieillesse, d'une fraîcheur qui enveloppe une sagesse, d'une identité multiple et une, d'une monotonie vivante, d'une existence qui meure et qui pourtant ne meure pas, d'un désir actif mais chargé de mémoire, d'une « chanson d'amour qui toujours recommence ». Il veut que la femme aimée soit « éternellement jeune ». Il tâche en somme de réaliser entre ces termes contradictoires un mariage

103. *Œuvres*, p. 320. — 104. *Les Illuminés*, p. 456.

un peu semblable à cette union du profond et du surgi qui dominait, on l'a vu, sa rêverie matérielle. Et ce mariage est quelquefois réussi : certaines réalités, concrètes ou abstraites, résolvent le dilemme de Nerval. Il nous faut donc maintenant considérer ces solutions, ces éléments ultimes d'un bonheur nervalien.

V

Première solution possible : le *déguisement*. Si le corps à lui seul se prête mal aux dépassements imaginaires, il peut toujours feindre et se dédoubler; il peut se couvrir d'allusions, s'habiller de mensonges. Déguisé, il se revêt concrètement d'altérité ou de passé. L'un des plus beaux chapitres de *Sylvie* nous fait très efficacement participer à une telle opération. Nous y voyons Gérard et Sylvie se déguiser en mariés de l'ancien temps. A la fraîcheur naturelle de la jeune fille s'ajoute alors le charme suranné qu'elle emprunte aux vieux habits de sa grand-tante, et le fané du vêtement s'unit si bien en elle au vivant éclat de la chair que son jeune corps semble presque jailli d'une profondeur de mémoire. « Les jabots garnis de dentelles découvraient admirablement les bras nus, la gorge s'encadrait dans le pur corsage aux tulles jaunis, aux rubans passés, qui n'avait serré que bien peu les charmes évanouis de la tante... [105] » Mais les charmes bien réels de Sylvie viennent heureusement gonfler ce corsage : à la forme épuisée ils redonnent une plénitude, un sens vivant. C'est comme si le présent était venu d'un seul coup combler et ranimer le vide d'un temps mort.

Pourtant le déguisement n'incarne pas véritablement l'idéal, il se contente de le jouer. Fondé sur un dédoublement, il n'entraîne pas une continuité existentielle du vêtement et de la chair. Il mime le passé sans vraiment l'assumer, et cette reprise insincère peut suffire à souiller le souvenir. Écrivant à Marie Pleyel dans

105. *Œuvres*, p. 275.

les mêmes termes qu'il avait employés dans ses lettres à Jenny, Gérard se repent « dans la solitude, de ce qui (lui) semblait une profanation de (ses) souvenirs [106] ». Ce qui profane ici le passé, c'est l'indignité d'une imitation qui n'est au fond que parodie. Le thème du déguisement, obsessionnel chez Nerval, prendra donc le plus souvent dans son œuvre — sauf dans *Sylvie* — une valeur maléfique. Mettre des habits anciens pour aller au bal, c'est commettre un sacrilège, qui devra ensuite se payer. « O tendres souvenirs de mes aïeux ! brillants costumes, profanés dans une nuit de folie, que vous m'avez coûté de larmes... [107] » écrit Nerval dans un brouillon de *Sylvie*. En un sens le déguisement constitue la faute par excellence; prostituant l'essence dans la honte d'une fausse incarnation, il est le signe d'une légèreté, d'un manque de fidélité à l'être. Et cette infidélité est punie par une autre infidélité : comme Gérard a trahi ses ancêtres, il est trompé par l'ingrate Sophie. « L'ingrate Sophie elle-même trahit son jeune cavalier pour un garde du corps de la compagnie de Grammont [108]. » Conclusion logique, passage inévitable pour une fille éprise de surfaces, du vêtement au vêtement, du déguisement à l'uniforme...

On saisit ici sur le vif toute l'ambiguïté tragique du vêtement, c'est-à-dire encore du masque chez Nerval. Tantôt, on l'a vu, le masque dévore l'identité, le déguisement colle à la peau comme une tunique de Nessus, et c'est une des sources de la folie nervalienne. Tantôt le moi s'amuse de son masque, le tient à distance, et c'est alors l'existence du masque, le prestige de la réalité inscrite dans le masque qui se trouvent souillés et perdus. Ou bien le paraître absorbe l'être; ou bien l'être se protège du paraître, mais le paraître perd alors toute valeur, il se réduit à n'être qu'un paraître, une pure fiction. Gérard déguisé ressuscite un fantôme; croyant faire revivre le passé, il crée un être faux, une chimère. Rien ne sera donc plus difficile que de réconcilier ici être et paraître, vie et mémoire. Sans doute ne pourraient-ils s'accorder et subsister ensemble qu'en acceptant d'abord de se détruire, de se sacrifier l'un à l'autre. Idéal d'une actrice qui ***aurait un***

106. *Œuvres*, p. 360. — 107. *Id.* p. 455. — 108. *Ibid.*

cœur, une sincérité profonde, ou idéal inverse d'une Sylvie qui accepterait de jouer jusqu'au bout la comédie du souvenir. Mais cet idéal reste utopique, car ce qui constitue le déguisement, et ce qui le condamne, c'est sa nature double, hybride, sa duplicité.

Cette duplicité se trouve réduite sans effort dans le bonheur d'une autre réalité charnelle : la *voix humaine*. On sait que Nerval adore les anciennes romances, surtout quand elles sont chantées par de très jeunes filles. Jeunesse de la chanteuse, vieillesse de la chanson, cela forme pour lui un mixte délectable de fraîcheur et d'expérience, de nouveauté et d'éternité. Mais ce mixte, prenons garde qu'il constitue en fait une unité : car la voix est à la fois chant et écho, vie et mémoire. Et si sa jeunesse se pénètre si facilement d'archaïsme, c'est que cet archaïsme exprime lui-même une naïveté, une jeunesse du monde. Par delà l'obstacle des siècles, l'enfance d'une chanteuse rejoint alors directement une enfance des choses : le chant réalise la rencontre d'une fraîcheur individuelle et d'une virginité cosmique.

Cette rencontre s'opère dans la chair même de la voix. Adrienne, par exemple, a « une voix fraîche et pénétrante, légèrement voilée, comme celle des filles de ces pays brumeux... [109] ». Comprenons que fraîcheur signifie ici présent, jeunesse; mais ce voile brumeux, que la voix semble emprunter au paysage, réussit à donner en même temps au chant un pouvoir de pénétration et d'allusion, une profondeur. Voilée, la voix s'échappe à elle-même, elle se *creuse*, et cela très physiquement. Nerval remarque dans *Angélique* « ce parler si charmant des pays de brouillard qui donne aux plus jeunes filles des intonations de contralto [110] ». Cette profondeur troublante de la tessiture vocale n'altère d'ailleurs en rien l'éclat ou la vivacité du timbre. Gérard aime en Aurélia « la vibration de sa voix si douce et cependant fortement timbrée... [111] ». Cette vibration veloute la voix, elle la charge de douceur sans en diminuer l'acuité. Que la vibration s'exagère, qu'elle se force artificiellement à certains moments de la chanson, et nous la verrons susciter au cœur de la mélodie comme une invasion concrète de passé :

109. *Œuvres*, p. 263. — 110. *Id.*, p. 252. — 111. *Id.*, p. 261.

> La mélodie se terminait à chaque stance par ces *trilles chevrotants* qui font valoir si bien les voix jeunes quand elles imitent par un frisson modulé la voix tremblante des aïeules [112].

Ce chevrotement qui vieillit la voix tout en faisant si subtilement ressortir la jeunesse, c'est bien une fausse *ride* sonore. On songe ici à la bizarre rêverie nervalienne sur *l'œil du perroquet*, « cet œil rond, chargé de rides qui fait penser au regard expérimenté des vieillards »... Rondeur ridée, fraîche voix tremblotante réalisent bien la même combinaison sensible de jeunesse et de vétusté. En elles se rejoignent deux niveaux d'être et de durée, se fondent deux identités.

Qu'au lieu de deux, Gérard veuille maintenant rapprocher plusieurs identités lointaines, qu'il vise à les faire se réunir devant lui, comme en se tenant par la main : ce sera l'image enfantine de la *ronde*. Image puissamment bénéfique : que Nerval la rencontre sur la pelouse d'Ermenonville ou dans le jardin du Palais-Royal, elle agit toujours sur lui avec la même étrange magie; elle réussit même un instant à le distraire de sa folie [113]. Comment expliquer cette puissance? C'est sans doute que la ronde est un cercle vivant. Elle présente à Gérard l'image parfaite d'une continuité à la fois dynamique et close. Elle lui affirme une solidarité harmonique des danseurs, une homogénéité du monde. Et cette homogénéité reste bienfaisante, elle ne risque pas de s'égarer dans une épaisseur infinie, puisque le mouvement, après y avoir parcouru tout le cercle de l'être, de la ronde, s'y referme finalement sur soi.

Il demeure pourtant un mystère de la ronde. C'est celui de son origine. Quelle cause première a réuni les mains des danseurs? Quel élan primitif a donné le branle au mouvement et permis à la danse de progresser de *même* en *même?* Peut-être est-ce tout simplement l'enfance, qui ne connaît pas de barrière entre les êtres. Peut-être aussi est-ce la charité; et il nous faudrait alors rêver avec Nerval au mystère tout humain d'une médiation circulairement reproduite et retransmise. Chaque danseur intercéderait auprès de son voisin pour que la *faute* soit pardonnée

112. *Œuvres*, p. 263. — 113. *Id.*, p. 400.

et qu'une main lui soit tendue. Le plus étrange, c'est que Nerval connut dans sa vie même un pareil cas d'intercession. A Bruxelles, Marie Pleyel, un instant courtisée par lui, rencontre par hasard Jenny Colon, son amour véritable; elle lui parle de la passion que Nerval éprouve à son endroit et réussit à attendrir pour lui le cœur jusque-là indifférent de l'actrice. De sorte qu'un jour, écrit Nerval, « me trouvant dans une société dont elle faisait partie, je la vis venir à moi et me tendre la main [114] ». Geste magique qui recrée l'intimité, qui renoue une triple sympathie amoureuse.

A la ronde chrétienne, qui dessinerait une sorte de communion des saints, Nerval préfère pourtant la chaîne pythagoricienne. Plutôt qu'un cercle spirituel d'intercessions, la ronde lui figure une liaison physique d'affinités. Il imagine qu'une « chaîne non interrompue » de corps et d'intelligences entoure l'univers et en assure l'harmonie, que tous les objets se correspondent, et que « les chants, les danses, les regards aimantés de proche en proche... traduisent la même aspiration [115]. » Cette aimantation matérielle, et non plus un acte intérieur chaque fois répété, suffit à entretenir le mouvement de la ronde cosmique. Nerval passe ainsi constamment d'une mystique de la charité à une mystique de la correspondance. Le *même* possède ici un magnétisme qui lui permet d'entrer immédiatement en contact avec son analogue le plus lointain. « Les rayons magnétiques émanés de moi-même ou des autres traversent sans obstacle la chaîne infinie des choses créées; c'est un réseau transparent qui couvre le monde et dont les fils déliés se communiquent de proche en proche aux planètes et aux étoiles [116]. » Dans la transparence de ce réseau d'identités et de correspondances, l'être se sent glisser avec autant de joie que dans l'épaisseur coulante d'une eau ou d'un limon. La vision pythagoricienne de Nerval retrouve donc à l'échelle astronomique et retranscrit sur le mode magnétique son choix fondamental de l'homogène. Elle le replace dans le sentiment rassurant d'une contiguïté cosmique. A la limite, l'image de la ronde débouche sur une autre image, plus parfaite encore,

114. *Œuvres*, p. 361. — 115. *Id.*, p. 403. — 116. *Ibid.*

d'homogénéité circulaire : celle du grand serpent mythique qui entoure le monde. Sa reptilité arrondie, sa continuité visqueuse et quasi liquide encerclent et relient idéalement toute la diversité des choses.

Ces rêveries sont utopiques, et Nerval le sait bien : le monde réel, ou du moins le monde éveillé les dément à chaque minute. Il nous donne au contraire le spectacle de la ronde rompue, de la communication brisée, de l'hétérogénéité triomphante, de la solitude humaine. Mais il suffit de s'abandonner au rêve ou à ce rêve total qu'est la folie, pour retrouver la jouissance d'une continuité existentielle, d'un *lisse* absolu. Le monde du rêve est le plus souvent chez Nerval un monde sans couture. On y voit se réaliser un parfait fondu de l'expérience. Images, sensations, idées, tout y devient glissant et perméable. L'objet y perd son quant-à-soi, ses arrêts, les cloisons sensibles s'y évanouissent. Si le paysage valoisien constitue une si merveilleuse introduction au rêve, c'est justement en raison de son incertitude, de sa vocation brumeuse, de son pouvoir d'égarement. Autour des formes le rêve dispose des halos ; il décompose les couleurs, mais c'est afin de mieux les libérer, les mélanger. « Les objets matériels, écrit Nerval dans *Aurélia*, avaient comme une pénombre qui en modifiait la forme, et les jeux de lumière, les combinaisons de couleurs se décomposaient de manière à m'entretenir dans une série constante d'impressions qui se liaient entre elles [117]... » Constance, liaison, ce sont bien là pour Nerval les signes d'un bonheur sensible. La fonction suprême du rêve nervalien n'est-elle pas d'ailleurs essentiellement transitive ? Ne consiste-t-elle pas à montrer qu'il existe « entre le monde interne et le monde externe un lien », et à établir « une communication avec le monde des esprits » ? Le rêve est chez Nerval un lieu de découverte et de passage, une source permanente d'épanchement.

Cet épanchement n'est si heureux que parce que, tout en mêlant physiquement signe et identité, il préserve aussi chaque réalité distincte. Il est peu de textes nervaliens plus beaux, plus intérieurement satisfaisants que les lignes suivantes, extraites

117. *Œuvres*, p. 365.

d'*Aurélia*, où l'on voit Gérard en face de trois visages féminins, rêver à une parfaite porosité de la ressemblance :

> Trois femmes travaillaient dans cette pièce, et représentaient, sans leur ressembler absolument, des parentes et des amies de ma jeunesse. Il semblait que chacune eût les traits de plusieurs de ces personnes. Les contours de leur figure variaient comme la flamme d'une lampe, et à tout moment quelque chose de l'une passait dans l'autre; le sourire, la voix, la teinte des yeux, de la chevelure, la taille, les gestes familiers, s'échangeaient comme si elles eussent vécu de la même vie, et chacun était aussi un composé de toutes, pareilles à ces types que les peintres imitent dans plusieurs modèles pour réaliser une beauté complète [118].

Ce qui rend ici la ressemblance si émouvante, c'est sa complexité, son caractère mobile et réciproque; elle se crée en un échange, une ouverture renouvelée du même au même. Le papillotement onirique de l'identité réalise ainsi une sorte de transfusion permanente d'être. Mieux encore, ce texte nous dit admirablement ce qui est objet d'échange : sourire, voix, teinte des yeux ou de la chevelure, inflexions de la taille, gestes familiers. Ce ne sont pas des réalités purement physiques, les fragments d'un portrait, les linéaments d'une forme : bien plutôt des éléments de physionomie, les signes d'un être intérieur, les attributs concrets d'une réalité spirituelle. Or cette découverte est pour Nerval suprêmement importante. La religion de la forme l'avait toujours un peu gêné; fonder la ressemblance existentielle sur la simple identité formelle lui paraissait même dangereux; dans son article sur Rétif il s'en prend à cet « amour fondé plus sur la forme extérieure que sur l'âme » et il qualifie d' « idée païenne » la théorie rétifienne des ressemblances. Mais voici désormais que la ressemblance se justifie en jaillissant directement d'un cœur spirituel de l'être : elle naît du feu intérieur qui éclaire du dedans chaque visage. Il est beau d'ailleurs que cette image de la lampe, elle-même illuminante, vienne replacer au cœur de l'identité la réalité obsessionnelle du feu. C'est maintenant cette lueur qui constitue la personne. Elle la définit, mais elle

118. *Œuvres*, p. 373.

ne la fixe pas, bien au contraire elle l'ouvre et la déforme : elle fait varier, nous dit Nerval « les contours de leur figure ». Ce sera donc l'activité la plus personnelle du moi qui obligera l'identité à s'altérer, à entrer dans le jeu d'échange et de métamorphose. Plus désormais de barrière, ni même de différence entre les êtres : chaque femme devient un « composé de toutes les autres ». Comme la monade leibnitzienne, chaque conscience se fait le réceptacle et le miroir de la totalité des âmes.

On saisira mieux dès lors la vraie nature de ce qu'on a nommé le *syncrétisme* nervalien. Rien ne serait plus faux que de le tenir pour un éclectisme, ou pour une doctrine de la confusion. Regardez par exemple la religion syncrétique : loin de réaliser un dénominateur commun de toutes les religions particulières, elle constitue le lieu spirituel où les diverses croyances peuvent se rencontrer, et échanger leurs vérités les plus brûlantes, les prestiges actifs de leurs mythologies. L'objet syncrétique ne relève pas lui non plus d'une réalité appauvrie : les raisins noirs *mêlés* avec l'or d'une tresse, le pâle hortensia *uni* au myrte vert, et la treille où le pampre à la vigne *s'allie*, composent des spectacles mixtes où chaque terme réveille et anime de sa richesse matérielle le terme qui lui est adjoint. La femme syncrétique enfin marie heureusement en elle des charmes venus d'un peu partout. Par exemple la beauté blonde du midi doit au « voisinage des pays alpins l'or crépelé de ses cheveux » tandis que son œil noir s'est « embrasé seul aux ardeurs des grèves de la Méditerranée [119] ». Noirceur de l'œil, blondeur du cheveu se prêtent ici une vie réciproque, Alpes et Méditerranée s'enflamment mutuellement. Et cette réciprocité peut aussi jouer en profondeur : « La carnation, fine et claire comme le satin rosé des flamandes, se colore aux places que le soleil a touchées d'une vague teinte ambrée, qui fait penser aux treilles d'automne, où le raisin blanc se voile à demi sous les pampres vermeils [120] »... Joies et mystères du brunissement, d'un hâle devenu voile. Le syncrétisme sensuel y associe dans une même délectation la saisie d'un épiderme et celle d'une épaisseur charnelle. Superficiellement, profondément,

119. *V. O.*, II, p. 8. — 120. *Ibid.*

en tous sens; la méridionale blonde se met à chatoyer dans le mariage heureux de ses contrastes.

Il reste que l'activité la plus fructueusement syncrétique, c'est encore pour Nerval la *littérature*. Les rondes les plus parfaites sont chez lui rondes de mots. A-t-on remarqué à quel point ses œuvres restent liées, emmêlées les unes aux autres? Elles s'empruntent réciproquement leurs personnages, leurs épisodes, leurs thèmes, leurs images. Point ici de structure unitaire :. deux sonnets des *Chimères* peuvent échanger leurs tercets sans que leur beauté particulière en soit aucunement altérée. L'œuvre ne possède aucun droit de propriété. Tel morceau a paru sous forme d'article avant d'être inséré dans une nouvelle; tel autre se retrouve, plus ou moins déguisé ou éclaté, dans plusieurs livres différents. Rien de plus inextricable que la bibliographie nervalienne, si ce n'est le catalogue de ses sources. Nerval vit de plagiats plus ou moins avoués, mais l'auteur qu'il préfère plagier, c'est encore lui-même.

Cet état de désordre et d'irresponsabilité créatrice est le plus souvent attribué aux habitudes journalistiques de Nerval. Mais il semble que sa vraie raison puisse être plus profondément recherchée dans la conception même que Nerval se faisait de l'œuvre d'art. Il ne considère pas en effet le chef-d'œuvre comme une réalité close, comme une forme ultimement refermée sur sa propre perfection. Antimarmoréenne par essence, son esthétique se situe sur ce point à l'opposé de celle d'un Gautier. L'œuvre comporte pour lui des halos, des zones latérales de glissement, des aires de résonance : un mot par exemple écrit en marge d'un sonnet des *Chimères (reine Candace)* et ce sonnet bascule tout entier dans le *Voyage en Orient*. Les diverses œuvres se font ainsi écho pour composer finalement une seule œuvre, l'œuvre nervalienne, œuvre elle-même ouverte sur le mystère d'un homme, de l'homme Nerval, de son destin intérieur, de son suicide et de sa folie.

La réalité littéraire se définit donc ici par l'ouverture et la réciprocité. Le syncrétisme s'y affirme jusque dans la composition de chaque œuvre particulière. Nerval aime à y superposer plusieurs plans de narration et de réalité qui vivent à la fois en conflit et en correspondance. *Octavie* par exemple se présente comme un récit direct, coupé d'un récit indirect, d'une lettre. Cette narration double conte une même aventure, mais d'un étage à l'autre du récit le climat change : d'un côté règne l'image de Jenny, de l'autre la présence d'Octavie. Le véritable sens de la nouvelle réside même dans l'affrontement de ces deux climats; il ne se sépare pas d'une certaine ambiguïté de la narration elle-même. Pour *Sylvie*, Georges Poulet a admirablement montré toute la subtilité des résonances littéraires, et comment l'aventure se poursuit simultanément à divers niveaux de temps et de mémoire : et pourtant la narration y progresse d'une seule et merveilleuse coulée. Dans *Aurélia* enfin, les plans séparés se rejoignent, le rêve s'*épanche* directement dans la vie, tout se pénètre : c'est le triomphe du syncrétisme.

Ce triomphe a été rendu possible par une vertu quasi magique du langage : son don de réconciliation. Tel le feu alchimique, le mot nervalien a pour vocation de réunir. Écrivant par exemple pour Jenny un livret d'opéra sur le thème de la reine de Saba, Gérard rêve que la littérature va lui permettre de « réunir dans un trait de flamme les deux moitiés de (son) double amour [121] ». Le génie nervalien multiplie ces traits de flamme. Sa vocation particulière est de rassembler dans l'espace d'une parole à la fois modeste et brûlante une extraordinaire richesse d'idées, d'images, de sentiments. « Oui, écrivait Gérard à Jenny, il y a dans ma tête un orage de pensées dont je suis ébloui et fatigué sans cesse; il y a des années de rêves, de projets, d'angoisses, qui voudraient se presser dans une phrase, dans un mot [122]... » Ce mot, Gérard ne sut pas le dire à Jenny, mais il nous éblouit à chaque ligne des *Chimères*. *Étoile*, *destin*, *mélancolie*, *tombeau*, *treille*, *reine*, *sirène*, *fleur*, ce sont là de ces mots où se rassemble un monde, mots-abîmes, *soleils noirs* où brille l'orage intérieur d'un destin. Pour mieux souligner leur étrangeté, leur nature exceptionnelle, Nerval les écrit quelquefois en italiques. Tout le reste du poème semble alors converger vers eux comme pour en souligner l'attraction, le caractère magnétique. Mots extraordinaires en effet :

121. *Œuvres*, p. 91. — 122. *Id.*, p. 716.

ils n'ont pas pour intention, comme nos mots de tous les jours, d'exprimer une réalité, ils se proposent bien plutôt d'attirer à eux cette réalité, de la prendre au piège de leur éclatante beauté et d'enfermer dans leur profondeur sémantique un poids accumulé d'expérience. Le mot est ici vertical et cela nous explique son étrange pouvoir : en lui se superposent et coïncident de multiples couches signifiantes. L'hermétisme nervalien est donc un hermétisme de la polyvalence. Toutes les interprétations que l'on peut donner de cette poésie sont vraies, mais surtout elles sont vraies *ensemble*. Cette simultanéité de sens constitue, on le comprend bien, un véritable triomphe du *même :* car chaque mot peut ici tout signifier, mais ce tout, verbalement réuni à lui-même, n'y est jamais aussi qu'une seule et même chose. Le langage des *Chimères* réconcilie donc identité et totalité. Tout en rassemblant l'être dans l'extrême précision de quelques vocables choisis, il lui redonne cette vertu perdue : l'ubiquité.

VI

La parole nervalienne est donc le lieu d'une simultanéité absolue. Cela explique son statisme, sa nature immobile et quasi sacrale. C'est dans un climat d'intemporalité que le langage fait se rencontrer la somme des identités nervaliennes. Le mot, dans les *Chimères*, se suspend hors du temps; éclatant comme une étoile fixe, il prend visiblement sa source en une éternité signifiante. Aucun courant de durée ne traverse ces poèmes, et il en est de même des récits nervaliens. Coupée d'incises, de parenthèses, de retours en arrière, la narration ne s'y écoule pas selon les exigences d'une cohérence temporelle. Georges Poulet a par exemple montré dans *Sylvie* la prédominance de la logique intérieure sur la nécessité chronologique. Le langage nervalien fixe une permanence : il est dénué d'élan ou d'avenir.

Chaque fois donc que Nerval voudra se créer verbalement

un avenir, il sera trahi par ses mots. Telle est peut-être la leçon des *Lettres à Jenny Colon:* « Dans notre amour, écrit Gérard à Jenny, il y a trop de passé pour qu'il n'y ait pas beaucoup d'avenir [123]. » Mais la nature même de son langage l'empêche justement d'extraire de ce passé — comme le fera si bien Rimbaud — toute sa charge de futur. Éternellement présent, le mot reste dans ces *Lettres* à l'état d'angoisse et de prière; il n'a pas puissance créatrice. S'il veut saisir la solidarité vivante des divers états de sa durée, Nerval devra donc se détourner du mot. Il lui faudra trouver un autre système de signes dont la souplesse temporelle puisse infléchir la rigueur structurelle : quelque chose d'un peu semblable à une *langue active.*

Or cette langue existe, elle fournit même à Nerval la matière de certaines de ses rêveries les plus obsédantes : c'est la *race.* En elle, écrit-il admirablement, « notre passé et notre avenir sont solidaires. Nous vivons dans notre race et notre race vit en nous [124] ». Double et merveilleux rapport d'implication réciproque, à l'intérieur duquel l'identité se trouve à la fois fondée et multipliée. Nous vivons dans notre race, c'est-à-dire que nous sommes un parmi de multiples semblables, chacun de nous est un anneau dans une immense chaîne ouverte et continue, « une chaîne ininterrompue d'hommes et de femmes, écrit Nerval, en qui j'étais et qui étaient moi-même [125] ». Mais notre race vit aussi en nous, c'est-à-dire que l'essence de cette multiplicité vivante dont nous faisons partie constitue aussi la loi la plus intime de notre existence personnelle. Entre l'individu et sa race existe donc le même rapport qu'entre le mot et sa signification, avec pourtant une différence essentielle, c'est que ce rapport s'établit maintenant dans l'écoulement orïenté d'une durée. Disons en somme que la race nervalienne est un langage temporel.

La souplesse même de ce langage entraîne son ambiguïté. Car si la race se propose de soutenir l'identité de l'être dans le temps, c'est à travers une suite de morts et de renaissances. Lé *même* s'y trouve à tout instant nuancé, menacé. De père en

123. *Œuvres,* p. 717. — 124. *Id.,* p. 368. — 125. *Ibid.*

fils la ressemblance ne se transmet pas de façon totale ou automatique : elle circule, se perd et se retrouve. Rêvant à la suite de ses ancêtres, Nerval voit leurs « images se diviser et se combiner en mille aspects fugitifs ». Mais cette division peut devenir éparpillement, et l'être de la race se trouver dispersé et perdu. Si inversement la race tend à se perpétuer sans courir le risque d'aucune division, d'aucune ouverture, le danger n'est pas moindre. Sang clos et sang mêlé sont également maléfiques. On voit que la race nervalienne a besoin pour se prolonger de maintenir un équilibre difficile entre audace et fidélité, constance et aventure. A cette seule condition elle pourra instaurer une respiration temporelle de l'identité.

La race sera donc doublement menacée de dégénérescence. Premier danger : l'impureté, la chute du *même* dans *l'autre*. « L'isolement, la diversité, la contradiction, l'indiscipline », tels sont « les instruments éternels de la perte des races énervées [126] ». La race perd de sa pureté en s'épanchant hors d'elle-même, elle meurt d'un excès de générosité. Devenu trop différent du type essentiel de sa race, l'individu ne se sent plus rattaché à aucune origine, à aucun corps mystique, et son détachement prend vite les allures d'une révolte. Nul doute que n'aient existé chez Nerval, à l'état implicite, les éléments d'un assez virulent racisme politique : il n'est qu'à voir dans quel sens il fut utilisé par les doctrinaires de droite, et par Barrès tout le premier. Chez lui aussi le péché, c'est de croiser le sang, de couper les racines; rien de pire qu'un homme sans maison ni ancêtres, que par exemple « ces étrangers sans nom, sans culte et sans patrie, qui grouillent encore sur le port de Syra, au carrefour de l'Archipel [127] ». Le grouillement, ce mouvement nauséeux qui relève à la fois de la pulvérulence et de la fébrilité, exprime bien ici le dégoût d'une humanité à la fois superficielle et dispersée.

Ce racisme, au demeurant inoffensif, a cependant un tout autre soutien intérieur que celui d'un Gobineau ou d'un Barrès : le seul corps offensé par l'horrible grouillement des métèques,

126. *V. O.*, III, p. 132. — 127. *Id.*, I, p. 149.

c'est ici celui de la *mère*, de l'unité originelle. En mêlant sans discernement leur sang, les hommes « ont peu à peu détruit et tranché en mille morceaux le type éternel de la beauté, si bien que les races perdent de plus en plus en force et en perfection [128] ». Le premier crime est donc de morcellement. A l'inverse du racisme barrésien, tout obsédé de cloisonnements et de frontières, le racisme nervalien est mû par une puissante nostalgie d'unité, de continuité. La division raciale n'est pour lui qu'une image particulièrement tragique du déchirement actuel de l'univers. « Ce sont les tronçons divisés du serpent qui entoure la terre [129]. » Et si ces tronçons veulent se rejoindre pour recomposer l'unique corps originel, ils ne le peuvent que dans la violence. « Séparés par le feu, ils se rejoignent dans un hideux baiser cimenté par le sang des hommes. » Le sang divisé ne retrouve son unité que dans la fluence, en se mettant à s'écouler, en devenant un *sang versé*, dans la guerre.

Grande sera donc la tentation contraire d'éviter toute altération du sang, et pour cela de protéger la race, de la refermer hermétiquement sur elle-même. Le sang clos garantit la retransmission immaculée d'une essence raciale. Les images d'une telle clôture sont fréquentes chez Nerval. Ce sont par exemple les petites villes de l'Ile-de-France, qui vivent à demi coupées du monde extérieur, et dans lesquelles la même existence se poursuit sans changement depuis des siècles. Ces villes, Senlis, Fontainebleau par exemple, « se concentrent en elles-mêmes, jetant un regard désenchanté sur les merveilles d'une civilisation qui les condamne ou les oublie... [130] ». Cette concentration sauve leur pureté. Leur charme tient à une certaine immuabilité des propos et des gestes, tout y vit de modestie et de répétition. « Il y a dans ces sortes de villes quelque chose de pareil à ces cercles du purgatoire de Dante, immobilisés dans un seul souvenir, et où se refont dans un centre plus étroit les actes de la vie passée [131]. » Étroitesse et permanence, l'une contenant l'autre, se fondent d'ailleurs ultimement sur la garantie d'une

128. *Œuvres*, p. 407. — 129. *Id.*, p. 379. — 130. *Id.*, p. 160. — 131. *Id.*, p. 164.

fixité biologique, d'une stase sanguine: dans ces villes, note Nerval, « les familles ne s'unissent guère qu'entre elles [132] ».

Devant de telles images Nerval s'attendrit; pourtant elles ne le satisfont pas vraiment. C'est comme si ces petites villes n'étaient pas dotées d'une existence pleine et actuelle. Il est significatif qu'il préfère s'y promener au clair de lune, c'est-à-dire en une lumière qui est pour lui celle du souvenir et de l'irréalité. La même lune éclaire pour Nerval Fontainebleau et Pompéi; sur des paysages endormis ou anachroniques, elle étend la même lumière de palingénésie.

L'identité close, même et surtout si elle se prétend éternelle, si elle refuse de mourir, apparaît donc de quelque façon à Nerval comme une identité morte. A cette idée, chez lui centrale, il donne une merveilleuse affabulation mythique dans le chapitre VIII de la première partie d'*Aurélia*. Au cœur d'un pays sauvage, et plus complètement encore isolé du reste du monde qu'une petite ville du Valois, — « dans le centre de l'Afrique, au delà des montagnes de la lune et de l'ancienne Éthiopie » — nous voyons une dynastie de rois perpétuer inlassablement son existence et sa tyrannie. Cette perpétuation est visiblement maléfique; elle s'enveloppe de sécheresse et de monotonie, elle provoque une rigidité des structures sociales et même elle tarit les forces vitales du royaume. « Les bocages ne portaient plus que de pâles fleurs et des feuillages flétris; un soleil implacable dévorait ces contrées, et les faibles enfants de ces éternelles dynasties semblaient accablés du poids de la vie... » Ce qui les accable, c'est d'avoir à nourrir de leur substance l'artificielle pérennité de leurs rois. Car ceux-ci ne sont pas naturellement éternels; ils ont volé le secret de l'éternité, ils ont usurpé, mécanisé le mystère même de la vie. De père en fils l'identité se prolonge entre eux de manière à la fois infaillible et automatique; elle s'étire et se fige en une fausse éternité :

> Ces nécromants, bannis aux confins de la terre, s'étaient entendus pour se transmettre la puissance. Entouré de femmes et d'enfants,

132. *Œuvres*, p. 452.

chacun de leurs souverains s'était assuré de pouvoir renaître sous la forme d'un de ses enfants. Leur vie était de mille ans. De puissants cabalistes les enfermaient, à l'approche de leur mort, dans des sépulcres bien gardés où ils les nourrissaient d'élixirs et de substances conservatrices. Longtemps encore ils gardaient les apparences de la vie, puis, semblables à la chrysalide qui file son cocon, ils s'endormaient quarante jours pour renaître sous la forme d'un jeune enfant qu'on appelait au trône... [133]

Mais cette renaissance n'est pas une résurrection : elle ne redonne pas à l'être un pouvoir de jaillissement ni de fécondation. A l'inverse de la fée des légendes « éternellement jeune », ces sorciers de la connaissance ne sont qu'éternellement vieux. « Ces vieillards languissaient sous le poids de leurs couronnes et de leurs ornements impériaux, entre des médecins et des prêtres dont le savoir leur garantissait l'immortalité. »

Or la véritable immortalité ne peut jamais être garantie. Ce qui condamne ces nécromants au supplice d'une éternité sans vigueur, c'est qu'ils se refusent à véritablement mourir. Ils veulent conserver leur corps, leur *forme*, ils résistent à cette dissolution matérielle sans laquelle ne peut se produire pour Nerval aucune vraie renaissance. Comme il leur faut malgré tout ménager un espace à la métamorphose, ils s'arrangent une fausse mort, un sommeil artificiel de quarante jours. Le *même* se trouve alors figé et embaumé dans la stupeur, dans l'horizontalité d'une durée morte. La race vivante se prolonge au contraire en un jeu d'oscillations, en une alternance d'enfoncements et d'émergences : rivière tantôt aérienne et tantôt souterraine. Elle demande que chacun de ses membres accepte de mourir, de rentrer dans le sein des choses — dans l'histoire d'Adoniram, Nerval dit même : de retrouver le feu central — pour que chaque identité nouvelle puisse rejaillir ensuite à la surface de la terre, à la lumière d'un jour chaque fois recréé. La race ne vit donc pas d'hypnose, elle n'a pas besoin de cocons, ni de ces faux cercueils, les hypogées; elle choisit de se perdre dans des tombeaux véritables, dans ces lieux sincèrement profonds et visiblement liés à une épaisseur

133. *Œuvres*, p. 377.

de matière que sont grottes ou volcans. La moralité d'*Aurélia*, c'est ainsi que pour se sauver il faut accepter de descendre en enfer, de tout perdre, et jusqu'à la raison. Point de santé qui ne passe par la folie, point d'immortalité qui n'acquiesce à la mort, point de renaissance qui ne vise secrètement la destruction. Être et néant se lient ici en une dialectique dangereuse : le suicide de Nerval n'est peut-être après tout qu'un moment de cette dialectique, qu'une expression limite de sa foi dans la vie.

Mais si l'être ne se transmet qu'en acceptant d'abord de disparaître, on devine dans quel climat, d'angoisse et d'espoir mélangés, va s'effectuer la passation magique d'identité. Chaque mort particulière devra être un acte de foi dans la profondeur, dans la puissance de recueillement et de liaison de l'onctuosité cosmique. Ce corps rendu au monde, il faudra croire que la continuité matérielle saura en faire glisser le principe jusque dans l'enveloppe renaissante d'un autre corps. Le choix nervalien de l'immortalité ne se sépare donc pas de son besoin d'un monde lisse et sans couture : c'est la matière homogène, le limon qui feront passer la vie — le feu — d'être en être. Mais on n'est jamais sûr que ce passage s'effectuera vraiment, qu'un hiatus ou un obstacle n'arrêteront pas au dernier moment la progression souterraine de l'être. Le doute accompagne ici intimement la foi, et c'est pourquoi le personnage qui incarne le mieux l'ambiguïté raciale, c'est le fils qui se sent à la fois occupé et abandonné par son père : Gérard face au docteur Labrunie, dans la maison du docteur Blanche, Jésus-Christ face à Dieu ou à une absence de Dieu, sur le Mont des Oliviers.

> O mon père ! est-ce toi que je sens en moi-même ?

Si ce n'est pas le père qui vit à l'intérieur du fils, tout est perdu et le fils lui-même ne peut rien pour les hommes (« Hélas — et si je meurs, c'est que tout va mourir ! »). De Dieu à Jésus, et de Jésus aux hommes, le seul mystère est celui d'une présence continuée, d'une retransmission à la fois matérielle et spirituelle d'existence :

> Sais-tu ce que tu fais, puissance originelle,
> De tes soleils éteints l'un l'autre se froissant...

Es-tu sûr de transmettre une haleine immortelle
Entre un monde qui meurt et l'autre renaissant ?... [134]

Le drame, c'est justement que les soleils se *froissent*, au lieu de lier continuement leurs flammes. La discontinuité élémentaire risque ainsi de provoquer une double mort du monde et de l'esprit. Et pourtant l'haleine se transmet. Le mystère de cette transmission, d'une mort vivante, d'une vie à la fois mortelle et immortelle, Gérard aurait pu sans doute le pénétrer avec l'aide du christianisme. Mais il est significatif qu'il n'ait accepté du christianisme que son visage de doute, et que lorsqu'il choisit de s'identifier à Jésus-Christ, c'est au Jésus du Mont des Oliviers, à un Jésus orphelin et interrogateur.

***

Cette interrogation reçoit pourtant quelque part une réponse : c'est dans la suite de rêves des *Mémorables* qui clôt *Aurélia*, et qui peut passer pour le dernier mot de Nerval. Logique intérieure et chronologie se conjuguent pour conférer à ces pages un caractère ultime, testamentaire. Spirituellement, matériellement, poétiquement, toute l'œuvre nervalienne, Albert Béguin l'a bien montré, converge vers ces quelques couplets extatiques. Ce n'est point hasard si le texte de Nerval le plus heureux, le plus ouvert à toutes les promesses du ciel et de la terre, constitue aussi son plus particulier chef-d'œuvre.

Ce si parfait bonheur des *Mémorables*, de quoi est-il donc fait? D'une double découverte. Nerval s'y découvre d'abord pardonné et sauvé; il rêve qu'aux côtés de sa *grande amie*, — la femme unique, ici devenue déesse et anonymement appelée *** — il monte à la conquête du ciel et pénètre dans la Jérusalem nouvelle. Mais ce triomphe spirituel a été précédé d'une apothéose cosmique. Nerval a aussi découvert le secret du monde sensible, la formule matérielle de réconciliation dont race et poésie ne lui avaient donné que des approximations imparfaites. Ce secret,

134. *Œuvres*, p. 33.

cette vivante loi du monde, nous nous apercevons enfin que c'est la *consonance.*

Comme tout ici se lie, et que l'expression ne se sépare pas de l'expérience, cette consonance se découvre d'abord dans l'acte littéraire lui-même. Les *Mémorables* échappent à la sédimentation sémantique, ils sont purs de tout syncrétisme. Les mots y sont monovalents. Volontairement dénué de profondeur, le langage s'y emploie à peindre en chacun de ses gestes un seul sentiment ou un seul spectacle. Comme les couleurs d'un Fra Angelico, les mots s'y consacrent à traduire l'unicité d'une vision miraculeuse. Point de dédoublement ou d'arrière-pensée. Cette consécration à l'unique marque peut-être le passage d'un art polythéiste à une inspiration monothéiste, elle donne en tout cas au langage une extraordinaire allure de dévotion et de naïveté, elle étend sur lui un vernis d'innocence. Et pourtant la suite de versets des *Mémorables* possède autant de profondeur qu'aucun sonnet des *Chimères :* mais la profondeur s'y crée justement dans l'étalement d'un *lisse* verbal, dans une superficialité du langage. Elle y naît horizontalement, à travers la distance et dans l'écho. Chacun de ces couplets y garde en effet son unicité, sa nuance d'étrangeté ou de légèreté à l'intérieur d'un climat qui évoque l'*inouï* rimbaldien : tous se rejoignent pourtant dans l'approfondissement d'une vérité commune. De l'un à l'autre un thème unique se découvre, se ramasse, se complique, triomphe. Et ce thème dont la progression intérieure s'accorde admirablement à l'espacement des strophes, à leur libre harmonie, c'est justement le thème de l'identité dans la distance, le thème de la consonance.

D'où naît la consonance? Elle sort d'abord d'une expression concrète de confiance, d'un chant d'adoration :

> Sur un pic élancé d'Auvergne a retenti la chanson des pâtres. *Pauvre Marie,* reine des Cieux ! c'est à toi qu'ils s'adressent pieusement. Cette mélodie rustique a frappé l'oreille des corybantes. Ils sortent en chantant à leur tour des grottes secrètes où l'Amour leur fit des abris. Hosannah ! paix à la terre et gloire aux cieux ! [135]

135. *Œuvres*, p. 409.

Qu'une chanson éveille une chanson, et cela suffit à réconcilier le monde avec lui-même. Montagne et grotte se font écho, hauteur et profondeur se rejoignent dans un même acte de surgissement : le chant s'élance sur le pic, les hommes enfouis sortent de leur retraite. L'altitude exaltée provoque l'émergence du dieu souterrain, son accession au véritable jour, une gloire commune au ciel et à la terre.

Cette gloire ne se fixe pas; elle se dynamise, et la commune émergence aspire à devenir bientôt échange d'être, réciprocité concrète :

> Sur la montagne de l'Himalaya une petite fleur est née. — Ne m'oubliez pas ! — Le regard chatoyant d'une étoile s'est fixé un instant sur elle, et une réponse s'est fait entendre dans un doux langage étranger. — *Myosotis !*

Souvenons-nous que pour Nerval le Cantal, *c'est* l'Himalaya; et nous comprendrons que la petite fleur éclose prolonge la chanson jaillie. De l'une à l'autre nous sentons passer un courant continu d'humilité. Mais la fleur ne se contente plus de manifester un être de l'altitude. Elle veut davantage qu'un écho lointain : disant « ne m'oubliez pas », elle demande un contact direct, une réponse. Et cette réponse lui parvient, c'est la lumière de l'étoile posée sur elle comme un regard d'acceptation. C'est surtout un son magique et ambigu : son *étranger* comme l'être inconnu d'où il émane, son *doux* comme l'espace traversé, comme la tendre matière aérienne qu'il a franchie pour parvenir jusqu'à la fleur, et qu'il a d'ailleurs créée par l'acte même de ce franchissement. Le « *Myosotis !* » murmuré incarne cette ambiguïté. Ce vocable magique, où l'aérienne délicatesse des voyelles vient si subtilement s'articuler et s'équilibrer autour de la tendre chair des consonnes, représente à lui seul, et de par sa sonorité même, l'une des solutions les plus heureuses que Nerval ait jamais trouvées à ses problèmes. Le temps d'une éclosion, l'espace d'un soupir, le *myosotis* rassemble autour de sa douceur la vie éparpillée des choses.

Mais ce temps paraît déjà trop lent, cet espace trop long. Voici bientôt le myosotis inclus et dépassé dans des formes plus foudroyantes de communion sensible :

> Une perle d'argent brillait dans le sable; une perle d'or étincelait au ciel... Le monde était créé.

Perle d'argent, ce feu liquide enfoui dans la terre, et perle d'or, ce feu stellaire enfoncé dans le ciel, accordent soudain leur double éclat. Leur consonance étincelante redonne à l'univers le sens de son unité : c'est donc elle qui *crée* le monde. Cet accord véritablement originel entraîne toute une série d'événements où les gestes de la création et de l'exaltation ne se distinguent plus de ceux de la réunion. Le feu par exemple se délivre de la profondeur, la montagne s'embrase, les vies surgissent d'un peu partout, un sentiment puissant de fraternité pousse les êtres à s'appeler les uns les autres :

> Chastes amours, divins soupirs ! Enflammez la sainte montagne, car vous avez des frères dans les vallées, et des sœurs qui se dérobent au sein des bois...
> Bosquets embaumés de Paphos, vous ne valez pas ces retraites où l'on respire à pleins poumons l'air vivifiant de la Patrie...

Une fois quitté l'abri du *touffu* végétal, une fois gravie la montagne, ce seront l'envol, l'ascension céleste, l'arrivée au pays de vie et de vérité.

Mais cette vérité de l'esprit n'est pas dirigée contre une vérité de la nature. La rédemption nervalienne n'est pas, comme Albert Béguin l'a fortement souligné, un oubli du monde humain ou naturel. Nerval sauvé redescend vers ses semblables, il se retourne vers la tendre contrée matérielle pour lui annoncer la Nouvelle. Un dernier verset onirique, plus complet et plus riche encore que tous les précédents, reprend et redessine alors de manière définitive la vision nervalienne d'un monde sauvé.

> Du sein des ténèbres muettes deux notes ont résonné, l'une grave, l'autre aiguë, — et l'orbe éternel s'est mis à tourner aussitôt. Sois bénie, ô première octave qui commenças l'hymne divin !

Sur fond de néant, — de nuit et de silence, — c'est bien cette première *octave*, cet accord de deux notes lointaines et pourtant identiques, de deux sons, l'un grave, l'autre aigu, l'un haut, l'autre profond, qui mettent fin au sommeil du monde et qui vraiment animent l'être. Identité, hauteur et profondeur s'y trouvent enfin réunies dans l'absolue perfection d'un seul geste sensible. Et ce geste a valeur originelle, puissance fécondante : c'est la consonance qui fait tourner la terre, en tournant elle-même tout autour de la terre. Car elle vit d'élan, de propagation. « Le secret transmis des pères aux fils », rêvait Nerval en une intuition qui fonde spirituellement la race, « c'est la sympathie humaine... [136] ». De même le secret que la première octave transmet de chose en chose, c'est la *sympathie physique*. L'écho provoque l'écho, la vie éveille la vie, le feu enflamme le feu, le *même* crée le *même*. Indéfiniment répété à tous les niveaux du temps et de l'espace, l'accord premier suscite de proche en proche un réseau dynamique de solidarités concrètes. « Rêve, écrit Nerval, habit tissé par les fées... [137] » Comprenons bien que ce *tissage* n'est pas ici imaginaire, ni métaphorique, et qu'il se retrouve dans tous les gestes de création. C'est très concrètement que la rêverie de Nerval étend parmi la réalité quotidienne le tissu d'un espace actif et continu :

> Du dimanche au dimanche, enlace tous les jours dans ton réseau magique. Les monts te chantent aux vallées, les sources aux rivières, les rivières aux fleuves et les fleuves à l'Océan; l'air vibre, et la lumière brise harmonieusement les fleurs naissantes...

Mouvement déjà tout rimbaldien. Si parfaite, si insupportable la nouvelle tendresse matérielle qu'il ne lui reste plus qu'à éclater, qu'à se détruire. Douceur égale alors cassure : l'harmonie vibratoire de l'air épouse et brise le jaillissement floral.

Pourtant les fleurs ne cessent pas de jaillir, ni la réalité de s'épancher hors de son propre cœur gonflé :

> Un soupir, un frisson d'amour, sort du sein gonflé de la terre, et le chœur des astres se déroule dans l'infini; il s'écarte et revient sur lui-même, se resserre et s'épanouit, et sème au loin les germes de créations nouvelles...

Déroulement et enroulement, écartement et rétractation, épanouissement et resserrement, l'être nervalien trouve enfin à l'échelle cosmique son rythme véritable. Dans la souplesse d'un espace élastique le chœur astrologique réalise un équilibre

136. *Œuvres*, p. 419. — 137. *Ibid.*

fort analogue à ceux que voix, race ou langage avaient déjà tenté d'établir à travers l'ambiguïté de la chair, l'écoulement de la durée, la fixité d'un éternel présent. Ici et là l'identité se multiplie, s'agrandit, puis se replie sur soi, *revient au même.*

Mais quelquefois elle accepte de ne pas revenir au même, elle s'égare pour se retrouver ailleurs, et différente. « Elle sème au loin les germes de créations nouvelles... » Comme dans la mystique raciale, Gérard consentait à mourir sans vraiment être sûr de renaître, il court ici le risque d'un éparpillement qui peut l'anéantir. Et pourtant tout Nerval nous proclame que ce risque doit être couru, qu'il constitue la vraie sagesse. Tout se tient, tout se lie, se transmet, rien n'est jamais perdu : le poète est celui qui peut exprimer et vivre les moins probables transitions, les moins visibles liaisons. C'est aussi celui qui, afin de les mieux vérifier, est capable de définitivement se perdre dans la grande continuité existentielle. Gérard meurt sans doute afin de frayer une route, de trouver le chemin de la vie — mais c'est peut-être seulement le chemin de la mort. Ce qu'il cherche en tout cas, c'est une voie, un passage, l'exacte *jointure* d'un être et d'un néant :

> Sans feu dans mon taudis, sans carreaux aux fenêtres,
> Je vais trouver le *joint* du ciel ou de l'enfer [138].

138. *Œuvres*, p. 68.

Profondeur de Baudelaire

Ne cherche pas les limites de la mer. Tu les détiens. Elles te sont offertes au même instant que ta vie évaporée. Le sentiment, comme tu sais, est enfant de la matière; il est son regard admirablement nuancé.
(René Char, *Le rempart des brindilles.*)

Si nous voulons pénétrer directement dans le drame intérieur de Baudelaire, relisons les vers magiques du *Guignon :*

> Maint joyau dort enseveli
> Dans les ténèbres et l'oubli
> Bien loin des pierres et des sondes... [1]

Baudelaire est bien lui-même ce bijou endormi, enseveli, cet être séparé de son être, cette conscience toujours distante d'elle-même et de son objet, perdue dans l'insondable. Mais cette distance est ambiguë : elle enveloppe une proximité, elle suggère une intimité. Le joyau est seulement endormi, il peut toujours s'éveiller, revenir au jour, s'épanouir, devenir fleur, et c'est alors le miracle d'un parfum qui nous atteint comme un message :

> Mainte fleur épanche à regret
> Son parfum doux comme un secret
> Dans les solitudes profondes... [2]

Et sans doute cet épanchement manifeste encore la présence perdue de façon très discrète, sur le mode de la réticence : il n'en constitue pas moins un signe indubitable, un *aveu d'être.*

Pour mieux sentir le prix et le sens de cet aveu, il nous faut

1. *Éd. de la Pléiade*, p. 92. — 2. *Ibid.*

comparer la version définitive de ces trois derniers vers avec la version première où, suivant encore très exactement son modèle anglais, Baudelaire avait écrit :

> Mainte fleur épanche *en secret*
> Son parfum doux comme *un regret*
> Dans les solitudes profondes... [3]

En 1857, l'ordre des rimes secret-regret se trouve donc inversé, et ce changement doit nous apparaître comme infiniment significatif : nul doute qu'avec lui Baudelaire n'ait dépassé un niveau psychologique de l'imagination et atteint à une intuition existentielle de lui-même. Car dans la version définitive, le *regret* ne se contente plus d'apporter un simple écho sentimental à la douceur proprement physique du parfum : il appartient désormais au mouvement de ce parfum, il constitue la loi de son épanchement, il en qualifie l'élan retenu, la discrétion métaphysique. Et le secret en même temps s'intériorise, cessant de signifier le vide concret d'une solitude pour installer au cœur de la douceur elle-même le mystère d'une présence nouvelle, et sans doute impénétrable. Cette présence, ce secret, cette dimension énigmatique sans cesse retrouvée au sein du monde sensible, et qui tout à la fois en réclame et en recule indéfiniment le déchiffrement, c'est en eux que s'incarne cette réalité que Baudelaire nomme *spirituelle*, et dans laquelle va se dérouler l'essentiel de son aventure.

Nous verrons ici dans la création poétique comme une tentative pour posséder et pour humaniser le spirituel. Si nous entendons par spiritualité cette dimension ambiguë, cette distance tantôt physique et tantôt intérieure qui sépare Baudelaire des choses et de lui-même, mais qui en même temps l'annonce et le réunit à lui-même et au monde, nous verrons comment l'exercice de l'imagination et les opérations du langage réussirent chez lui à traverser cette distance, à peupler cette étendue, à jeter dans l'insondable le bonheur d'une architecture vivante.

3. *Id.*, p. 1386.

Analyser l'exacte nature de ce *bonheur*, tel a été le but de cet essai. Il se propose, à propos d'une existence trop souvent commentée, et par son auteur lui-même, en termes d'idéologie, de théologie ou de morale, de vérifier et de décrire la liaison charnelle que toute grande œuvre artistique établit entre une réussite d'expression et un bonheur d'expérience. On a souvent parlé de l'échec de Baudelaire : les pages qui suivent voudraient montrer un Baudelaire heureux.

I

« L'ivresse de l'Art, écrit Baudelaire dans *Une mort héroïque*, est plus apte que toute autre à voiler les terreurs du gouffre [4]. » Par *gouffre* entendons à la fois la viduité du monde et le creux intérieur de la conscience, l'espace d'extase et de vertige qui constitue le lieu de la *spiritualité* baudelairienne. Ce creux, on verra comment l'activité de l'imagination parvint en effet chez Baudelaire à le remplir et à l'humaniser. Mais avant d'entrer avec lui dans cette entreprise, avant de partager toutes les ivresses de son art et d'en vérifier le pouvoir salvateur, il faut nous demander si Baudelaire ne connut jamais d'*autres* ivresses ou d'*autres* activités lucides capables de vaincre son vertige ou de voiler ses terreurs. Pour descendre vers le centre interdit de lui-même, n'eut-il jamais à sa disposition d'autre magie que celle des images, d'autres moyens que ceux du rêve? Et dut-il confier au seul art l'exploration de son abîme intérieur?

L'attention passionnée que Baudelaire prêta toujours à Edgar Poe semble bien nous prouver le contraire. Elle suggère qu'il

4. *Id.*, p. 323.

envisagea d'autres moyens d'exploration intérieure, ceux par exemple que lui offrait une *raison* conquérante. Ne croyons pas pourtant que chez Poe cette raison affirmât immédiatement sa puissance : Baudelaire pouvait au contraire y reconnaître sans peine un double de ses propres peurs. Dès l'abord il y voyait régner l'incongru, le fantastique, et s'y dessiner sur un fond d'inexplicable toutes les formes possibles de la *chute:* descente dans l'entonnoir du Maelstrœm, folle montée vers la lune, ou bien encore retombée en spirale vers le Pôle Sud, nombril des mondes, source des temps, « foyer » mystérieux « vers lequel les rayons de la destinée vont se concentrant et s'engloutissant ». On devine à quel point tous ces cauchemars durent le fasciner : le même mouvement s'y retrouvait que dans sa propre rêverie vers un infini qui serait en même temps un centre, un fond toujours plus resserré de l'être vers lequel le moi se sentirait irrésistiblement attiré. Chez Poe, dont l'univers est dominé par la présence des eaux lourdes et mortes, cet engloutissement revêt le plus souvent un aspect liquide; chez Baudelaire, au contraire, dont le monde intérieur s'oriente selon l'aimantation d'un *tropisme solaire*, cette chute devient un affolement aérien, une retombée céleste : son Icare qui veut « sonder la fin et le milieu » du ciel, s'écroule sous « l'œil de feu », il monte et tombe tout à la fois vers « les astres nonpareils qui tout au fond du ciel flamboient [5] ». Au fond du gouffre, il y a ici pour Baudelaire un soleil qui brûle et qui regarde. Mais les différences de décor n'altèrent en rien la similitude du vertige.

Cette peur que Poe installe si puissamment en nous, il nous donne cependant les moyens humains de la réduire. De conte en conte se développe en effet toute une méthode de pensée apte à sonder, peut-être même à posséder le gouffre, à expliquer l'apparemment inexplicable. Le mystère y est lentement et progressivement vaincu par les démarches — hypothèses, déductions, inductions, — de la pensée la plus purement rationnelle. « Ce qui impose (à cette œuvre) un caractère essentiel et la distingue entre toutes, c'est, écrit Baudelaire, qu'on me pardonne ces mots

5. *Les plaintes d'un Icare*, p. 244.

singuliers, le conjecturisme et le probabilisme [6]. » Cette puissance de conjecture s'y exerce sur les terrains les plus divers : énigmes policières par exemple. Dans l'*Assassinat de la rue Morgue* ou *le Mystère de Marie Roget* l'abîme où se perdent les esprits ordinaires est celui d'un crime apparemment absurde. Un jeune homme se présente alors qui « va refaire l'instruction pour l'amour de l'art ». « Par une concentration extrême de sa pensée, et par l'analyse successive de tous les phénomènes de son entendement il est parvenu à surprendre la loi de génération des idées. Entre une parole et une autre, entre deux idées tout à fait étrangères en apparence il peut rétablir toute la série intermédiaire et combler aux yeux éblouis la lacune des idées non exprimées et presque inconscientes. Il a étudié profondément tous les possibles et tous les enchaînements probables de faits. Il remonte d'induction en induction... » L'inconnu se trouve donc peu à peu cerné en extension par la largeur d'un savoir encyclopédique : il est en même temps fouillé dans sa profondeur par la rigueur d'une chaîne logique qui, de degré en degré, finit par en atteindre l'origine, le nœud, le point central à partir duquel tout s'éclaire, à partir duquel il n'y a plus de gouffre.

S'agira-t-il d'élucider un mystère métaphysique ou cosmogonique, la méthode demeurera la même. Par exemple Baudelaire commente en ces termes *la Révélation magnétique :* « Le point de départ de l'auteur a évidemment été celui-ci : ne pourrait-on pas, à l'aide de la force inconnue dite fluide magnétique, découvrir la loi qui régit les mondes ultérieurs? » C'est dans un gouffre temporel que prétend s'enfoncer alors la conjecture : mais toujours elle vise à combler un abîme, à conquérir rationnellement un inconnu. Le pessimisme fantastique de Poe débouche donc sur un optimisme de la raison qui le situe, dans l'échelle des déchiffreurs d'énigmes et des explorateurs de mondes, tout près de ces deux autres pionniers de l'invisible que furent Jules Verne et Conan Doyle. Poe les dépasse seulement par le caractère métaphysique de son ambition : toute son œuvre, écrit Baudelaire, est emportée « dans une incessante ascension vers l'Infini »,

6. *Poe*, p. 672.

« une entraînante aspiration vers l'Unité », un mouvement passionnément rationnel qui voudrait toujours dépasser la diversité des probables, et découvrir, au fond du gouffre des possibles, le point fixe où git l'unique vérité.

C'est dans *le Scarabée d'Or* que cette méthode connaît sa plus merveilleuse réussite. Il s'y agit, on le sait, « de l'analyse des moyens successifs à employer pour deviner un cryptogramme, avec lequel on peut découvrir un trésor enfoui [7] ». Découverte que Baudelaire dut tenir pour tout simplement miraculeuse : quiconque a vécu dans la familiarité de son univers imaginaire sait toute la place qu'y occupent ces thèmes magiques du trésor enterré ou du métal caché. Ils signifient à la fois l'interdiction qui lui est faite de se toucher directement lui-même et le désir passionné d'un tel contact. Du « joyau qui dort enseveli loin des pioches et des sondes », jusqu'aux « bijoux perdus de l'antique Palmyre », « aux métaux inconnus », « aux perles de la mer [8] », toute une richesse inaccessible incarne dans sa rêverie l'impossible présence à soi-même. Pour mieux souligner le caractère interdit de ces trésors, son imagination va jusqu'à les soumettre au contrôle d'un dieu lui aussi réprouvé. Dans les *Litanies de Satan*, le grand Intouchable est nommément reconnu le maître de toutes les richesses souterraines :

> O Satan, prends pitié de ma longue misère!
> Toi qui sais en quels coins des terres envieuses
> Le Dieu jaloux cacha les pierres précieuses...
> O Satan...
> Toi dont l'œil clair connaît les profonds arsenaux
> Où dort enseveli le peuple des métaux... [9]

Mais voici que, dans *le Scarabée d'Or*, cette longue misère va brusquement cesser. Le Dieu, soudain, n'est plus jaloux. Et par des procédés dénués de toute magie, par le seul exercice de son intelligence, un homme y traverse les interdictions, y atteint cette réalité secrète et quasi sacrée; il y touche cet or qui, à peine découvert, répand sur lui le chaud bienfait d'une vraie flamme. Rien alors de plus révélateur que l'enthousiasme de Baudelaire :

7. *Poe*, p. 672. — 8. *Bénédiction*, *o. c.*, p. 85. — 9. *Id.*, p. 193.

l'or déterré lui devient un soleil flamboyant. « Comme la description du trésor est belle; et comme on en reçoit une bonne sensation de chaleur et d'éblouissement [10] ! » Et ce feu est présent, immédiat, on le touche : « Car on le trouve ce trésor, ajoute de façon presque incrédule Baudelaire, ce n'était point un rêve... » Miracle d'un rêve soudain devenu vrai, d'une distance brusquement abolie, d'une réalité immédiatement saisissable : miracle réalisé chez Poe par le seul fonctionnement d'une raison humaine. A quoi bon dès lors se livrer à tous les hasards de l'imagination? La leçon que Baudelaire aurait pu retirer de Poe, c'est que pour s'atteindre soi-même, pour vaincre son propre gouffre, il suffisait de se vouloir suprêmement, méthodiquement intelligent.

Baudelaire pourtant ne retient pas cette leçon. Toute son admiration pour la puissance intelligente, qui parvient dans le monde de Poe à maîtriser le fantastique et à dissiper la terreur, ne l'empêche pas de ressentir aussi devant elle un malaise secret. L'implacable progrès du raisonnement s'y accompagne en effet d'un sentiment *d'abstraction* grandissante, qui provoque bientôt en lui une sensation physique d'étouffement. « Dans cette incessante ascension vers l'infini, écrit-il, on perd un peu l'haleine. L'air est raréfié dans cette littérature, comme dans un laboratoire »... Et cette raréfaction gagne bientôt le tissu concret du monde : « Ainsi les paysages qui servent quelquefois de fond à ses fictions fébriles sont-ils pâles comme des fantômes [11]. » C'est comme si les choses, à mesure qu'elles sont envahies par le progrès de l'explication rationnelle, s'évidaient peu à peu, perdaient de leur densité et de leur poids. L'approche de l'Unité, le voisinage d'un secret presque atteint semblent volatiliser en elles la substance charnelle : et peut-être en effet la recherche du vrai ne peut-elle ici s'effectuer sans l'abandon préalable d'une fraîcheur, sans le sacrifice d'une tendresse ou d'une chair.

Ce sacrifice, le *Scarabée d'Or* semblait pourtant prouver qu'il

10. *Poe*, p. 672. — 11. *Poe*, p. 678.

n'est nullement nécessaire : la vérité découverte n'y avait rien d'abstrait, ni de fantomatique; elle réchauffait au contraire, rayonnait; le vrai, qui se dévoilait dans l'éclat jaune de cet or, y restait merveilleusement charnel. Mais c'est peut-être parce que cet or n'avait pas été totalement découvert, ou parce que sa découverte n'avait fait qu'ouvrir la voie à d'autres rêveries, à d'autres hypothèses. Au cœur du coffre déterré, nous voyons en effet s'installer bientôt un autre mystère, celui d'une richesse inépuisable : « Le contenu du coffre, écrit Baudelaire, est d'abord évalué à un million et demi de dollars, mais la vente des bijoux porte le total au delà... » Et dans cet *au-delà* entrouvert voici un nouveau vertige qui se creuse : « La description de ce trésor donne des vertiges de grandeur et des ambitions de bienfaisance[12]. Il y avait certes, dans le coffre enfoui par le pirate Kidd, de quoi soulager bien des désespoirs inconnus... » Bref on voit qu'il s'agit ici d'une fausse découverte. En se rechargeant d'inconnu, de possible, le trésor redevient générateur de rêves, objet imaginaire. Et nous n'arrivons ainsi jamais au fond du coffre, ni du gouffre.

Si en effet la rêverie baudelairienne vise, tout comme l'intelligence poesque, à s'enfoncer toujours plus loin dans le mystère, il n'existe pas pour elle de terme ni d'arrêt; elle n'atteint aucun savoir ultime, et le réel demeure toujours pour elle en sursis. Dans le temps comme dans l'espace, son paysage est sans limite. Alors même que de reculs en reculs on pourrait se croire avec elle arrivé en un lieu et un moment premiers, au cœur de cet « *autre* océan où la splendeur éclate, Bleu, clair, profond ainsi que la virginité [13] », se développe toujours le soupçon d'une virginité encore plus vierge, d'un commencement plus absolument premier. Le « vert paradis » lui-même n'est peut-être que le rêve d'un autre paradis, plus primordialement vert, d'une autre enfance en deçà de l'enfance, et dont les plaisirs furtifs de l'enfance réelle servent sans doute seulement à défendre l'accès : tout semble s'y passer au delà d'un écran au son de violons « vibrant *derrière* les collines », dans une sorte de clandestinité joyeuse, « avec les brocs de vin, le soir, *dans les bosquets* [14] ». Et si l'on traverse cet

12. *Poe*, p. 672. — 13. *Moesta et Errabunda*, *o. c.*, p. 137. — 14. *Id.*

écran, ces bosquets, si l'on redescend dans la *Vie Antérieure* elle-même, « *au milieu* de l'azur, des vagues, des splendeurs [15] », au centre de ce paysage rêvé qui converge tout entier vers le creux d'une conscience attentive, on ne découvre encore qu'une insatisfaction, qu'un mouvement pour dépasser cette convergence elle-même et pour approfondir un secret éternellement douloureux. Tout effort vers le centre de l'être débouche ici sur une nostalgie.

Cette nostalgie se retrouve au cœur de toutes les rêveries baudelairiennes, et par exemple dans cette imagination des métaux qui donnait au *Scarabée d'Or* sa valeur de miracle. Baudelaire peut bien rechercher dans l'univers métallique, comme on l'a souvent montré, la dureté, la frigidité, la négativité, tout ce qui s'oppose ou déchire. De par son éclat froid, tout entier réfugié en une surface apparemment infranchissable, le métal peut figurer un monde sans en-dessous; il incarne à merveille le regard mort de la stérilité. Mais très souvent aussi Baudelaire rêve à sa substance intérieure; il imagine en lui le minerai fondu, la pâte à peine refroidie, la vie originelle. Cette chaleur engourdie, son imagination essaie alors de la réveiller de l'extérieur, par l'excitation superficielle du son, du mouvement :

> Quand il jette en dansant son bruit vif et moqueur,
> Ce monde rayonnant de métal et de pierre
> Me ravit en extase... [11]

La vivacité cutanée en appelle ici au rayonnement intérieur, elle réclame un attendrissement, peut-être même une liquéfaction du métal ou de la pierre. Et de fait, dans le *Rêve Parisien*, où les métaux continuent à briller d'un « feu personnel », ils s'écoulent aussi en cascades vivantes. Bref, métal caché, c'est également métal cachant, et cela explique pourquoi aucun trésor enterré ne peut jamais être absolument découvert. Dans l'or le plus offert comme dans l'acier le plus stérile veillent toujours une flamme interdite, la trace d'une fusion, l'empreinte d'un regard :

> Ces yeux sont des puits faits d'un million de larmes,
> Des creusets qu'un métal refroidi pailleta... [17]

15. *La Vie Antérieure*, p. 93. — 16. *Les Bijoux*, p. 218. — 17. *Les Petites Vieilles*, p. 162.

Inversement le métal est rêvé comme un regard figé, ou comme un soleil éteint [18].

C'est donc dans la profondeur même des choses que va s'enfoncer la rêverie baudelairienne : en chaque objet elle veut atteindre l'origine, première flamme ou bien premier regard, ce « centre de mouvement qui est son cerveau et son soleil [19] »; elle vise à capter la lumière

Puisée au foyer saint des rayons primitifs [20].

Elle poursuit le « Dieu qui se retire [21] ». Progressant d'objet en objet, par enfoncements successifs, toujours elle concentre une expérience afin d'y trouver enclose une autre expérience, « comme un soleil dans un soleil [22] ». Au fond de chaque objet possédé par le rêve elle découvre brusquement l'appel d'un autre objet, destiné à se creuser lui-même vers d'autres horizons. A partir d'une chevelure « noir océan où l'autre est enfermé [23] », se déploie ainsi toute une chaîne terrestre d'images, de souvenirs, de paysages. L'imagination pénètre ici jusqu'au plus intime de l'objet, mais c'est pour faire éclater cette intimité et la relier en profondeur à la totalité du monde. La loi d'universelle analogie peut donc s'interpréter comme une sorte de perpétuelle *invitation au voyage:* elle propose à l'imagination de suivre, à travers le réseau sensible des correspondances, le trajet d'une signification unique qui circulerait et s'approfondirait d'objet en objet pour revenir enfin, toute gonflée d'une richesse accumulée, se perdre en sa source première. Dans l'*Invitation au Voyage*, Baudelaire invite la bien-aimée à « s'encadrer dans son analogie », « à se mirer dans sa propre correspondance », mais ce cadre n'est pas une

18. Cf. aussi le goût de Samuel Cramer pour la *truffe*, ce fruit enseveli, « cette végétation sordide et mystérieuse de Cybèle, cette maladie savoureuse qu'elle a cachée dans ses entrailles plus longtemps que le métal le plus précieux », (*La Fanfarlo*, p. 399). L'avantage de la truffe pour Baudelaire, c'est qu'elle est à la fois un trésor caché et un cancer de la terre. Son mystère n'est pas un feu, une générosité : c'est un secret négatif, une ironie, une avarice. Toute sa saveur, elle la vole au sol; c'est un fruit fabriqué à partir du vide, autour du rien, un anti-soleil. — 19. *Poe*, p. 705. — 20. *Bénédiction, o. c.*, p. 85. — 21. *Le coucher du soleil romantique*, p. 209. — 22. *P. A.*, p. 468. — 23. *La Chevelure*, p. 101.

limite, ni ce reflet un simple écho. On voit bientôt l'analogie indéfiniment s'élargir, se prolonger, puis s'en aller avec les puissants navires de Hollande « vers la mer qui est l'Infini », pour revenir enfin de l'Infini, tout chargés d'une magie nouvelle vers la bien-aimée et vers le poème :

> Et quand, fatigués par la houle et gorgés des produits de l'Orient, ils rentrent au port natal, ce sont encore mes pensées enrichies qui reviennent de l'Infini vers toi [24].

Cet Infini ne comporte, on le voit, aucun caractère céleste; il ne contient pas le vertige d'une verticalité, ni l'appel d'une transcendance; il recouvre seulement une totalité terrestre; il incarne pleinement l'horizontalité des choses.

C'est alors dans l'horizon, derrière l'horizon que va se réfugier le mystère. Car le trajet imaginaire doit toujours traverser une terre inconnue : ici l'Orient, les Antipodes. Ailleurs ce sera le mystère intérieur, l'ombre essentielle. Ce sont même les moments les plus bouleversants de la poésie baudelairienne que ceux où le moi laisse descendre choses et sentiments dans l'inconnu de sa profondeur, dans l'épaisseur de son passé, aux sources oubliées de son histoire, pour les voir rejaillir ensuite, plus neufs et plus brillants, sous le double regard du monde et de l'esprit :

> Ces serments, ces parfums, ces baisers infinis,
> Renaîtront-ils d'un gouffre interdit à nos sondes,
> Comme montent au ciel les soleils rajeunis
> Après s'être lavés au fond des mers profondes?... [25]

Miracle d'un soleil, toujours rêvé comme le noyau fabuleux des mondes, mais qui ne pourrait continuer à les animer de sa chaleur qu'en réchauffant ce feu à l'abîme, plus central encore, d'une eau étrangement lustrale. Ainsi voit-on l'homme baudelairien lui-même se partager toujours entre désir et nostalgie, espoir et souvenir, tâchant de les rejoindre l'un à l'autre, « aspirant sans cesse à *réchauffer ses espérances*, et à s'élever vers l'infini [26] ». Qu'elle parvienne à faire circuler entre passé et avenir ces cou-

24. *L'Invitation au Voyage*, p. 307. — 25. *Le Balcon*, p. 111. — 26. *P. A.*, p. 476.

rants de chaleur, cette continuité d'existence, qu'elle puisse relier en profondeur l'ombre intérieure à l'obscurité des choses, qu'elle réussisse enfin à faire rejaillir de l'insondable la joie d'une réalité toute neuve, et l'imagination baudelairienne aura pleinement accompli sa tâche : elle aura démontré l'infinie *fécondité* du gouffre.

***

Cette fécondité, il n'est cependant nul besoin d'aller plonger au plus profond du gouffre pour en éprouver les bienfaits : elle se manifeste aussi bien à qui reste au bord de l'abîme, seulement attentif à écouter monter en lui les voix de l'ombre. L'être n'est point alors forcé jusqu'en son centre par le mouvement d'une imagination conquérante : c'est de loin, et par diverses sortes de messages, qu'il manifeste sa présence.

Il peut par exemple se trahir sous la forme d'une expansion presque invisible :

> Elle se répand dans ma vie
> Comme un air imprégné de sel,
> Et dans mon âme inassouvie
> Verse le goût de l'éternel... [27]

Invasion discrète, comme celle d'un son à peine né du silence, ou comme celle d'un liquide qui sourdrait à la surface d'une épaisseur rebelle :

> Cette voix, qui perle et qui filtre
> Dans mon fond le plus ténébreux,
> Me remplit comme un vers nombreux... [28]

Et grâce à l'extrême porosité de l'être intérieur, quelques gouttes de cette voix ou quelques grammes de ce sel suffisent en effet à bienheureusement peupler toute l'étendue de l'âme.

Mais Baudelaire reste assez peu sensible à ces apparitions liquides : dominée par le feu, par l'or ou le soleil, son imagination préfère interpréter lumières ou chaleurs. Elle aimera par exemple

27. *Hymne*, p. 222. — 28. *Le Chat*, p. 124.

les clartés à demi égarées, les lueurs noyées dans des épaisseurs d'ombre ou de paresse :

> Grands yeux de mon enfant, arcanes adorés,
> Vous ressemblez beaucoup à ces grottes magiques
> Où, derrière l'amas des ombres léthargiques,
> Scintillent vaguement des trésors ignorés! [29]

Scintillement, papillotement, miroitement, tels sont les modes favoris d'apparition d'une lumière encore éparse dans le noir, intimement mêlée à la nuit, et qui ne vivrait pas sans elle, car nuit et jour, sens et mystère échangent ici leurs magies. Ou bien encore c'est le goût des teintes sulfureuses, opalescentes, des couleurs où semble palpiter le dernier reflet d'un feu mourant : le *violet* par exemple, « couleur affectionnée des chanoinesses, braise qui s'éteint derrière un rideau d'azur », teinte de l'intimité mélancolique et de la vie recluse; ou bien le *rose*, couleur de la légèreté transparente et à demi fanée « révélant une idée d'extase dans la frivolité ». Toute couleur doit ainsi s'interpréter en termes de vie latente, et c'est pourquoi Baudelaire déteste le *noir*, « ce zéro de la couleur », qui n'a ni rayonnement ni sous-jacence. Il est en revanche amoureux de la *splendeur*, c'est-à-dire d'une lueur qui n'aurait pas la crudité ni la violence immédiate de l'éclat, mais qui luirait dans le lointain, derrière un voile, enrichie, fécondée, presque sacralisée par la distance et par l'interdiction qui nous est faite d'en reconnaître exactement la source. Cette distance qui engendre la splendeur peut d'ailleurs aussi bien s'incarner en une étendue temporelle, et c'est alors à travers toute l'épaisseur de la mémoire que remonte vers le présent, chaude et splendide, la lumière du passé. « A travers une gaze transparente et sombre », Baudelaire peut ainsi entrevoir « les splendeurs amorties d'une jupe éclatante, comme sous le noir présent transpire le délicieux passé [30] ». La splendeur est donc une lumière transparente, toute tamisée d'ombre et de profondeur; elle tire son prix de l'équilibre sensible qu'elle réalise entre deux exigences ennemies; car tout comme le rose voluptueux

29. *Les yeux de Berthe*, p. 221. — 30. *Le Crépuscule du soir*, p. 315.

de la *Chambre Double,* elle a « la suffisante *clarté* et la délicieuse *obscurité* de l'harmonie [31] ».

Parfois ce mariage entre la nécessaire obscurité du spirituel et la lueur directement émanée de l'être s'opère plus hardiment encore. Plus de scintillement, de voile, ni de gazes : mais du fond même de la nuit on voit se lever peu à peu une forme spectrale, qui grandit lentement et s'épanche sous le champ du regard :

> Par instants brille, et s'allonge, et s'étale
> Un spectre fait de grâce et de splendeur...
> C'est Elle! noire et pourtant lumineuse... [32]

Étirement, élongation des formes, grâce, — cette splendeur de la ligne, — tout signifie dans ce spectre l'expansion heureuse. Mais il reste encore en lui une contradiction, celle de ce *pourtant* qui établit entre ombre et lumière une sorte d'incompatibilité, de divorce sensible. Que cette contradiction ose se dépasser elle-même, et l'on émerge, dans les *Petits Poèmes en Prose,* à la joie sans réserves d'une lumière absolument noire, d'une ombre totalement rayonnante : il faut voir alors Baudelaire, comme effrayé par la violence neuve de son intuition, hésiter devant elle et tenter de la rendre inutile par l'évocation d'autres lumières, — scintillement épars dans l'ombre, éclair ou explosion qui déchireraient le noir, — avant de marier enfin le feu et la profondeur dans une image victorieuse :

> Elle est belle, et plus que belle : elle est surprenante. En elle le noir abonde : et tout ce qu'elle inspire est nocturne et profond. Ses yeux sont deux antres où scintille vaguement le mystère, et son regard illumine comme l'éclair : c'est une explosion dans les ténèbres.
>
> Je la comparerais à un *soleil noir,* si l'on pouvait concevoir un astre noir versant la lumière et le bonheur... [33]

Réalité inconcevable en effet, mais vécue grâce à l'imagination, et seule capable d'incarner la surprise d'une beauté toujours plus belle qu'elle-même, d'un être à la fois chaleureusement offert et absolument insaisissable.

31. P. 286. — 32. *Un fantôme,* p. 112. — 33. *Le désir de peindre,* p. 341.

Que cet être se fasse encore plus élusif, tout en restant aussi délicieusement présent : et c'est sous les espèces d'un parfum qu'il nous apparaîtra. Si Baudelaire a tant aimé les parfums, c'est que l'objet se vaporise en eux avec une sorte de perfection. Point ici de dessous, de splendeurs, ni d'inconcevable mariage entre des contraires ennemis : l'objet existe tout entier en chaque parcelle odorante, mais cette présence se saisit comme une absence. Le parfum est un frôlement d'être. Comme l'écrit excellemment Sartre, c'est un « corps désincarné, vaporisé, resté certes tout entier en lui-même, mais devenu esprit volatil ». Cette volatilité, ou, comme dit mieux Baudelaire cette *subtilité*, ce pouvoir que le parfum possède d'éparpiller sa substance en une infinité de molécules impalpables, font de lui un messager idéal parce qu'absolument insaisissable. « Ces parfums ont pour lui ce pouvoir particulier, tout en se donnant sans réserves, d'évoquer un au-delà inaccessible. Ils sont à la fois les corps et une négation des corps. Il y a en eux quelque chose d'insatisfait qui se fond avec le désir qu'a Baudelaire d'être perpétuellement ailleurs. » Ils n'existent même sans doute que pour signaler cet *ailleurs :* ce sont de pures allusions. Au même titre que tiédeurs, murmures ou lumières, mais avec plus de perfection, ils témoignent de la fécondité vaporisante de l'objet.

Cette fécondité n'est pas inépuisable : à trop généreusement se manifester, l'être risque de se gaspiller, de devenir le lieu et la proie du non-être. Comme Balzac, dont il admire les théories énergétiques, Baudelaire prévoit l'épuisement, redoute la dépense; il est hanté par la peur du tarissement, par l'attente d'une mort spirituelle que lui annoncent de longues heures de léthargie intérieure. Quand finalement l'imbécillité « le frôle de son aile », puis le jette, aphasique, sur un lit d'hôpital, elle ne fait que réaliser une très ancienne prophétie.

Sur le plan de l'imaginaire, cette hantise se traduira par les rêveries voisines du sec, du froid et du glacé. La source se tarit, les voix se taisent, la lumière s'obscurcit, le feu s'éteint. « La froide cruauté » d'un « soleil de glace », prisonnier de « son sang qui se fige », répond alors au supplice de la soif, si terriblement décrit dans *Le Cygne* : cruauté d'un bec ouvert auprès d'un ruisseau sans eau, de deux grands pieds palmés frottant la rugosité d'un pavé toujours sec, de deux ailes traînées dans la poussière. L'irritation causée par cette sécheresse rejoint dans l'imagination la brûlure stérile de la glace, et la douleur d'une eau durcie, crispée en mille cristaux hostiles. Car sec et glacé manquent également de coulant, de liant, de tendresse; ils sont tout entiers tournés du côté de la déchirure et de l'acuité; ils appartiennent au monde de la contraction, cette parodie sensible de la concentration. Une seule rêverie consolante, celle de l'orage, — « Eau, quand donc pleuvras-tu? Quand tonneras-tu, foudre? » — réussit alors à réunir en elle le double désir d'une irrigation par l'eau et d'un réveil par le feu. Et ces deux rêves apparemment contradictoires ne traduisent au fond qu'une seule nostalgie, celle d'une fécondité intacte, ou, pour user du vocabulaire baudelairien, d'un *luxe* intérieur retrouvé.

Ce luxe existentiel, nul doute que la « vaporisation du moi » ne le compromette dans la mesure même où elle le manifeste. Toute expression est aussi une diminution, Baudelaire dit une « prostitution » de la chose exprimée; et toute splendeur, toute vapeur, tout message venus de l'objet pourront encourir le reproche d'entamer cet objet et d'en appauvrir l'essence. A ce reproche, seuls les parfums peut-être échapperont : trop subtils, volatils, pour que le fait de leur émanation diminue réellement leur puissance émanante. Le « grain d'encens qui remplit une église », ou « d'un sachet le musc invétéré [34] » perdront bien peu, en s'épandant hors d'eux-mêmes, de leur capacité d'expansion. Le sachet reste « un sachet toujours frais », et cette fraîcheur veut dire intégrité, éternelle jeunesse. C'est que le rapport du parfum à sa source ressemble fort à celui qui unit un signe à son objet; le parfum renvoie à son origine, non pas comme un contenu qui trahirait l'existence d'un contenant, mais plutôt à la manière dont une musique entendue peut suggérer un sens : « musique, écrit Baudelaire, série de *mémoranda* » qui suggère des idées, mais ne les contient pas [35]. Le parfum appartient à ce monde léger des *mémoranda;* il procède lui aussi par suggestion. Sa discrétion

34. *Un fantôme*, p. 113. — 35. *P. A.*, p. 503.

énergétique explique sans doute la place privilégiée que lui réserve la rêverie baudelairienne.

D'autres substances émanées vivent au contraire dans une ambiguïté dangereuse : toujours à la recherche d'un équilibre qui les arrêterait à mi-chemin entre transparence et opacité, expression et silence. Nul doute, par exemple, que le *brouillard* ne représente d'abord pour lui l'équivalent concret d'une fatigue, le résultat d'un gaspillage d'être. Il est comme la « punition de la prodigalité impie avec laquelle vous avez dépensé votre fluide nerveux... », « avec lequel vous avez disséminé votre personnalité aux quatre vents du ciel »... « Une grande langueur s'empare peu à peu de vous et se répand à travers vos facultés comme un brouillard dans un paysage [36]. » Cette brume est une cendre de l'âme, elle figure le tissu d'un épuisement spirituel. Mais elle remplit en même temps une fonction exactement opposée, puisqu'elle permet d'approcher et de connaître ces mêmes réalités dont elle semblait avoir dissipé la substance. Elle figure alors le terrain neutre et pourtant sympathique que traverse la lueur pour se faire splendeur, la flamme du soleil pour devenir chaleur humaine. Elle tamise, amortit de son humidité, éparpille dans sa granulation infinie l'éclat d'abord insoutenable de l'être. Elle n'est même que cet éclat humanisé : c'est à travers elle que Baudelaire pourra conjecturer vérité ou beauté. S'il aime tant « les soleils brouillés » qui brillent derrière « les ciels mouillés », et les femmes dont « les yeux de démon luisent à travers le brouillard [37] », — ou à travers cette buée que sont les larmes, — c'est que seul ce brouillard aura pouvoir de l'amener au feu solaire, ces larmes de l'introduire dans l'intimité d'un cœur. Il pourra deviner si ce cœur

> ... couve une sombre flamme
> Aux humides brouillards qui nagent dans ses yeux [38].

Le brouillard apparaît alors comme le lieu et le moyen d'une véritable annonciation spirituelle.

Mais pour jouer parfaitement ce rôle, il lui faut conserver son équilibre interne, n'être ni trop transparent, ce qui arrêterait

36. *Id.*, p. 462. — 37. *Id.*, p. 492. — 38. *La Géante*, p. 97.

toute médiation, ni trop opaque, ce qui empêtrerait irrésistiblement la conjecture. Que triomphe en lui l'épaisseur, la tendance à la coagulation : le brouillard perd aussitôt toute puissance révélante pour devenir une matière morte, hostile, où la vie s'englue et s'asphyxie. Le cycle du *Spleen* nous permet de suivre cette métamorphose démoniaque. On y voit le brouillard s'immobiliser, passer à l'état de boue aérienne, devenir une sorte d'air visqueux, que ne traverse plus aucun message :

> Peut-on illuminer un ciel bourbeux et noir
> Peut-on déchirer des ténèbres
> Plus denses que la poix, sans matin et sans soir,
> Sans astres, sans éclairs funèbres... [39]

S'installe alors le cauchemar d'une solidification progressive que pourrait seul briser, le rêve coléreux de la *poix* le montre bien, l'éclat révolté d'une déchirure : plus désormais d'*à travers* possible, il faudrait percer un trou dans l'épaisseur. Mais voici que cette épaisseur s'aggrave, se prend. Déjà figé, en lutte contre l'immobilité qui le gagne, le moi « meurt sans bouger, dans d'immenses efforts [40] »; la mort n'est peut-être ainsi qu'un effort pour ne pas mourir, l'immobilité qu'un éternel combat contre l'immobile. Pourtant ce combat cesse bientôt, et l'être s'engourdit dans un sommeil sans rêves. A la fin de l'itinéraire intérieur du *Spleen*, la « matière vivante », étouffée de neige et de brouillard, n'est plus

> Qu'un granit entouré d'une vague épouvante,
> Assoupi dans le fond d'un Sahara brumeux [41].

Nous pouvons donc considérer la pierre comme une tentation, une limite concrète du brouillard. Elle en exaspère l'opacité, en concentre et durcit la densité, elle en constitue un état suprêmement et douloureusement contracté. L'obsession nébuleuse va donc introduire Baudelaire à la hantise rocheuse. Autour du Sphinx saharien, il verra flotter une nappe brumeuse : c'est comme si dans sa surface le granit s'évaporait en brume, ou comme si

39. *L'irréparable*, p. 129. — 40. *La Cloche fêlée*, p. 144. — 41. *Spleen*, 76, p. 146.

inversement dans le mystère de son horizon le brouillard s'était figé en pierre. A la limite, vaporisation signifie donc coagulation, embrumement veut dire mort physique. Et la mort biologique revêt bien, elle aussi, une apparence pétrifiée. Dans les vers extraordinaires de l'*Imprévu*, Satan la célèbre comme un départ à travers l'ultime épaisseur, comme une épouvantable odyssée rocheuse :

> Je vais vous emporter à travers l'épaisseur,
> Compagnons de ma triste joie,
> A travers l'épaisseur de la terre et du roc,
> A travers les amas confus de votre cendre,
> Dans un palais aussi grand que moi, d'un seul bloc,
> Et qui n'est pas de pierre tendre;
> Car il est fait avec l'universel Péché... [42]

A travers les accents de cette annonciation infernale, la pierre révèle enfin sa vraie nature, sa vraie fonction : sa rigidité, son immensité, sa froide sécheresse, son étouffante densité, c'est à notre punition qu'elles doivent servir. Mais cette punition, ce n'est rien d'autre aussi que notre péché lui-même, notre propre vie pétrifiée. Une fois gaspillée, vaporisée, éteinte, notre existence ne peut que s'enterrer sous l'amas de sa propre cendre. Cette épaisseur mortelle où nous retombons tous figure en même temps pour Baudelaire l'issue et la sanction de notre échec. Elle rassemble en elle la faute et le châtiment.

***

Au lieu de s'épaissir, que le brouillard inversement s'allège, s'évapore : il devient transparence, « rideau d'azur ». Nouvelle rupture d'équilibre, presque aussi dangereuse que la rêverie pétrifiante, car ce passage au translucide risque de creuser le gouffre, d'introduire le vide au cœur même de la recherche intérieure, bref d'accabler le moi sous la « sereine ironie » dont gémira plus tard un Mallarmé. Mais Baudelaire échappe à ces dangers par la rêverie d'une substance nouvelle, à la fois transparente et infranchissable : *la vitre*. Substance merveilleuse, qui

42. *L'Imprévu*, p. 231.

remplace l'opacité brumeuse par une visibilité totale, mais en interdisant aussitôt de toute sa surface interposée l'accès immédiat de l'objet. La vitre écarte et réunit, elle dérobe et elle propose : tout aussi ambiguë que le brouillard, et tout autant que lui favorable à la recherche imaginaire de l'être.

Point pour Baudelaire « d'objet plus profond, plus fécond, plus ténébreux, plus éblouissant qu'une fenêtre éclairée d'une chandelle. Ce qu'on peut voir au soleil est toujours moins intéressant que ce qui se passe derrière une vitre... [43] ». Car le soleil dépouille, écrase l'univers. Sous le soleil nous sommes tous égaux et misérables, mauvais acteurs d'un drame dont nous ignorons le sens, jaugés, jugés par l'œil lointain. Mais la vitre rassure. Elle met le monde sous glace. Elle transforme la réalité en un spectacle, l'absurdité en une énigme, la platitude en une profondeur, et nous devenons nous-mêmes, derrière elle et par elle, des spectateurs, et donc des innocents. Transparente, elle empêche la splendeur, mais elle favorise cette concentration lumineuse qu'est l'*éblouissement*. Enfin elle semble évider encore la profondeur et purifier la nuit, en cristallisant dans sa pâte glacée toute l'inquiétante et vague épaisseur autrefois éparse dans le tissu concret de l'ombre. Mais ce vide reste inoffensif : à moins de briser la glace, — geste sadique et sacrilège comme l'indique bien le *Mauvais Vitrier*, — le spectateur n'a rien à craindre. La vitre ne voile pas le gouffre, mais elle fait mieux : elle le signale et l'interdit.

Plus étrange pourtant, et plus importante encore, cette notation d'une *fécondité* de la vitre, ou de cet espace interdit et transparent que la vitre recueille en elle, durcit et symbolise. « Rien de plus fécond, écrit Baudelaire, qu'une fenêtre éclairée d'une chandelle... » Fécondité sans doute morale : car la vitre engage à d'infinies hypothèses sur son au-delà humain, elle entrouvre une intimité, propose peut-être le déchiffrement d'un destin. Mais la fécondité de la vitre est plus encore *sensible*. Tout se passe en effet chez Baudelaire comme si les objets étaient enrichis, ou du moins transformés dans leurs relations réciproques par la seule transparence qui les éloigne du regard, et qui les sépare aussi les uns des

43. *Les Fenêtres*, p. 340.

autres. Dans la limpidité défendue de la vitre Baudelaire va découvrir un milieu vivant, une épaisseur créatrice. A cette découverte l'ont surtout amené ses réflexions sur les beaux-arts. S'il se demande par exemple d'où provient l'harmonie colorée d'un paysage, il aperçoit que c'est le « vernis épais et transparent de l'atmosphère [44] », — vernis parfois ramassé et coagulé dans la glace recouvrant le tableau lui-même, — qui provoque le mariage des teintes, en même temps que leur émergence à un maximum d'éclat et de spécificité :

> Il est bon que les touches ne soient pas matériellement fondues : elles se fondent naturellement à une certaine distance voulue par la loi sympathique qui les a associées. La couleur obtient ainsi plus d'énergie et de fraîcheur [45].

Cette fraîcheur, cette énergie, ce luxe de la couleur, on voit qu'ils ne proviennent pas de la touche elle-même, c'est-à-dire de l'objet : ils sont directement issus de la *distance* séparant l'œil de son spectacle; ils jaillissent miraculeusement de ce vide sensible, qui est tout le contraire d'une neutralité.

Que les objets puissent en outre, grâce à leur éloignement, se féconder les uns les autres, et que l'espace joue alors le rôle d'une sorte de caisse de résonance où se provoquent et s'échangent les diverses qualités sensibles d'un paysage, c'est ce que suggère l'étonnant texte, tiré du Salon de 1864, où Baudelaire évoque dans le détail, et avec une virtuosité merveilleuse, les rapports concrets de la transparence et de l'harmonie. Il y peint les métamorphoses colorées que traverse un même paysage tout au long d'une belle journée ensoleillée :

> La sève monte et, mélange de principes, elle s'épanouit en *tons mélangés;* les arbres, les rochers, les granits se mirent dans les eaux et y déposent leurs *reflets;* tous les objets *transparents accrochent* au passage lumières et couleurs voisines et lointaines. A mesure que l'astre du jour se dérange, les tons changent de valeur, mais, respectant toujours leurs sympathies et leurs haines naturelles, continuent à vivre en harmonie par des concessions réciproques. Les ombres se déplacent lentement, et font fuir devant elles ou

44. P. 614. — 45. P. 860.

> éteignent les tons à mesure que la lumière, déplacée elle-même, en veut faire résonner de nouveaux. Ceux-ci se renvoient leurs reflets, et, modifiant leurs qualités en les *glaçant* de qualités transparentes et empruntées, multiplient à l'infini leurs mariages mélodiques et les rendent plus faciles... [46]

Qu'est-ce en un tel paysage que la transparence, sinon le pouvoir d'*accrocher*, de provoquer une autre transparence et de susciter en chaque objet sa lueur essentielle? La lumière y appelle la couleur, la couleur y réveille la lumière; l'air y est traversé de reflets et d'échanges; ces reflets se glacent les uns les autres, sans pour cela voiler le luxe originel des teintes. Bref le charme de ces « mariages mélodiques » provient du retentissement que la limpidité spatiale propose à toutes les tonalités colorées, et de la générosité sensible à laquelle du même coup elle les engage. Chaque couleur communique allègrement son principe, sa vibration particulière, tout en acceptant de se modifier selon les messages que les autres couleurs lui envoient. Chacune résonne, se dépasse, se perd et se retrouve en toutes les autres. Ainsi se crée peu à peu, selon les mouvements d'offre et d'écho d'une réciprocité toute terrestre, cette unité sensible vers laquelle tend la mystique baudelairienne. Mais le monde ne pourrait pas devenir un « réservoir de correspondances », si l'espace et le temps ne possédaient pas un certain pouvoir de retentir, de prolonger et d'enrichir les choses. « Intensité, sonorité, limpidité, vibration, profondeur et retentissement dans l'espace et le temps... » Voyons donc dans la transparence comme une grâce de l'univers sensible : une grâce chargée d'ouvrir la totalité des choses à l'accueil et au don d'elle-même.

Cette grâce va se retrouver à l'origine de toutes les extases baudelairiennes : extase de la drogue « qui étend sur toute la vie comme un vernis magique », qui « la colore en solennité et en éclaire toute la profondeur »; extase de la poésie surtout qui découvre « dans l'universalité des êtres » un intérêt, « une gloire nouvelle non soupçonnée jusqu'alors ». Autour des objets les plus opaques, les plus neutres, l'exaltation lyrique va étendre

46. P. 612.

une limpidité merveilleuse qui éclairera comme par contagion leur transparence intérieure, et qui les rendra perméables à tout un jeu d'associations et de significations nouvelles. Point ici d'objet privilégié; c'est l'insignifiant qui se creuse, qui incarne soudain « toute la profondeur de la vie » et qui en devient le « symbole ». « A travers le milieu magique de la rêverie », dans « les épaisseurs transparentes [47] » de l'opium ou du langage, s'opère alors cette ouverture réciproque des divers objets du monde qui fait de tout grand poème baudelairien une véritable *annonciation* sensible. Mots, rythme, images, sentiments, tout y devient poreux, résonnant, translucide. Tout s'y charge d'échos, s'y échappe et s'y rejoint en tout; et tout s'y déroule dans ce climat de *solennité* qui distingue pour Baudelaire la grande poésie. C'est la noblesse d'une opération sacramentelle, d'un déroulement magique, d'une harmonie en train de naître, d'une unité sensible en voie de construction mais qui ne peut sans doute se réaliser pleinement qu'une fois le poème achevé et dans le parfait silence où il s'anéantit. Le poème est alors comme un brouillard qui se dissipe, comme une opacité qui se finit en transparence. Mais cette fin est aussi un dépassement : la grande poésie a, nous dit magnifiquement Baudelaire, la démarche lente des grands fleuves « qui s'approchent de la mer, leur mort et leur infini [48] ».

Cette mer, cette mort, cet infini, vers lesquels se dirige lentement le poème, nous n'en ressentons pas l'appel comme un nouveau vertige. La poésie baudelairienne n'ouvre devant nous aucun gouffre. Les paysages se trouvent certes par elle « vaporisés en horizons », mais cette vaporisation ne fragmente pas, ne dissout pas les choses. Elle donne au contraire au moindre objet un accent inédit, un étrange pouvoir de se détacher sur l'espace et d'y inscrire sa présence. Comme les couleurs devenaient plus pures et plus fraîches à mesure qu'elles s'ouvraient les unes aux autres et qu'elles échangeaient leurs reflets, la forme réalise sa perfection la plus particulière en se situant parmi d'autres formes dans un réseau magique d'échos et de correspondances. « C'est alors que la couleur parle comme une voix profonde et vibrante,

47. P. 532. — 48. P. 1043.

que les monuments se dressent et font saillie sur l'espace profond... [49] » L'objet surgit donc du gouffre, il fait *saillie* sur la profondeur. Devenu poreux et accueillant à la totalité du paysage, il ne se noie pas en elle, comme le fera l'objet verlainien. Il y affirme au contraire une existence glorieuse et culminante. Avant, la poésie du monde baudelairien se définissait par la clôture, l'uniformité, la platitude. Le voici qui, en s'ouvrant en tous sens et en se baignant de transparence, atteint maintenant à cet état de particularité et d'exaltation concrètes : le relief.

Prenons garde toutefois que les grâces de la transparence peuvent très facilement se tarir. Il existe chez Baudelaire des profondeurs à la fois magiques et hostiles, des limpidités mortes. Ce sont celles par exemple dans lesquelles nous fait plonger l'*Irrémédiable*, « puits de vérité clair et noir où tremble une étoile livide »; celles encore où se situe « le tête-à-tête sombre et limpide d'un cœur devenu son miroir »; celles enfin à travers lesquelles s'opère, dans *Obsession*, la fuite vaine vers une voix, un regard, un monde inconnus. La limpidité n'a plus ici pouvoir de féconder et de renouveler les objets qu'elle baigne. Lieu de stérilité et de monotonie, elle est simplement redevenue le vide.

Pour mieux saisir toute l'étendue spirituelle qui sépare ces deux transparences, il nous faut lire le curieux texte des *Paradis Artificiels* où Baudelaire décrit une soirée passée au théâtre alors qu'il est sous l'influence de la drogue. Il y raconte d'abord comment il ressent dans tout son corps « une sensation de froid grandissant », puis comme il voit la scène toute petite et située « loin, très loin », « comme au bout d'un immense stéréoscope ». Les comédiens, continue-t-il,

> ... me semblaient excessivement petits et *cernés* d'un contour précis et soigné, comme les figures de Meissonier. Je voyais *distinctement*, non seulement les détails les plus minutieux de leurs ajustements, comme dessins d'étoffe, coutures, boutons, etc... — mais encore la ligne de séparation du faux front d'avec le véritable, le blanc, le bleu et le rouge, et tous les moyens du grimage. Et ces lilliputiens étaient revêtus d'une clarté froide et magique, comme celle qu'une vitre très nette ajoute à une peinture à l'huile [50].

49. P. 1035. — 50. P. 454.

La vitre reste ici douée d'un pouvoir magique, mais cette magie est désormais négative, inhumaine. Elle vise à accentuer les limites de chaque objet, à souligner leur juxtaposition, leur clôture, leur indifférence réciproque; en même temps elle les rapetisse et les éloigne; elle fait d'eux les morceaux épars et ridicules d'un monde de pure contingence. Bref ce qui triomphe dans cette précision incongrue et presque hallucinante, c'est ce contraire sensible de l'harmonie que Baudelaire nomme *rapsodie :* un état de désordre où rien n'a plus de sens, où tout est séparé de tout.

De cette cruauté rapsodique, on peut cependant rendre compte par le climat physique dans lequel cette scène est située : tout s'y passe à travers un froid insupportable. Le spectateur, glacé lui-même, « un morceau de glace pensant [51] », y est séparé de son spectacle par une vaste étendue d'air gelé. Or on sait que le froid signifie toujours pour Baudelaire resserrement, acuité, déchirure; il crispe les choses sur elles-mêmes; il les clôt désespérément tout autour d'une vérité mourante, d'une absence. S'il vit, c'est de rigueur, d'avarice et de stérilité. Il suffit donc à paralyser la transparence : le vide n'est chez Baudelaire qu'une limpidité glacée. Inversement, la transparence véritable est un vide attiédi, assoupli, voluptueusement vivant, presque liquide. C'est ainsi que le ciel, dans lequel se roule le nageur spirituel d'*Élévation*, tient à la fois d'une eau et d'une flamme : c'est une « pure et divine liqueur », mais aussi un « feu clair qui remplit les espaces limpides ». Tout s'y passe comme si le soleil lui-même avait daigné quitter son inaccessible zénith, comme s'il était descendu se noyer dans l'espace des hommes, pour le remplir de sa chaleur et l'animer de sa fécondité. Plus besoin dès lors de poursuivre la transcendance, « le Dieu qui se retire », jusque dans l'ultime profondeur : le nageur d'*Élévation* est tout le contraire d'un Icare; il sillonne « l'immensité profonde », mais il se sent par elle accepté, soutenu; il la parcourt horizontalement, en vol plané; il peut même baisser la tête et jeter les yeux sur cette terre dont son envol ne l'a pas détaché, dont au contraire et

51. P. 453.

paradoxalement son élévation le rapproche. Car désormais « il plane sur la vie », et grâce à sa hauteur, à toute l'étendue d'espace transparent qui s'étend entre le sol et lui, il

> comprend sans effort
> Le langage des fleurs et des choses muettes [52].

Ici encore c'est la distance qui révèle, la transparence qui éclaire le sens des choses : et quoi d'étonnant à cela puisqu'elle n'est qu'une flamme invisible, un feu fondu.

***

Ce feu, il flambe aussi dans notre corps : c'est lui qui assure matériellement le rayonnement personnel, et qui permet la relation humaine. Ce soleil charnel, ce sera le *sang*. Le sang a chaleur, souplesse, plénitude, continuité; il fait glisser jusque dans les parties les plus reculées de l'être le secret liquide de la vie. Il illumine, il brûle; la flamme rougeoyante d'un foyer peut « inonder de sang [une] peau couleur d'ambre [53] ». Et le soleil peut ressembler inversement à une plaie sanglante. Surtout le sang féconde, il apaise la soif; lui aussi est un « père nourricier »; ainsi le sang perdu de *La Fontaine de Sang* s'en va « transformant les pavés en en îlots », désaltérant la soif de chaque créature »; de façon plus troublante encore le cadavre sadiquement décapité d'*Une Martyre*

> ... épanche, comme un fleuve,
> Sur l'oreiller désaltéré
> Un sang rouge et vivant, dont la toile s'abreuve
> Avec l'avidité d'un pré... [54]

Boire le sang tout chaud, c'est boire aux sources de la vie. Le sang sera donc le signe même de l'expansion, l'antithèse vivante de toutes les paralysies.

Pourtant il reste lui-même exposé à la paralysie : qu'il se ralentisse, se refroidisse, et le voici devenu sang figé. La coagulation est une pétrification sanguine : c'est pourquoi le soleil couchant

52. *Élévation*, p. 86. — 53. *Les Bijoux*, p. 218. — 54. P. 182.

ou hivernal, le soleil mourant, apparaît si souvent à Baudelaire sous les espèces d'une sorte de caillot gelé. Mais cette malédiction de l'immobile, le sang peut aussi la rencontrer par de tout autres voies : celles, par exemple, d'un pourrissement interne. Dans l'échelle de vie et de mort, le sang corrompu ne vaut guère mieux que le sang coagulé; tous deux signifient stagnation, impuissance, et tous deux se retrouvent en effet dans le sang engourdi du spleenétique. Car s'il est vrai, comme l'écrit Baudelaire dans son étude sur Poe, « que notre destinée circule dans (nos) artères avec chacun de (nos) globules sanguins [55] », il est normal que le signe d'une destinée dès le départ brisée, — brisée par le péché originel, brisée par le mouvement même de la conscience, — que le symbole d'une âme fêlée soit un sang lui aussi divisé, en lutte contre lui-même, donc sans élan, et privé de cette chaleur expansive que Baudelaire nomme la *curiosité*. Le spleen est le lieu même de l'incuriosité : ce qui coule dans les veines du spleenétique, c'est en effet un liquide de mort, « au lieu de sang l'eau verte du Léthé ».

Quelle joie en revanche que de voir couler un sang bien frais ! « La volupté surnaturelle que l'homme peut éprouver à voir couler son sang [56] s'explique par la jouissance d'une vie jusque-là protégée, mystérieuse, et devenue soudain présente, merveilleusement et dangereusement tangible. Notre réalité la plus lointaine, non pas vraiment notre nature, mais ce que Baudelaire nomme *surnature*, s'étale avec lui au grand jour. Et ce qui rend cette révélation spécialement bouleversante c'est qu'elle représente en même temps une atteinte à cette surnature : un sacré s'y trahit et y meurt. La grandeur de l'hémorragie lui vient ainsi de réunir en elle une évidence de vie et une fatalité de mort; l'homme ne s'y découvre existant et puissant qu'à travers la montée d'une faiblesse. Le cauchemar de la source tarie, ou du soleil éteint va donc se retrouver dans le monde de l'épanchement sanglant : le rêve d'hémophilie que nous décrit *La Fontaine de Sang* traduit admirablement cette hantise d'une vie *saignée à blanc*.

55. *Poe*, p. 683. — 56. *Poe*, p. 677.

Cette saignée ne postule d'ailleurs aucune blessure : la vaporisation sanglante qu'est l'hémorragie s'aggrave encore de toute la porosité des corps; la chair se laisse ici traverser en tous sens par la circulation sanguine. Pour saigner, elle n'a pas même besoin d'être entamée, incisée. Tout filtre à travers l'épiderme; c'est comme si la peau n'existait pas :

> Il me semble parfois que mon sang coule à flots,
> Ainsi qu'une fontaine aux rythmiques sanglots.
> Je l'entends bien qui coule avec un long murmure,
> Mais je me tâte en vain pour trouver la blessure [57].

Cette même perméabilité épidermique, si douloureuse quand Baudelaire l'éprouve sur son propre corps [58], lui devient en revanche infiniment précieuse lorsqu'il la découvre en autrui. Elle lui signale alors une chance d'accueil, une possibilité d'ouverture. Elle lui est le symbole charnel d'une transparence spirituelle. Sous cette peau qui est à peine une barrière, il peut voir battre le sang comme on écoute palpiter une âme; il le regarde perler sur l'épiderme; il arrive presque à en ressentir, du dehors, la tiédeur agitée; ainsi, dans la Chair de Rubens

> ... où la vie afflue et s'agite sans cesse
> Comme l'air dans le ciel et la mer dans la mer [59]

il peut saisir presque directement le battement biologique d'une existence étrangère. Mieux encore : supprimant l'obstacle de la peau, il réussit parfois à recueillir l'immédiate émanation du sang d'autrui. Dans *Le Balcon*, admirable symphonie de flamme

57. *La Fontaine de sang*, p. 185. — 58. Elle lui est d'ailleurs douloureuse également d'une autre façon, parce qu'elle l'ouvre à toutes les influences extérieures. Point de corps moins protégé que le sien. Autour de lui toujours un nuage, un halo, « un air impalpable » qui « descend dans les poumons », se glisse à travers la peau. « Tout cet imaginaire qui flotte autour de l'homme nerveux et le conduit à mal » (*Poe*, p. 698), « cet air subtil », ce merveilleux à demi démoniaque « qui nous enveloppe et nous abreuve comme à l'atmosphère » (*o. c.*, p. 679), voilà les véritables ennemis du corps humain. Et si Baudelaire a fait de la *pénétration* un de ses grands critères poétiques, c'est pour avoir été lui-même, dans sa chair, si facilement et douloureusement pénétré. — 59. *Les Phares*, p. 88.

et d'ombre, chaque détail du décor renvoie à la splendeur d'un feu caché dans les ténèbres, à la tendresse fécondante d'un soleil noir : du charbon rougeoie dans la cheminée, le soleil éclaire un crépuscule en train de s'assombrir, deux prunelles brillent dans la pénombre. Sous le voile d'une peau noire, on devine alors la présence d'un sang fort et chaud comme une haleine, vers lequel l'amant peut s'incliner, et dont il parvient à saisir la vapeur, à respirer l'odeur :

> Je croyais respirer le parfum de ton sang...[60]

Mais la peau peut aussi se durcir, se faire métal ou pierre; le sang s'enfuit alors, il se retire dans les profondeurs charnelles. La femme froide, œil d'acier, chair de marbre, réussit à suggérer qu'elle ne recèle plus ni vie ni sang, et qu'en sa profondeur tout comme en sa surface s'étend le même désert stérile :

> J'unis un cœur de neige à la blancheur des cygnes...[61]

L'épiderme glacé ne cache plus aucun en-deçà chaleureux : c'est le triomphe du dandysme, le malheur de la communication rompue.

Malheur à double face : car Baudelaire aime cette stérilité qui le protège des atteintes de l'autre, qui le rassure contre tout empiètement. Mais elle protège aussi l'autre contre sa propre atteinte, à chaque mouvement de son désir elle oppose une indifférence, une fin de non-recevoir.

> Tout glisse et tout s'émousse au granit de sa peau[62].

Et Baudelaire de ressentir alors, avec une fureur montante, le besoin de briser ce granit, de violer cette passivité. Il voudra faire fondre la neige de ce cœur, pour atteindre, sous la surface pétrifiée de l'autre, la chaleur d'un sang, le signe d'une vie. Il est prêt au besoin à inciser, à déchirer ce corps refusé pour aller trouver en lui la source sanglante. Le rêve de la plaie infligée traduit ainsi le désir de forcer une intimité rebelle; car toute blessure est un viol, un moyen d'obliger autrui à s'avouer. Contre le dandysme de l'autre, la meilleure arme de Baudelaire, c'est encore son sadisme.

60. P. 111. — 61. *La Beauté*, p. 96. — 62. *Allégorie*, p. 185.

Si ce sadisme n'ose pas s'exercer librement, s'il ne lui est pas permis de faire jaillir directement le sang, qu'il fasse au moins couler cet équivalent atténué du sang que sont les larmes. Dans l'*Héautontimoroumenos* on voit le bourreau briser un roc, et reproduire ainsi à son profit grâce à l'incision sadique le miracle biblique de la pierre fondue en eau :

> Je te frapperai sans colère
> Et sans haine, comme un boucher,
> Comme Moïse le rocher!
> Et je ferai de ta paupière,
> Pour abreuver mon Sahara,
> Jaillir les eaux de la souffrance... [63]

On saisit ici sur le vif l'infériorité charnelle, mais aussi la supériorité morale des larmes sur le sang. Les larmes s'écoulent sans blessure, et leur écoulement ne trahit pas vraiment notre surnature, mais elles avouent notre nature, notre souffrance intérieure. Elles sont la suite physique d'un sentiment. Faire pleurer, c'est blesser l'âme, toucher l'eau profonde, c'est l'obliger à couler au grand jour et à étancher cette soif éternelle qui vit en nous comme le désir même de l'autre :

> Mon désir gonflé d'espérance
> Sur tes pleurs salés nagera
> Comme un vaisseau qui prend le large [64].

De conscience à conscience les larmes, « eau chaude comme le sang », étendant alors une nappe liquide, créent un lien vivant [65].

63. *L'Héautontimoroumenos*, p. 150. — 64. *Id.* — 65. Autre liquide violemment charnel et qui symbolise la capitulation sexuelle de l'autre : *la salive*, que Baudelaire aime à boire sur les lèvres de sa maîtresse, comme il aime à respirer son haleine, à faire couler ses larmes et à humer son sang :

> Comme un flot grossi par la fonte
> Des glaciers grondants,
> Quand l'eau de ta bouche remonte
> Au bord de tes dents,
> Je crois boire un vin de Bohême...
>
> (*Le Serpent qui danse*, p. 105.)

Résultat d'une fusion intérieure, la salive a en outre une extrême puis-

C'est comme si autrui ne pouvait s'avouer qu'à travers un attendrissement ou une faiblesse, que dans le ruissellement d'une douleur :

> Pauvre grande beauté! Le magnifique fleuve
> De tes pleurs aboutit à mon cœur soucieux;
> Ton mensonge m'enivre, et mon âme s'abreuve
> Aux flots que la Douleur fait jaillir de tes yeux... [66]

Dans le sadisme de Baudelaire, Georges Blin [67] a pu reconnaître une forme exaspérée de charité chrétienne : de tels vers obligent aussi à le considérer comme une tentative, la seule peut-être qui fût permise à Baudelaire, pour toucher l'autre jusque dans son abri le plus secret, pour le connaître et pour l'aimer.

Le sadisme peut d'ailleurs jouer aussi bien un rôle exactement inverse : au lieu de forcer une solitude, de briser une froideur, il peut viser à arrêter une expansion excessive, à châtier un trop-plein de vie et de santé. Au sadisme offensif de l'*Héautontimorouménos* ou d'*Une Martyre* s'oppose le sadisme défensif d'*A celle qui est trop gaie*. Le scandale de l'autre réside alors non plus dans son refus, mais dans son impudeur, dans la violence même de son rayonnement charnel :

> Le passant chagrin que tu frôles
> Est ébloui par la santé
> Qui jaillit comme une clarté
> De tes bras et tes épaules... [68]

sance incisive. Baudelaire chante « le terrible prodige de (la) salive qui mord » (*Le Poison*, p. 123). Inversement il peut avoir de son propre être profond une révélation physique assez semblable : c'est, par exemple, sous la forme d'un épanchement liquide, une « tristesse étrange » « montant comme la mer sur le roc noir et nu »; ou mieux encore cette nausée qui le saisit devant le pendu de Cythère. Il sent alors

> Comme un vomissement, remonter à ses dents
> Le long fleuve de fiel des douleurs anciennes...
>
> (*Un Voyage à Cythère*, p. 188.)

Dans les deux cas le liquide intime (mer, fleuve de fiel) vient se briser contre une dureté de surface (roc, dents...). — 66. *Le Masque*, p. 99. — 67. Jusqu'aujourd'hui le meilleur commentateur de Baudelaire avec son excellent *Baudelaire* (NRF) et sa non moins remarquable suite, *le Sadisme de Baudelaire* (Corti). — 68. P. 216.

Et cette clarté du sang jaillissant par delà l'épiderme, Baudelaire pourra bien la chérir quand elle trahira un mal caché, une faiblesse; il aimera les corps intérieurement dévorés et éclairés par la tuberculose, « la maigreur enflammée de la phtisie[69] »; il trouvera la minceur plus indécente que l'embonpoint en vertu de sa transparence, et de son impuissance à rien celer de l'intimité charnelle. Mais la flamme de la *trop gaie* est une insolente giclée de vie; elle traduit une allégresse; il faudra donc la châtier. On sait la forme spécialement vicieuse que prendra ce châtiment : il s'agira de tailler une plaie dans ce corps trop bien portant et de lui « infuser un venin » tout intime. Infecté, corrompu, divisé, le sang d'autrui perdra de sa vigueur rayonnante. Il n'offensera plus les vitalités diminuées.

Ces deux sadismes peuvent paraître exactement opposés : l'un fouaillant le corps d'autrui pour lui arracher un aveu d'être, l'autre voulant arrêter cet aveu et renvoyer autrui à son silence. Mais tous deux relèvent au fond de la même exigence. Dans l'un et l'autre cas, la cruauté exerce, et fort paradoxalement, une fonction modératrice; loin de s'apparenter à une frénésie, elle vise à réprimer un excès, à réparer une inégalité énergétique. Châtiant en autrui tantôt une avarice, et tantôt une pléthore, elle tend à rétablir entre les corps une inégalité de pression sanguine, une identité de tonus vital. Bref le sadisme vise finalement à instaurer ou à restaurer entre les êtres cet équilibre de puissance sans lequel n'existeraient aucune perméabilité spirituelle, aucune possibilité d'attendrissement ni de communication. Il est curieux de le voir jouer dans le sens de la relation humaine.

Mais il ne suffit pas à vraiment créer cette relation : l'égalité énergétique doit pour cela se transmuer, se nuancer en une réciprocité vivante. A l'attaque sadique doit répondre un repli masochiste. Dans la souffrance réciproquement infligée, dans la montée commune des tristesses et des remords, au creux d'une ombre qui amollit les défenses, attendrit les froideurs, apaise les orgueils, peut alors se réaliser un semblant de communication sentimentale. Mais ici encore les larmes restent nécessaires, qui

69. P. 917.

assurent dans leur double flot la circulation du lien humain : il faut, pour se rencontrer, pleurer ensemble, l'un avec l'autre, l'un par l'autre, l'un pour l'autre. L'un des textes les plus émouvants de *Fusées* nous décrit ainsi cette contagion des remords et des pleurs, et la réciproque ouverture de deux cœurs jusque-là ennemis :

> Ému au contact de ces voluptés qui ressemblaient à des souvenirs, attendri par la pensée d'un passé mal rempli, de tant de fautes, de tant de querelles, de tant de choses à se cacher réciproquement, il se mit à pleurer, et ses larmes chaudes coulèrent dans les ténèbres sur l'épaule de sa très chère et toujours attirante maîtresse. Elle tressaillit, elle se sentit, elle aussi, attendrie et remuée. Les ténèbres rassuraient sa vanité et son dandysme de femme froide. Ces deux être déchus, mais souffrant encore de leur reste de noblesse, s'enlacèrent profondément, confondant, dans la pluie de leurs larmes et de leurs baisers, les tristesses du passé avec les espérances bien incertaines d'avenir [70].

La beauté de ce texte tient sans doute à l'extraordinaire précision avec laquelle l'émotion nous est décrite dans ses diverses phases, et dans le mouvement intérieur de sa propagation : naissance au contact de l'autre, retour sur soi, épanchement vers l'autre, éveil en l'autre d'une émotion analogue, « enlacement », « confusion » qui est d'abord le rapprochement de deux corps, puis de deux consciences, avant de devenir peut-être la communion temporelle de deux destins. Chacun des deux se découvre et se sauve dans le mouvement même qui le fait s'oublier et s'écouler vers l'autre. Et sans doute fallait-il pleurer pour établir le contact, pour faire enfin « tressaillir » la femme froide, et pour atteindre avec ce frisson au centre même de sa vie, jusqu'à cette source intime d'où pourront en retour jaillir ses larmes. Une fois cet aveu obtenu, l'échange charnel et spirituel se charge d'une signification morale : dans ces âmes qui se dévoilent maintenant l'une à l'autre en un double ruisseau de larmes, on découvre un « *reste de noblesse* », une énergie peut-être capable de racheter un passé de fautes et de ressaisir la ligne incertaine du futur.

70. *Fusées XXII*, p. 1202.

Chacun des deux amants retrouve sa propre dignité en consentant à plaindre l'autre et à lui pardonner :

> A travers la noirceur de la nuit, achève Baudelaire, il avait regardé derrière lui dans les années profondes, puis il s'était jeté dans les bras de sa coupable amie pour y retrouver le pardon qu'il lui accordait…

La relation, chez Baudelaire, commence toujours par traverser une nuit, une ombre, par se perdre dans une profondeur : et c'est au fond de cette nuit intérieure que l'être baudelairien retrouve, tels les soleils noyés de la fin du *Balcon*, la force de rejaillir au jour et de se « jeter dans les bras » d'une autre créature humaine. Bond qui est aussi une libération : car c'est hors de lui, dans le regard d'autrui pardonné, que le moi découvre l'exact reflet et la remise de ses fautes, l'image enfin délivrée de son propre destin.

***

Larmes, parfums, sang, brouillard, vitre, rayons solaires : autant de formes de l'être vaporisé. Ils incarnent pour Baudelaire l'épanchement d'une âme ou d'un objet, le contact enfin rétabli avec soi-même et avec l'univers. Mais ils lui rappellent aussi que ce contact ne saurait se créer qu'à travers une distance, dans un espace défendu. Il lui faut donc se contenter d'attendre et de recevoir chaleur, lueurs, parfums, messages. Séparé de l'objet et distant de lui-même, il a jusqu'ici ignoré la joie de l'appréhension immédiate, de la possession directe. Il s'est senti vivre de loin.

A d'autres moments, pourtant, cette distance s'annule, cet exil cesse. De spectateur lointain, Baudelaire devient soudain maître et possesseur de sa propre vie. Il parvient à pénétrer directement tel objet, tel son, tel paysage, et à prendre en même temps de lui-même une conscience immédiate. Dans certaines minutes d'extase, « dans les grandes heures de la vie », l'être est vécu dans son intériorité même, et c'est à partir de cet intérieur que la conscience en épouse le dévoilement et l'expansion :

> Il arrive quelquefois que la personnalité disparaît et que l'objectivité, qui est le propre des prophètes panthéistes, se développe en vous si anormalement que la contemplation des objets extérieurs vous fait oublier votre propre existence et que vous vous confondez bientôt avec eux...

La *personnalité*, c'est bien ici cette distance singulière qui sépare toujours le moi de son spectacle, de sa sensation, de lui-même : mais dans ce que Baudelaire nomme l'*objectivité* cette distance s'annule. Il ne *voit* plus une aile ou un oiseau : « Bientôt vous êtes arbre...; déjà vous êtes l'oiseau lui-même... » Un oiseau qui, à chaque instant de son vol, vit au centre du monde.

Baudelaire continue en décrivant son expérience de fumeur ; expérience fort commune, mais exemplaire en ce qu'elle illustre exactement la double tendance à la concentration et à l'évaporation qui caractérise pour lui toute existence humaine. Voici la phénoménologie baudelairienne du tabac :

> Je vous suppose assis et fumant. Votre attention se reposera un peu trop longtemps sur les nuages bleuâtres qui s'exhalent de votre pipe. L'idée d'une *évaporation lente*, *successive*, *éternelle* s'emparera de votre esprit et vous appliquez bientôt cette idée à vos propres pensées, à votre matière pensante. Par une équivoque singulière, par une espèce de transposition ou de quiproquo intellectuel, *vous vous sentirez vous évaporant*, et vous attribuerez à votre pipe (dans laquelle vous vous sentez *accroupi et ramassé* comme le tabac) l'étrange faculté de *vous fumer* [71].

Cette expérience, prenons garde qu'elle est exactement inverse de celle que nous décrit Baudelaire dans le petit poème des *Fleurs du Mal* intitulé *La Pipe:* dans *La Pipe*, le fumeur jouit de la même évaporation, il y savoure la même fumée, mais il y domine son plaisir, il y traite la pipe en instrument. Son « âme » y accueille la fumée qui monte lentement vers elle.

> J'enlace (dit la Pipe) et je berce son âme
> Dans le réseau mobile et bleu
> Qui monte de ma bouche en feu... [72]

Mais dans les *Paradis Artificiels*, l'âme devient elle-même cette

71. P. 456. — 72. P. 141.

bouche enflammée : brûlante, accroupie et concentrée dans le tabac, expansive, évaporée dans la fumée, elle se charme et se fume elle-même. Baudelaire s'habite désormais, il est installé dans sa propre vie, il occupe son propre soleil.

Sa rêverie va donc se faire conquérante, expansive. Elle voudra rayonner autour de ce foyer et saisir à partir de lui toute l'étendue des temps et des espaces. Elle n'essaiera plus de redescendre, comme en un abîme toujours davantage rétréci, du multiple vers l'un. Elle s'interrogera au contraire sur le passage de l'un au multiple : elle visera à créer, dans le mouvement d'une fécondité multipliante, une harmonie totale. Reste à savoir si cet élan vers la totalité ne se heurtera pas aux mêmes obstacles qui avaient arrêté la poursuite unitaire de l'être, si cette extase de la multiplication ne risque pas de se détruire elle-même, de s'achever en catastrophe. Le rêve de l'expansion indéfinie est-il un rêve heureux? L'excès, dans l'ambition ou le désir, n'est-il pas au contraire le seul véritable ennemi du bonheur? Et s'il est cet ennemi, comment Baudelaire va-t-il le conjurer, par quels équilibres sensibles, moraux ou poétiques? Telles sont quelques-unes des questions auxquelles se propose de répondre la deuxième partie de cet essai.

II

Pour un esprit comme celui de Baudelaire, qui s'efforce toujours de rationaliser et de moraliser ses songes, la rêverie d'expansion indéfinie se double normalement d'une méditation sur l'essence abstraite du nombre. L'unité s'épanche, s'étale hors d'elle-même, elle devient multiple. Mais comment s'effectue ce devenir? L'*un* gagne-t-il ou perd-il à se multiplier? Quel sera le rapport d'existence du multiple et de l'un? Le multiple échappe-t-il à l'un, est-il destiné à revenir un jour se perdre en l'unité première? Toutes ces questions, Baudelaire se les pose à plusieurs reprises, et entre autres, sous une forme légèrement humoristique, dans son article de l'*Art Romantique* sur V. Hugo :

> Comment le père Un a-t-il pu engendrer la dualité, et s'est-il enfin métamorphosé en une population innombrable de nombres? Mystère. La totalité infinie des nombres doit-elle ou peut-elle se concentrer de nouveau dans l'unité originelle? Mystère... »[73]

« Ce mystère, ajoute Baudelaire, est dans le ciel », c'est-à-dire dans l'espace, berceau des nombres, et milieu naturel où peut se manifester concrètement la fécondité multipliante. Toutes les opérations ou toutes les drogues, vin, haschisch, poésie, qui visent à multiplier les pouvoirs de l'esprit, aboutissent donc parallèlement à gonfler le ciel, à enrichir l'espace et la durée. Avec une aisance croissante, le moi s'y meut dans des étendues de plus en plus vastes : il y vit « cent années en une minute », il y touche aux mondes les plus lointains. Bref ses pouvoirs s'augmentent sans cesse. La personnalité y recule ses limites; elle semble même y conquérir une dimension nouvelle, une troisième dimension : l'individu « est pour ainsi dire *cubé* et poussé à l'extrême ».

Pour que cet accroissement reste heureux, il faut cependant que l'esprit puisse à chaque minute en surveiller la progression. La multiplication du moi que recherchent tous les amateurs de drogue ne peut leur apporter l'extase que s'ils ont l'impression de contrôler du dedans la merveilleuse augmentation de leur vigueur. Pour eux point de bonheur possible sans une impression de maîtrise intérieure; la métamorphose de l'homme quotidien en homme « hyperbolique » devra donc s'effectuer selon certaines règles fixes. Le mystère de la multiplication, le moi devra le vivre de l'intérieur, dans l'émerveillement, mais aussi dans la lucidité, sans rien abdiquer de sa puissance rationnelle, en s'efforçant au contraire de la sentir elle aussi multipliée. C'est dire que la multiplication idéale sera l'exact contraire d'une frénésie expansive; il lui faudra respecter certaines lois, celles par exemple qui régissent la vie des nombres. Si Baudelaire est tellement sensible à un certain lyrisme numérique, c'est que l'accroissement y suit des structures fixes, que l'expansion y épouse nécessairement des architectures rationnelles. Il aime ainsi dans la musique la rencontre harmonieuse d'un épanchement et d'une rigueur :

73. P. 1090.

> Les notes musicales deviennent des nombres, et si votre esprit est doué de quelque aptitude mathématique, la mélodie, l'harmonie écoutée, tout en gardant son caractère voluptueux et sensuel, se transforme en une vaste opération arithmétique où les nombres engendrent les nombres, et dont vous suivez les phases et la génération avec une facilité inexplicable... [74]

A travers le dynamisme mathématique des combinaisons sonores se propage un plaisir qui tient à la double saisie d'une chair mélodique et d'une structure abstraite, d'une fécondité et d'une nécessité. Car la musique multiplie la vie, elle « creuse le ciel » : mais le ciel ainsi creusé n'est pas un gouffre, l'homme peut à volonté en reconnaître et en reparcourir les chemins.

Il est curieux de voir comment dans tous les épanchements, même les plus apparemment anarchiques, Baudelaire s'efforce toujours de découvrir la *raison* de la progression multipliante. On sait par exemple son horreur du « végétal irrégulier » : les plantes l'inquiètent parce qu'elles prolifèrent au hasard, loin de tout ordre visible. Mais il ne renonce pourtant pas à réduire cette anarchie, et à justifier la santé végétale en la situant dans le cadre d'une harmonie plus vaste. « Germinations, éclosions, floraisons, éruptions successives, simultanées, lentes ou soudaines, progressives ou complètes, d'astres, d'étoiles, de soleils, de constellations »... tous ces événements « affectant des formes inattendues, adoptant des combinaisons imprévues, subissant des lois non enregistrées [75] », imitent peut-être « les caprices providentiels d'une géométrie trop vaste et trop compliquée pour le compas humain ». Peut-être Dieu *respire-t-il* le monde :

> La matière et le mouvement ne seraient-ils pas que la respiration et l'aspiration d'un Dieu qui tour à tour profère les mondes à la vie et les rappelle dans son sein?

Parole et silence, expansion et concentration, vie et mort s'enchaîneraient alors en une sorte de cycle cosmique :

> Ce que nous sommes tentés de prendre pour la multiplicité infinie des êtres ne serait-il qu'un mouvement de circulation ramenant ces mêmes êtres à la vie vers des époques et des conditions marquées par une loi suprême et omnicompréhensive ? [76]

74. P. 455. — 75. P. 1091. — 76. *Id.*

Rêveries merveilleuses, et qu'il appartient justement à la grande poésie, celle d'un Hugo par exemple, de formuler, s'il est vrai que sa fonction essentielle soit d'interroger un ordre caché, de découvrir les architectures invisibles, bref de *conjecturer* les lois du monde pour empêcher tout le foisonnement des choses de dépasser et d'étouffer l'esprit.

Effort d'ailleurs vain : à certains moments, et quelle que soit sa puissance de conjecture, l'esprit ne peut plus suivre; il lui faut abdiquer toute prétention de contrôler l'expansion intérieure. Ces moments, et c'est là la grande leçon des *Paradis Artificiels*, cette magnifique épopée de la mesure, se retrouvent fatalement dans toutes les extases multipliantes. Car la fatalité de tout accroissement, c'est de devoir toujours s'accroître : il lui faut étendre sa portée, accélérer son rythme; sous peine de tomber dans la monotonie d'une régularité montante, il lui faut se soumettre à la loi de toute frénésie : la surenchère. Sa vitesse s'affole alors, son mécanisme se dérègle, et tout d'un coup l'esprit se sent dominé, emporté. Brusquement il passe du plus sublime bonheur au plus profond malheur. Baudelaire décrit souvent cette catastrophe, mais jamais mieux que dans la page suivante des *Paradis Artificiels* :

> Il me raconte qu'à travers sa jouissance, cette jouissance suprême de se sentir plein de vie et de se croire plein de génie, il avait tout d'un coup rencontré un objet de terreur. D'abord ébloui par la beauté de ses sensations, il en avait été subitement épouvanté. Il s'était demandé ce que deviendraient son intelligence et ses organes, si cet état qu'il prenait pour un état surnaturel, allait toujours s'aggravant, si ces nerfs devenaient toujours de plus en plus délicats. Par la faculté de grossissement que possède l'œil spirituel du patient, cette peur doit être un supplice ineffable. « J'étais, disait-il, comme un cheval *emporté et courant vers un abîme*, voulant s'arrêter, mais ne le pouvant pas. En effet, c'était un galop effroyable, et ma pensée, esclave de la circonstance, du milieu, de l'accident et de tout ce qui peut être impliqué dans le mot *hasard*, avait pris un tour purement et absolument rapsodique [77]. »

Sans que rien ait changé dans la nature de son extase, l'être

77. P. 449-450.

passe brutalement d'un sentiment de plénitude à un sentiment de terreur. Et ne croyons pas que cet effroi soit dû à l'intervention d'un élément extérieur à l'extase, d'une laideur par exemple, d'une brutalité, d'une ironie ou d'un remords qui viendraient rompre du dehors l'équilibre interne du bonheur [78] : c'est de ce bonheur même que naît la terreur, que sort la rupture. Simplement l'être s'y sent dépassé par l'accroissement de sa propre joie, il ne peut plus en comprendre le mouvement, en deviner la règle. N'obéissant plus à aucune loi humainement saisissable, perdant tout caractère nécessaire, son bonheur vire alors d'un seul coup au malheur; livrée à la frénésie d'un hasard absolu, l'âme devient la victime de la fantaisie, de l'imprévisible, de toute l'horreur *rapsodique* [79]. « Le rêve gouvernera l'homme [80] », et la vie devient semblable « à un roman fantastique qui serait vivant au lieu d'être écrit [81] ».

Rupture d'une équation intime, apparition d'un déséquilibre, telles sont bien les causes du désastre. « Il n'y a plus d'équation entre les organes et les jouissances, et c'est surtout de cette considération que surgit le blâme applicable à ce dangereux exercice où la liberté disparaît. » Rien alors ne se modifie, mais tout change de signe. La plénitude continue à s'enfler, mais c'est dans la douleur : « Monuments et paysages prirent des formes trop vastes pour ne pas être une douleur pour l'œil humain. L'espace s'enfla, pour ainsi dire à l'infini [82]. » Péniblement distendu, il semble en même temps s'évider, se creuser : c'est comme si Baudelaire découvrait, au fond de ce nouveau tonneau des Danaïdes, des *trous* par où s'échapperait sans fin la substance la plus précieuse de son désir, de sa souffrance :

> Le Démon fait des trous secrets à ces abîmes,
> Par où fuiraient mille ans de sueurs et d'efforts... [83]

78. Cela peut toutefois se produire. Ainsi dans *La Chambre Double*, l'extase est rompue par un violent coup frappé à la porte. C'est le temps qui fait irruption dans l'éternité. — 79. « Le mot rapsodique, qui définit si bien un train de pensées suggéré et commandé par le monde extérieur et le hasard des circonstances. » — 80. *P. A.*, p. 445. — 81. P. 456. — 82. *P. A.*, p. 516. — 83. *Le Tonneau de la Haine*, p. 143.

Et le temps lui aussi se gonfle et se troue, craque de toutes parts. « L'expansion du temps devint une angoisse encore plus vive [84]...» « On dirait qu'on vit plusieurs vies d'hommes en l'espace d'une heure »... Temps, espace se font à la fois insupportablement denses et vertigineusement fuyants. Tout débouche donc à nouveau sur un vertige,

> Hélas ! tout est abîme, action, désir, rêve
> Parole... [85]

Mais c'est que tout est nombre, et qu'au bout de tout accroissement numérique, de toute multiplication, et donc de toute activité vivante, puisque la vie se définit par une fatalité d'expansion, se produit un dérèglement, s'ouvre un abîme. Le dernier vers du *Gouffre*, si ambigu et toujours discuté :

> Ah! ne jamais sortir des Nombres et des Êtres,

devrait alors s'entendre comme le gémissement d'un homme livré au multiple, et condamné à vivre jusqu'au bout, jusqu'à l'abîme, le bonheur et le malheur, la rigueur et l'excès du nombre.

Il importe donc infiniment à Baudelaire, s'il veut être heureux, d'éviter cet excès et de contenir son bonheur dans certaines bornes humaines. Point de vie, certes, sans expansion : mais la logique de l'expansion étant de finalement briser la vie, il lui faudra soit freiner l'épanchement vital, soit l'équilibrer par d'autres mouvements intérieurs qui joueront au contraire dans le sens d'un resserrement et d'une avarice d'être. La plupart des grandes réussites baudelairiennes, d'ordre vécu mais surtout d'ordre poétique, tiennent à un dosage très humain de l'expansion et de la réticence, à l'association toujours fragile d'une fécondité vaporisante et d'une rigueur centralisante. A examiner quelques-uns de ses thèmes favoris, quelques-unes de ses hantises familières, on entrera sans doute mieux dans le secret de cette réussite.

On sait l'attirance qu'exercent sur la sensibilité baudelairienne

84. *P. A.*, p. 517. — 85. *Le Gouffre*, p. 244.

toutes les formes sensibles ou morales de la *corruption*. Mais qu'est-ce que le corrompu sinon le suprêmement expansif ? Le rêve de putréfaction ne se sépare pas de la rêverie multipliante, dont il constitue la suite logique et la caricature. Car la vie pourrie, c'est de la vie défaite; mais cette vie, justement parce qu'elle est défaite, nous semble répandue, fourmillante, suprêmement active. Rien de plus fécond qu'un beau cadavre, telle est la leçon, mal comprise, de *La Charogne*. Tout en elle brûle, sue, coule, rayonne, exhale; un corps s'y décompose et donc s'y multiplie ; elle peut

> Rendre au centuple à la grande Nature
> Tout ce qu'ensemble elle avait joint.

On la voit « comme une fleur s'épanouir ». Et cet épanouissement monstrueux enveloppe tous les mouvements — palpitation, pétillement, enflement, balancement, explosion — de la vie la plus absurdement généreuse :

> Tout cela descendait, montait comme une vague,
> Ou s'élançait en pétillant,
> On eût dit que le corps, enflé d'un souffle vague,
> Vivait en se multipliant... [86]

La mort rompt un équilibre organique : mais cette rupture aboutit justement à délivrer la puissance vitale qui se trouvait jusqu'alors enfermée dans un corps, soumise à la loi d'un métabolisme. Dans le cadavre la vie retrouve sa pleine liberté, elle est tout élan, tout désir. Le lyrisme baudelairien de la putréfaction nous peint la mort comme une vie superlative et déchaînée.

Toute corruption va donc se situer dans un climat de luxe et de triomphe. Les parfums corrompus seront aussi les plus riches, les plus triomphants, les plus susceptibles d'induire l'esprit et les sens à des « transports infinis »; mieux que les « parfums frais », ils sauront se désintégrer er conquérir l'espace. Car fraîcheur signifie verdeur, virginité, chair dure et potelée de jeune enfant, fermeté, clôture d'un luxe encore intact. Alors que la corruption entame, dissocie. Et c'est aussi pourquoi Baudelaire aime à se fabriquer

86. *Une Charogne*, p. 106.

des corruptions artificielles, à se composer des mélanges de sons ou de parfums, pour le seul plaisir de les laisser ensuite devant lui s'éparpiller et se défaire. Une odeur mélangée, une harmonie complexe auront toujours tendance à se dissocier; chaque élément simple y voudra rompre l'association et s'y vaporiser en liberté. La sensation y triomphe alors, s'y divise et y meurt dans l'explosion de toutes ses nuances ennemies.

Tout ce qui va mourir, tout ce qui est atteint, rongé, lui paraît ainsi plus riche de sens, ou du moins plus apte à laisser s'épancher hors de soi sa richesse : fruit d'automne « aux saveurs souveraines », en qui le *blet* annonce de plus profonds plaisirs que la trop solide maturité; chairs abîmées qu'aucun sadisme n'a plus besoin de bafouer pour leur arracher leur secret ou leur science, mais qui se défont et s'avouent d'elles-mêmes sous la poussée interne de leur fatigue, femmes dont le cœur

> ... meurtri comme une pêche,
> Est mûr, comme (le) corps, pour le savant amour [87].

Il aime l'éclat singulier de la décadence, le charme spirituel de la fragilité, « la blafarde lumière » de la putréfaction, la « phosphorescence de la pourriture », qu'il lie dans une de ses notices sur Poe, à la « senteur de l'orage », à l'apparition d'un « frisson surnaturel et galvanique [88] ». Et il est vrai que la corruption galvanise, encourage la vie. Devant la terre grasse d'un cimetière, « dont l'herbe était si haute et si invitante, et où régnait un si riche soleil », face à « ce tapis de fleurs magnifiques, engraissées par la destruction [89] », Baudelaire s'aperçoit, de façon admirablement concrète, que la mort n'est rien d'autre qu'une vie corrompue, vaporisée, dissoute dans l'infiniment petit, rendue au *rien* universel. Au-dessus des cadavres, « un immense bruissement de vie remplissait l'air, la vie des infiniment petits », une vie directement empruntée aux morts eux-mêmes. La corruption réussit ici à volatiliser, presque à spiritualiser la matière.

Ce triomphe se distingue pourtant assez mal d'un désastre : la vie ne s'y exalte que pour s'y anéantir. La chair pourrie signifie

87. *L'amour du Mensonge*, p. 170. — 88. *Poe*, p. 698. — 89. *Le Tir et le Cimetière*, p. 351.

après tout un échec de l'être à se soutenir lui-même; elle est l'image exemplaire d'une vitalité frénétique. Et Baudelaire, sous peine de succomber à la nausée de la corruption, — celle qu'il connaît par exemple dans *le Voyage à Cythère*, — ne peut que chercher à conjurer cette frénésie, à en équilibrer le débordement inhumain. Rien de plus instructif que de déceler ces équilibres. Ainsi dans *Le Tir et le Cimetière*, le « bruissement de vie des insectes », cet aspect sonore de l'invisible fourmillement d'existence auquel aboutit la corruption, ou, comme le dit magnifiquement Baudelaire, l'évaporation « des ardents parfums de la mort », — se concentre soudain en quelques éclatements secs, où s'enclôt et se résume toute la corruption vaguement diffuse dans l'espace. « Ce bruissement était coupé à intervalles réguliers par la crépitation des coups de feu d'un tir voisin qui éclataient comme l'explosion des bouchons de champagne dans le bourdonnement d'une symphonie en sourdine... [90] » Par sa sécheresse et sa discontinuité, cette crépitation rompt et compense l'envahissante mollesse créée par la volatilisation mortuaire. Dans *La Charogne* elle-même, la corruption se voit finalement niée par l'affirmation d'un pouvoir spirituel qui parvient à conserver en lui « la forme et l'essence divine » d'une chair pourtant décomposée : celle-ci peut bien moisir, s'épandre et se dissoudre, son *idée* lui survit, architecture invulnérable et éternelle. Ailleurs cette architecture sera physique, et Baudelaire chantera la beauté solide du squelette, armature du corps, structure imputrescible de l'être; il aimera la maigreur, où cette ossature transparaît, détestera la graisse — chez les personnages d'Ingres par exemple — qui est comme une chair croulante et amorphe, un tissu mal rattaché à l'os, une vie abandonnée à la facilité et d'avance livrée aux écœurantes mollesses de la mort. Bref il essaiera d'échapper à la corruption et à ses vertiges par la contemplation de tout ce que le corps humain contient de fixe et d'éternel.

***

90. *Le Tir et le Cimetière*. p. 351.

Cette fixité, autant vaudrait sans doute l'installer au cœur de la vie elle-même. A l'inverse de *corrompu*, où le vital triomphe en pullulant et en se dégradant, l'*intense* contient en lui une vitalité immobile. Il est le fait d'une énergie qui résiste à la tentation expansive, qui s'amasse sur elle-même et qui, sans rien égarer de sa puissance, se manifeste cependant au dehors d'elle-même. La *fraîcheur* devient *intensité* en se chargeant de sens et en s'alourdissant de sa vie; l'intense est donc le lieu d'une accumulation, d'un bouillonnement de puissance. On sait qu'il constitue pour Baudelaire l'un des grands critères esthétiques, qu'il peut servir à signaler une surnature, — intensité du regard ou du geste, — ou à indiquer — intensité du son ou de la couleur — la particulière acuité d'une expérience sensible. Il témoigne en tout cas d'une tension vitale heureusement maintenue; il affirme l'extrême densité d'une existence.

Reste à empêcher cette densité de s'alourdir au point d'engendrer une douleur. Mais le malheur de l'intensité, c'est justement que, relevant d'un effort de multiplication interne, elle doive bon gré mal gré se soumettre à la loi de surenchère énergétique qui gouverne, ou plutôt qui dérègle toutes les expansions sensibles. Pour être ressentie comme intense, une couleur devra sans cesse accroître son éclat : elle ne pourra rester intense qu'en devenant plus intense, en se gonflant toujours davantage d'énergie [91], en se faisant criarde, hurlante. Et brusquement elle se trouvera détruite par l'excès même de son intensité : une minute plus tôt l'être planait dans le bonheur d'une intensité de pensées et de sentiments quasi royale. Mais voici que

91. Cf. par exemple cette description, dans *le Fou et la Vénus* (p. 289) d'une « orgie silencieuse » de lumière et de vitalité : « On dirait qu'une lumière toujours *croissante* fait *de plus en plus* étinceler les objets; que les fleurs *exaltées* brûlent du désir de *rivaliser* avec l'azur du ciel par l'énergie de leurs couleurs, et que la chaleur, rendant visibles les parfums, les fait monter vers l'astre comme des fumées. » Outre la notation finale, — l'intensité visiblement liée à la vaporisation, — ce qui frappe dans un tel texte, c'est le caractère de *compétition* que prennent tous ces dégagements énergétiques. L'intensité y est évidemment soumise à la loi du *toujours davantage*.

> ces pensées... deviennent bientôt trop intenses. L'énergie dans la volupté crée un malaise et une souffrance positive. (Les) nerfs trop tendus ne donnent plus que des vibrations criardes et douloureuses [92].

Tout à l'heure le moi s'élançait jusqu'au plus profond du ciel, jusqu'au plus pur de la transparence, il se reconnaissait dans l'agitation des vagues,

> ... et maintenant la profondeur du ciel me consterne, sa limpidité m'exaspère. L'insensibilité de la mer, l'immobilité du spectacle me révoltent [93].

Nouvel exemple de cette dialectique sensible du *trop*, qui ruine toute chance de bonheur infini. Le plaisir, la montée du plaisir, puis l'excès du plaisir y apparaissent à nouveau comme les seuls ennemis du plaisir. « Toute odeur fine, écrit Baudelaire, et même agréable portée à son maximum de force, et pour ainsi dire de densité », « soulève une certaine répulsion et des velléités de nausées [94] ». L' « extase de la vie » débouche ainsi directement dans « l'horreur de la vie » par la logique de son propre mouvement. De tous les enfers baudelairiens il n'en est sans doute pas de plus terrible que ce paradis excessif et renversé.

Il faudrait conjurer cette fatalité d'accroissement, et deux solutions demeurent pour cela possibles : l'intense peut choisir de se détruire lui-même avant d'atteindre la limite où son propre excès le détruirait, il peut aussi refuser dès le départ le besoin de se manifester et la nécessité de s'accroître. Il peut se vouloir explosif ou virtuel.

Explosif, il déclare tout son pouvoir dans le moment où ce pouvoir s'anéantit : jaillissements, jets de désir, décharges de volonté, tous ces phénomènes, si fréquents dans l'énergétique balzacienne, se retrouvent aussi chez Baudelaire. Les êtres les plus paresseux s'y « sentent quelquefois précipités vers l'action par une force irrésistible, comme la flèche d'un arc ». Ils sont soudain capables d'une « folle énergie » et se trouvent en eux un « courage de luxe pour exécuter les actes les plus absurdes et

92. *Confiteor de l'Artiste*, p. 284. — 93. *Id.* — 94. *P. A.*, p. 445.

souvent même les plus dangereux ». La vie paresseuse s'y délivre dans la joie du saugrenu ou de la gratuité.

De telles explosions pourtant, à l'inverse de ce qui se produit dans la *Comédie Humaine*, où elles manifestent fidèlement la puissance intime du génie, paraissent à Baudelaire dangereuses, peut-être même condamnables. Elles lui semblent relever d'un esprit de perversité; car elles appartiennent au monde du jeu, où tout se gagne et se perd d'un seul coup, où l'on « trouve dans une seconde l'infini de la jouissance », et non à celui de la moralité où tout se fonde sur la continuité et la lente accumulation des forces. Pis encore : l'explosion n'appartient pas non plus à l'univers du Beau, où l'essentiel doit toujours demeurer enveloppé, implicite, splendide, objet d'une éternelle conjecture. L'explosion déchire une splendeur; la vérité explosive est une vérité éventrée; dans une lumière insupportable, un secret s'y affiche et s'y détruit. L'explosion entraîne à la fois la douleur d'une rupture et la honte d'une indiscrétion. Et c'est pourquoi, dans la gamme spirituelle des lumières, l'*éclat* se situe pour Baudelaire bien au-dessous de l'éblouissement ou de la splendeur. La splendeur voile l'intense en le manifestant, l'éblouissement le fait participer à une apothéose, l'éclat en arrête l'accroissement, mais c'est en en détruisant la source. Et l'on verra plus tard, chez Rimbaud, une esthétique de l'explosion se lier à une morale du renouvellement : on y verra un « coup de doigt sur le tambour » décharger « tous les sons et commencer la nouvelle harmonie », décharge miraculeusement devenue une charge de poésie et d'énergie. Mais pour Baudelaire, qui cherche à disposer sa vie autour de certaines fixités spirituelles, rien ne peut être pire qu'un tel bouleversement. Explosions, éclat, décharge violente signifient à ses yeux le spirituel trahi, la vie détruite et niée.

Reste le choix du *virtuel:* arrêter l'intensité en elle-même, faire que la puissance soit toujours en puissance, et ne succombe jamais à la tentation de l'acte. L'intense s'y replie sur soi; il s'assoupit dans la conscience d'une vigueur intacte et à chaque instant mobilisable; il s'entretient et se préserve dans l'imagination jamais réalisée d'une intensité *future.* C'est l'amour des navires à l'ancre, pleins de promesses de voyage, des femmes endormies, riches de réveils érotiques, de chats surtout, « puissants et doux », aux griffes enfoncées, aux « reins féconds, pleins d'étincelles magiques », et en qui sommeille une terrible détente :

> Retiens les griffes de ta patte...
> Lorsque mes doigts caressent à loisir
> Ta tête et ton dos élastique,
> Et que ma main s'enivre du plaisir
> De palper ton dos électrique... [95]

La virtualité s'incarne exactement dans la félinité : rien ne s'y accomplit mais tout, souplesse de la chair, énigme du regard, électricité de la pelure, annonce que quelque chose pourrait, va se produire. La paresse semble y mûrir le bond. L'intense y est doté d'une beauté conditionnelle; il enrichit le réel de toute l'élasticité du possible; c'est demain que la vraie vie commence : aujourd'hui appartient au seul loisir.

La puissance du virtuel est telle qu'il parvient à pénétrer les substances les plus mortes, retrouvant en elles la source des possibles et ranimant l'élan perdu. Grâce à la virtualité, la stagnation se peuple d'espérance, l'existence la plus engourdie se redécouvre un lendemain. Du fond de son désert pétrifié, le grand Sphinx assoupi du *Spleen* peut encore chanter « aux rayons du soleil qui se couche ». Il n'a pour avenir vivant que le spectacle quotidien de sa propre mort, mais ce spectacle, — et c'est sans doute la leçon morale du *Spleen* baudelairien, — suffit à le faire exister. Au cœur des vies les plus figées ou les plus humbles, Baudelaire aime ainsi à saisir les signes du possible, à deviner l'image en filigrane d'un destin, d'une expression ou d'un symbole. Rien ne le séduit plus qu'une neutralité sensible qui pourrait, si elle le voulait, ou si on le voulait pour elle [96], se faire signifiante. Ainsi de la froideur du dandy,

> ... qui vient de l'inébranlable résolution de ne pas être ému; on dirait *un feu latent*, qui se fait deviner, *qui pourrait mais qui ne veut pas rayonner*... [97]

Cette latence, ce pouvoir qui ne s'accompagne d'aucun vouloir,

95. *Le Chat*, p. 109. — 96. Ce qui serait sans doute à la fois poésie et charité. — 97. *C. E.*, p. 909.

cette émotion toujours refusée par le dandy, mais qui vient par derrière donner à sa froideur un poids d'humanité, une charge de pathétique, ce rayonnement arrêté au départ : Baudelaire n'a jamais mieux défini que dans ces lignes toute la gloire immobile de la virtualité.

***

Si le virtuel équilibre presque parfaitement immobilité et mouvement en les séparant dans le temps, en voyant dans l'immobile une promesse d'acte, cet équilibre reste toujours instable : la primauté actuelle accordée au fixe risque d'y paralyser toute ouverture sur un geste futur. Si la virtualité réussit à ranimer les existences les plus mortes, elle peut aussi bien succomber à la contagion de cette mort et se pétrifier avec elles. Éternelles remises au lendemain, projets avortés, rêveries irréalisables, la vie de Baudelaire lui-même montre trop bien comment un certain amour du possible pour le possible risque de s'achever en stagnation et d'aboutir à la triste constatation d'une impuissance.

Pour empêcher le virtuel de succomber à l'immobile, pour sauver en lui le pouvoir fécondant, il faudra donc préserver sa souplesse intérieure et l'élasticité temporelle qui fait de lui le vivant berceau d'un avenir. Cela ne se pourra qu'en exerçant cette élasticité, en la faisant doucement jouer dans l'espace physique d'un geste. Il faudra obliger le virtuel, marié à la nostalgie, à mimer des débuts d'acte, à réaliser des commencements d'élan vers un futur et vers un passé. Une fixité absolue ne saurait conserver vivante en elle l'image d'une expansion. Pour que le présent ne devienne pas la statue morte de l'avenir, pour que l'immobilité reste féconde, il lui faudra donc accepter d'être légèrement mobile : vibrante, palpitante, bercée.

De ces trois formes de discrétion mobile, c'est sans nul doute le *bercement* qui possède la plus grande perfection intérieure. Sans doute la vibration agite-t-elle aussi le repos : mais c'est de façon peu gouvernée, nerveuse; son rythme excessif affole l'immobile, en dérègle la sécurité interne. Frissonnements, tremblements sont bien encore des mouvements arrêtés : mais ils traduisent seulement l'angoisse d'une expansion impossible, d'une division imminente. Ils représentent l'ultime sursaut d'un effort avorté ou le prélude d'une explosion. Le bonheur au contraire du bercement, que Baudelaire chante en termes inoubliables, tient à sa paix, à son harmonie, à son accord profond avec l'être qui l'accueille en lui. Son mouvement de va-et-vient équilibre et balance la vie tout autour d'un pivot fixe. Plus encore que la palpitation, alternance de crispations et d'expansions, il est satisfaisant pour l'âme parce que la relation du mobile et de l'immobile n'y comporte aucune secousse, aucune tension, y reste toujours idéalement souple, symétrique, étale.

Cette souplesse peut se vérifier à travers un espace : et c'est le bercement d'un hamac sous un ciel tropical, ou la langueur « des longues heures passées sur un divan, dans la cabine d'un beau navire, bercées par le roulis imperceptible du port ». L'oscillation y empêche la torpeur de dégénérer en léthargie; elle anime sans le détruire le lieu clos d'une intimité. Mais ce même balancement peut aussi bien s'opérer dans le tissu d'une durée vivante. C'est alors le moment présent, celui du repos et de la paresse, qui s'y dilate, s'y meut alternativement en direction d'un avenir et d'un passé. Dans *La Chambre Double*, « où l'esprit sommeillant est bercé par des sensations de serre chaude », l'âme « prend un bain de paresse *aromatisé par le regret et le désir* [98] ». Regret et désir y viennent imprégner, et comme parfumer de temps la langueur actuelle, par leur double tiraillement vers un hier et vers un demain; elles obligent la conscience à se balancer sur elle-même et donc à mieux sentir sa vie. Tout d'ailleurs dans cette extase participe du balancement, et jusqu'aux couleurs mêmes, qui s'opposent discrètement dans un climat général de paix oscillante, d'harmonie sensible. « L'atmosphère stagnante et légèrement teintée de rose et de bleu. » Rouge et bleu doucement contrastés suffisent à faire palpiter la stagnation, à entretenir en elle un principe de vie et de fécondité. Et l'on saisit alors toute l'ambiguïté de la *paresse* baudelairienne, qui se définit à la fois par la fidélité à une essence fixe et par la liberté qui anime et nuance indéfiniment cette essence. Ambiguïté qui est aussi

98. *La Chambre Double*, p. 285.

une richesse, comme on le voit dans les vers merveilleux de *La Chevelure* où Baudelaire a réussi à inclure toute une esthétique, et même toute une morale de la *vie bercée :*

> ... et mon esprit subtil (...)
> Saura vous retrouver, ô féconde paresse!
> Infinis bercements du loisir embaumé... [99]

La souplesse des rythmes, le jeu dans les sonorités du moelleux et de l'aigu, l'alternance entre la solidité substantive et la liquidité adjective, tout parvient à reproduire à l'intérieur du langage lui-même ce mystère d'une inaction active, d'une paresse fructueuse, d'une évaporation vitale qui se transmuerait en une cadence. Tout ici s'harmonise en un cercle parfait : car il est vrai que le loisir se vaporise, embaume, que ce parfum « chargé de nonchaloir »... possède une vertu berçante, et que ce bercement engendre une langueur, replaçant l'être au cœur d'un éternel loisir.

***

Ce loisir n'est si pur que pour se situer au plus haut d'une conscience, au plus clair d'une lucidité. L'âme bercée domine toujours son bercement; elle en constitue le pivot; à partir d'un centre d'équilibre elle se sent et se voit balancée. Que ce balancement s'éloigne d'elle, qu'il prenne une existence quasi indépendante, et c'est comme d'un spectacle que la conscience immobile jouira de la mobilité. Elle connaîtra le plaisir nouveau de voir tout autour d'elle se balancer les choses et graviter le monde.

Toi qui « aimes tant le repos, avec le spectacle du mouvement [100]... » dit Baudelaire à son âme dans *Anywhere out of the World.* Inversement ce mouvement reste aimable parce que saisi à partir d'un repos. L'œil y devient le centre d'une suite de figures, qui s'engendrent géométriquement et dynamiquement les unes les autres en une ronde rigoureuse. Baudelaire aime ainsi la grâce mouvante d'une voiture, ou d'un navire,

> ... grâce mystérieuse et complexe, très difficile à sténographier. Le plaisir que l'œil de l'artiste en reçoit est tiré, ce semble, de la

99. *La Chevelure*, p. 101. — 100. P. 356.

> série des figures géométriques que cet objet, déjà si compliqué, navire ou carrosse, engendre successivement dans l'espace [101].

Les aspects successifs de l'objet s'y enchaînent les uns aux autres grâce au pouvoir liant d'une continuité glissante. Mais l'identité de l'objet tout au long de ces évolutions et l'immobilité de l'œil qui le contemple assurent d'autre part à ce glissement une rigueur mathématique. C'est pourquoi un tel spectacle parvient à marier sans rupture réel et possible. Une des plus belles *Fusées* analyse le « charme infini et mystérieux qui gît dans la contemplation d'un navire... et surtout d'un navire en mouvement », charme qui tient, écrit Baudelaire,

> à la multiplication successive et à la génération de toutes les courbes et figures imaginaires opérées dans l'espace par les éléments réels de l'objet... [101 bis]

Multiplication, génération ne sont plus ici senties comme les éléments d'un affolement sensible, mais comme les origines concrètes d'une eurythmie : « L'idée poétique qui se dégage de cette opération du mouvement dans les lignes est l'hypothèse d'un être vaste, immense, compliqué, mais eurythmique. » Cette vastitude, cette immensité ne suscitent aucun vertige, car la *complication* dynamique qui se déploie en eux y demeure soumise à une loi, à un tout-puissant regard. Le spectateur reste au centre de son spectacle, et ce spectacle n'a de sens, il n'existe même que par rapport à lui.

***

Repos et mouvement s'y sont pourtant dissociés, ce qui risque d'ouvrir la voie aux plus graves divorces. Au bout de la jouissance tranquille d'un rythme extérieur, il y a peut-être l'optimisme impressionniste d'un Guys, — encore celui-ci reste-t-il « l'homme des foules », c'est-à-dire le partisan d'une vision éparse, décentrée, — mais plus sûrement l'indifférence du spectateur, le dandysme ou le stoïcisme, toutes les formes du durcissement intime et de l' « antihumanity ». Le bercement, où le mouvement demeurait intérieur à l'immobile, parvenait mieux à préserver une unité

101. P. 920. — 101 *bis*. P. 1201.

vécue : imparfait seulement en ce qu'il réclamait une paresse, en ce qu'il excluait toute poussée vers le dehors, tout élancement de la curiosité ou du désir. Que le bercement franchisse cette clôture de l'intimité, qu'il réussisse à s'enrichir d'un troisième mouvement qui le transporte hors de lui-même, l'entraîne vers un but, et l'être s'y retrouvera dans une jouissance nouvelle, celle de la *sinuosité*.

Le *sinueux* est un balancement en marche; il combine un bercement et une avancée; il conjugue une paresse et un élan; c'est pourquoi il signale toujours chez Baudelaire la montée d'un désir ou le mouvement d'une joie sensuelle. La femme la plus voluptueuse est un « serpent qui danse [102] »; tout en elle ondule : ses vêtements, « ondoyants et nacrés », ses hanches qui roulent avec l'harmonie rythmique d'un beau navire, sa peau qui « miroite » « comme une étoffe vacillante », sa chevelure qui déroule sur le cou son océan de tresses, et jusqu'à son regard singulier

> Qui se glisse vers nous comme le rayon blanc
> Que la lune onduleuse envoie au lac tremblant
> Quand elle y veut baigner sa beauté nonchalante... [103]

Vers eux-mêmes merveilleux de souplesse charnelle, et où se manifeste à plein cette vertu suprême du langage que Baudelaire nomme la « sinuosité du verbe ». L'ondulation y marie l'écoulement d'une lumière et la palpitation d'une eau; il réunit dans une même nonchalance le glissement et la mollesse du plaisir.

Ailleurs le sinueux tiendra un plus ardent langage : « la sinuosité des lignes, écrit Baudelaire, est un langage définitivement clair où vous lisez l'agitation et le désir des âmes [104] ». Elle traduit alors l'effusion d'un contour, le débordement d'une limite; elle représente la marge de frissonnement et de liberté que la nature accorde à toute ligne vivante. Elle n'appartient donc pas vraiment au monde du linéaire, mais plutôt à celui des marges, des halos. Toujours située dans l'épaisseur d'un geste, dans le flou d'un mouvement, elle n'a pas pour fonction essentielle de clore les

102. P. 104. — 103. *Le vin du Solitaire*, p. 179. — 104. *P. A.*, p. 466.

objets, mais au contraire, dans « des contours un peu indécis », « des lignes légères et flottantes [105] », de les faire s'effleurer et se rejoindre. Son rôle premier devient d'union, de mariage. Elle est le lieu privilégié de toutes les transitions sensibles. « Pour les coloristes, écrit Baudelaire, qui veulent imiter les palpitations éternelles de la nature, les lignes ne sont jamais, comme dans l'arc-en-ciel, que la fusion intime de deux couleurs [106]. » Et l'on comprend alors l'erreur des purs dessinateurs qui, refusant de reconnaître cette puissance de fusion, de liaison sensible qui constitue l'essence même du sinueux, se veulent attentifs à « surprendre la ligne dans ses ondulations les plus secrètes [107] », sans saisir en même temps « l'air et la lumière », la couleur ou l'atmosphère, bref toute l'enveloppe charnelle dont l'ondulation n'est guère que la surface et l'expression. Car la ligne n'a pas de vie à elle : son tracé signale seulement la frange d'une expansion; mieux encore, il marque la rencontre et l'échange mobile de deux existences vivantes.

La ligne sinueuse se distinguera donc de l'*arabesque*, dont Baudelaire loue par ailleurs l' « idéalité », mais qui tire sa valeur spirituelle et esthétique de sa sécheresse volontaire, de sa précision décorative, de son pouvoir d'abstraire et de trancher. Elle s'opposera plus encore à la ligne droite, « ligne dure, cruelle, despotique, immobile, enfermant une figure comme une camisole de force », « ligne tragique et systématique [108] », qui oppose à toute effusion un impitoyable barrage. « La simplification dans le dessin, écrit Baudelaire, est une monstruosité, comme la tragédie dans le monde dramatique » : du tragique, le dessin schématisé, fondé sur la ligne droite, peut en effet relever de par son acuité, sa simplicité contrapuntique et linéaire, alors qu'il nie en revanche le *drame*, défini, au sens wagnérien du mot, comme une épaisseur complexe d'existence et d'harmonie. Chez Stendhal c'était le désir de tendresse qui récusait la rigidité des lignes : ce refus se rattacherait plutôt chez Baudelaire à la nostalgie d'une unité « vaste comme la nuit et comme la clarté », où toutes les réalités sensibles se feraient écho les unes aux autres.

105. P. 623. — 106. *Id.* — 107. P. 616. — 108. P. 708.

Tout devrait s'y répondre, s'y rechercher sans jamais tout à fait s'y rejoindre :

> La nature nous présente une série infinie de lignes courbes, fuyantes, brisées, suivant une loi de génération impeccable, où le parallélisme est toujours indécis et sinueux, où les concavités et les convexités se correspondent et se poursuivent [109]...

Dans ce ballet de formes, c'est la rigueur même du dynamisme vital, « la loi de génération impeccable », qui aboutit à l'indécision des mouvements et à la sinuosité des lignes. La loi de correspondance universelle s'y vérifie à travers une marge délibérée d'incertitude; elle y acquiert la souplesse d'une spontanéité.

Le même amour du spontané amène Baudelaire à refuser une autre ligne systématique, « la circonférence, idéal de la ligne courbe », ligne courbe close sur elle-même, et qui s'apparente au fond bien plus au droit qu'au sinueux. « Elle est comparable, dit-il, à une figure composée d'une infinité de lignes droites..., les angles intérieurs s'obtusant de plus en plus. » Le cercle se situe à la limite du polyèdre. Ligne droite dont les extrémités réussiraient paradoxalement à se rejoindre, il est parfait, idéal, inhumain. Heureusement, conclut Baudelaire, qu'il n'existe pas, du moins dans la nature, car si l'idéal existait « qu 'est-ce que chacun ferait de son pauvre moi, — de sa *ligne brisée?* [110] »

Cette ligne brisée, si réelle en effet, et si tristement symbolique de la destinée baudelairienne elle-même, de ses avortements, de ses élans, de ses ruptures, ce n'est pas la perfection close du cercle — de l'idéal — qui pourra en corriger l'incohérence; ce sera bien plutôt l'humilité, l'humanité du sinueux, car la ligne ondulatoire arrondit les angles, colmate les brèches; elle dépasse la discontinuité des lieux et des moments; elle réussit par exemple à fondre les unes dans les autres « les secondes fortement et solennellement accentuées » que leur accentuation vouait à la solitude, et qui retombaient dans le néant sans pouvoir constituer aucune durée humaine. Tout entier soumis à une esthétique de la transition et de la nuance, à un dynamisme de l'infinitésimal,

109. P. 708. — 110. P. 643.

le sinueux va donc ouvrir à l'être les chemins d'une continuité heureuse : continuité d'une vague déroulant sur l'espace infini d'un océan la permanence d'une eau et l'idéalité d'un message; continuité d'une solidarité humaine, « d'un gémissement qui roule d'âge en âge » et vient mourir au bord d'un éternel; ou bien encore continuité d'un sentiment qui parvient à surmonter la séparation des consciences et l'isolement des corps, — tout ce qui peut faire de l'amour le heurt de deux solitudes, Baudelaire dit une opération chirurgicale, — pour « dérouler » en commun « le trésor des profondes caresses... » Le moi, dès lors situé « dans le nombre, dans l'ondoyant, dans le mouvement, dans le fugitif, dans l'infini », y échappe à la double fatalité de sa solitude et de sa discontinuité. Comme la tendresse stendhalienne, la sinuosité baudelairienne réussit à *ouvrir* l'être dans toutes les dimensions du temps et de l'espace, à le relier en profondeur au monde des objets, à autrui, à lui-même.

Reste à empêcher cette ouverture de dégénérer en engloutissement, et à retenir le bonheur du sinueux sur la pente vertigineuse où risquent de se trouver emportées toutes les expansions heureuses. Ce vertige, d'autres sauront plus tard l'exaspérer et pleinement l'utiliser. Verlaine, par exemple, se servira de l'ondulation, — balancement d'une escarpolette, tournoiement d'un manège, guirlandes hasardeuses d'une conversation ou d'une description, — pour dissoudre le temps, brouiller l'espace, égarer la conscience, bref pour faciliter cette montée du vide et du silence qui constitue le propre de son aventure. Baudelaire connaît bien lui aussi ces dangers. Ainsi dans *Harmonie du Soir*, — où vibration, évaporation, frémissement, ondulation affirment une fois de plus leur parenté sensible, — la sinuosité a tôt fait de devenir un tournoiement et une valse. Dans le rythme noyant du *pantoum* toutes les distinctions s'effacent, toutes les qualités s'échangent, les divers mouvements se télescopent, le monde s'égare; mais cet égarement s'achève en cauchemar : l'âme tendre redoute « un néant vaste et noir », et le soleil « se noie dans son sang qui se fige ». Bref l'extase du sinueux déboucherait à la fois sur l'immensité d'un vide et sur l'horreur d'une coagulation, si le dernier vers du poème ne venait fixer ce tournoiement, ordonner la ronde folle des apparences, la disposant en adoration autour d'un feu spirituel et immobile :

Ton souvenir en moi luit comme un ostensoir.

Ce rayonnement intérieur joue le même rôle que le souvenir final d'*Une charogne :* il immobilise et sacralise l'extase et, avec elle, le poème.

De la volupté elle-même — « volupté, fantôme élastique » — Baudelaire refuse de s'abandonner tout à fait à l'extase ondulatoire. On sait qu'il aime à animer la froideur d'un métal en le faisant sonner et tressaillir sur une peau de femme. Inversement il utilise la frigidité métallique pour geler l'ondulation voluptueuse. La femme aimée peut bien marcher

Comme ces longs serpents que les jongleurs sacrés
Au bout de leurs bâtons agitent en cadence.

Elle peut bien se « développer comme les longs réseaux de la houle des mers »; mais cette sinuosité s'accompagne toujours d'indifférence :

Ses yeux pâles sont faits de minéraux charmants...

Ce qui finalement resplendit en elle, ce n'est pas la chaleur libre et nonchalante d'une vie offerte, mais « la froide majesté de la femme stérile ». Et l'éclat de cette stérilité, surtout réfugié dans les yeux et dans la parure, récuse la progression voluptueuse des hanches, la houle vivante des cheveux, ou le port d'une tête enfantine qui, sous le poids de sa paresse,

Se balance avec la mollesse
D'un jeune éléphant.

Le vital, l'expansif ne sont plus ici, comme dans *Une charogne* ou *Harmonie du Soir*, équilibrés par une fixité spirituelle : bien plutôt neutralisés par la présence immobile d'un vide, d'une négativité sensible. Ces yeux « où rien ne se révèle », ces métaux ou ces bijoux qui se résument dans la dureté morte d'une surface ne contiennent pas en eux la notion d'un dépassement ou d'une infinité, pas même « l'idée vaste et élastique de l'indéfini », simplement la pure rigidité du non-être. C'est désormais le néant, non plus l'esprit, qui se charge d'arrêter et de compenser la vie.

***

L'idéal serait, bien sûr, de toujours contrôler le sinueux en le rappelant à la fidélité de son origine, au respect de son axe. L'ondulation devrait rester guidée par une rectitude, et les courbes les plus folles rattacher leurs volutes à une arête essentielle. Ce mariage du droit et du sinueux, qui constitue pour Baudelaire le seul équilibre vraiment satisfaisant, dans l'art comme dans la vie, il en trouve un exemple parfait dans l'image mythologique du *Thyrse*. « La ligne courbe, la spirale (y) font leur cour à la ligne droite, et dansent autour, dans une muette adoration. Ne dirait-on pas que toutes ces corolles délicates, tous ces calices, explosions de senteurs et de couleurs (c'est donc bien encore une évaporation qui se traduit par une sinuosité) exécutent un mystique fandango autour du bâton hiératique? » La ligne droite peut bien être nommée *hiératique* puisqu'elle est chargée d'incarner la singularité, l'intangibilité, l'immobilité sacrée d'une essence; mais autour d'elle les ondulations du sinueux symbolisent toute la variété de l'expression, les hasards heureux du geste ou du langage, la fantaisie vivante d'une chair :

> Le bâton, c'est votre volonté, droite, ferme et inébranlable; les fleurs, c'est la promenade de votre fantaisie autour de votre volonté, c'est l'élément féminin exécutant autour du mâle ses prestigieuses pirouettes. Ligne droite et ligne arabesque, intention et expression, roideur de la volonté, sinuosité du verbe, unité du but, variété des moyens, quel analyste aura le détestable courage de vous diviser et de vous séparer ? [111]

Inséparables en effet. Et c'est pourquoi la ligne la plus satisfaisante, celle dont la sensibilité baudelairienne épousera le mouvement avec le plus de bonheur, sera également celle qui nous permettra de suivre du dedans cette solidarité, cette continuité du courbe et du droit. Cette sinuosité parfaite, c'est celle de la

111. *Le Thyrse*, p. 337.

spirale. De de Quincey Baudelaire écrit par exemple que « sa pensée... n'est pas sinueuse; le mot n'est pas assez fort, elle est naturellement spirale [112] ». C'est que la spirale accomplit pleinement le sinueux; elle en réalise toutes les promesses et en élimine tous les dangers. Supérieure au *thyrse* en ce qu'au lieu de seulement juxtaposer souplesse et rigidité, elle les réunit dans le glissement d'un mouvement unique. Supérieure également au *cercle*, puisqu'au lieu de rattacher la périphérie à un centre par un rapport fixe d'écartement et de tension, elle les fait naturellement se toucher, se rejoindre. Car elle resserre, elle attire l'ondulation vers un point central et originel; mais à partir de ce même point elle peut aussi déployer sans rupture une infinie richesse d'espace ou de temps. Elle incarne l'union intime du centre et de la périphérie, l'engendrement réciproque de l'un et du multiple. Elle relie un secret à une expression, réconcilie une frayeur et un langage. Bref elle est le seul fil d'Ariane que Baudelaire puisse à coup sûr jeter au centre de son gouffre, au cœur inconnu de sa profondeur.

III

Intensité, explosion, élasticité, bercement, virtualité, sinuosité, spirale, toutes ces qualités ou ces schèmes sensibles ne se rencontrent jamais à l'état pur. La nature les oblige à cohabiter et cette coexistence, qui les constitue en paysages, peut se révéler pénible : on les voit alors se recouvrir, se contrarier, se neutraliser. Dans le paysage heureux au contraire, ces éléments sensibles du bonheur humain réussissent à conjuguer leurs vertus; ils collaborent à créer une harmonie qui embrasse vraiment la totalité du vécu. Une étude de la *réussite* baudelairienne ne saurait s'achever que sur l'évocation de quelques-uns de ces ensembles physiques et spirituels à travers lesquels Baudelaire eut un instant le senti-

112. *P. A.*, p. 550.

ment de posséder sa vie. Tels furent le paysage exotique, le paysage parisien, et plus profondément encore, les incluant et dépassant tous deux, ce qu'il faudrait nommer le paysage verbal de Baudelaire, l'univers matériel de son langage.

Le paysage exotique, c'est bien évidemment le paradis perdu. Il se situe en un moment et en un lieu premiers, où rien de la vigueur originelle ne s'est encore égaré ni corrompu. Tout y est « plein de sève »; partout on y décèle la présence d'une fécondité puissante, d'une vitalité plénière; hommes, plantes, objets, soleil, tout y palpite, y brûle, s'y évapore en tout. La nature s'y montre merveilleusement émanatoire. Mais le miracle, c'est que ces émanations si véhémentes ne deviennent jamais excessives, douloureuses, et cela en raison même de leur luxuriance. La diversité de leurs orientations les fait en effet toujours se rencontrer et se neutraliser les unes les autres. Toutes ces substances si violemment vaporisées, et dont les expansions jouent souvent à contresens les unes des autres, parviennent ainsi à marier leurs vapeurs. L'interférence de leurs ardeurs aboutit à créer au centre du paysage une sorte de nappe immobile où les brûlures s'éparpillent, où l'effusion se fige, et où la vie n'existe plus que sous la forme d'un frisson arrêté, d'une « pâmoison » :

> J'irai là-bas où l'arbre et l'homme, pleins de sève,
> Se pâment longuement sous l'ardeur des climats... [113]

Dans « cette sieste qui est une espèce de mort savoureuse où le dormeur à demi réveillé goûte les voluptés de son anéantissement [114] », arbres, hommes et climats concluent une trêve sensible. « Ce n'est plus quelque chose de tourbillonnant et de tumultueux; c'est une béatitude calme et immobile, une résignation glorieuse [115] ». Résignation à l'ardeur cosmique, bonheur de cette immobilité liquide et souveraine que les Orientaux nomment le *Kief*.

Ce bonheur est « sans fanatisme », ajoute Baudelaire; le désir y perd sa pointe; « le monde stupéfié s'affaisse lâchement ». Mais ni cette stupeur, ni cet affaissement ne sauraient se com-

113. *La Chevelure*, p. 101. — 114. *La belle Dorothée*, p. 318. — 115. *P. A.*, p. 461.

parer à la douloureuse faiblesse qui accable le spleenétique. Aucun ciel ennemi n'y vient écraser l'âme sous sa chape de plomb; aucune violence lumineuse n'y déchire la paresse humaine. Pas même, pour blesser le cœur, la « pointe acérée » de l'infini, la tentation d'une profondeur céleste. Le ciel est là, voisin, immédiat, tangible. Et sa lumière elle aussi se stupéfie. Devant les tableaux de Delacroix et les commentaires de Fromentin, Baudelaire remarque qu'à force d'intensité et de diffusion, elle finit par noyer le paysage dans une sorte de neutralité grise. « Une immense diffusion de lumière crée pour un œil sensible, malgré l'intensité de tons locaux, un résultat général quasi crépusculaire [116] ». La paresse humaine s'accorde alors à un sommeil cosmique, et dans le crépuscule du plein-midi toutes choses peuvent bienheureusement s'assoupir. C'est la paix de la vie au repos, sans un éclat de conscience, un bonheur très voisin de l'animalité, ou même de la bêtise :

> La bêtise est souvent l'ornement de la beauté; c'est elle qui donne aux yeux cette limpidité morne des étangs noirâtres, et *ce calme huileux des mers tropicales*. La bêtise est toujours la conservation de la beauté; elle éloigne les rides; c'est un *cosmétique* divin qui préserve nos idoles des morsures que la pensée garde pour nous, vilains savants que nous sommes... [117]

Une morale, et même une esthétique de la vie huileuse, tel est bien l'exotisme baudelairien. Mais cette huile, celle de la mer d'huile, ou celle encore dont les femmes des Iles enduisent la grâce de leur corps, ne signifie pas mort intérieure. Sa continuité glissante, tout en empêchant ride ou morsure, — pensée... — s'accommode très bien du mouvement bercé ou de la vie ondulatoire. Mieux : elle reste le lieu d'une intensité rayonnante. Une fois toute conscience assoupie, toute lumière diffusée, tout foyer d'énergie disparu dans l'uniformité d'un gris universel, le paysage exotique ne s'en ordonne pas moins en effet selon les lignes de forces d'une radiation impérieuse. Il se dispose autour de ce triomphe lumineux que Baudelaire nomme *gloire*. Et le mystère de cette gloire, c'est qu'elle n'a ni centre ni péri-

116. *Curiosités esthétiques*, p. 871. — 117. *Maximes sur l'Amour*, p. 1268.

phérie, ou plutôt que son centre est à la fois partout et nulle part. Omniprésente, vivante, mais presque abstraite dans son ubiquité, elle ne s'incarne plus dans la réalité quasi personnelle d'un soleil, seulement dans cette entité sensible : une *ardeur*, ou même, et plus vaguement encore, une *chaleur*. L'image la plus exacte de l'âme exotique, ce sera donc celle des navires de *La Chevelure*, qui glissent sur une eau hiératique, et dont les voiles se tendent, comme pour y vérifier la présence d'un dieu, en direction d'un ciel vivant et vide, vers toute la pureté de l'espace et du temps :

> ... les vaisseaux, glissant dans l'or et dans la moire,
> Ouvrent leurs vastes bras pour embrasser la gloire
> D'un ciel pur où frémit l'éternelle chaleur [118]...

Du paysage exotique, le paysage parisien constitue le très exact revers. Pour cadre géographique, il a la grande ville; pour site temporel, il élit non plus une origine mais un terme, un présent-limite, cette durée fragile, chaque jour condamnée à mourir et renaître, que Baudelaire nomme la *modernité*. Surtout il pose pour postulat premier l'horreur de la nature, la haine de la fécondité et de l'épanchement, le culte de l'artifice. Point de sève dans ces murailles : c'est le règne du minéral, de l'inanimé, des substances que le rêve parisien a dépouillées de toute initiative intérieure, de toute vertu radiante et réduites à l'état de plages muettes, de façades, de décors ou de miroirs. Rien dans l'objet urbain ne devant s'opposer aux décrets de la volonté humaine, la ville baudelairienne se définirait assez bien comme un univers du jouet. En elle point de palpitation profonde, mais un épiderme sans tache ni ambiguïté, une « vie plus colorée, nettoyée et luisante que la vie réelle », une existence sans troubles, qui se signale par « sa propreté lustrée », « l'éclat aveuglant des couleurs, la violence dans le geste et la décision dans le galbe ». Finis les mouvements noyés, les tremblements ou les halos, les

118. *La Chevelure*, p. 101.

splendeurs ou les brumes. La lumière urbaine éclate d'un seul coup, théâtralement, artificiellement, le gaz déchire l'ombre des rues, allume la pâleur des fronts; il dénonce une absence d'âme au creux de ces regards

> Qui ne recèlent point de secrets précieux;
> Beaux écrins sans joyaux, médaillons sans relique,
> Plus vides, plus profonds que vous-mêmes, ô Cieux! [119]

Incapable de peupler la profondeur, cette lumière explose donc sur les surfaces; dans les cafés tout neufs, elle étincelle contre « les murs aveuglants de blancheur, les nappes éblouissantes des miroirs, les ors des baguettes et des corniches [120] ». Aucune porosité sensible n'amortit ces violences. Lueurs, désirs, idées ou sentiments, tout semble dans la ville condamné à rebondir sans cesse de reflet en reflet, de refus en refus.

Aucun recours possible au *cosmétique;* point d'huile qui puisse apaiser la secousse en l'étirant en frisson, ou en l'endormant en langueur. Aucune continuité sensible ne vient lier les unes aux autres ces ardeurs, qui sont d'ailleurs tout au plus des énervements, ou des fébrilités. Désormais devenu tic ou réflexe, le geste urbain ne trahit en effet aucune profondeur existentielle, il n'exprime aucune biologie; sa valeur n'est qu'épidermique, ou sociale. Aussi n'atteint-il jamais à la lenteur glorieuse du solennel, tout au plus à la *pompe*, cette solennité du vide. Bref, furtif, il traduit le plus souvent une agitation malsaine, un érotisme honteux. Dans la ville, les larges oscillations de la volupté deviennent les « joies rapides de l'animal dépravé [121] ».

Rapidité, éclats, secousses finissent donc par véritablement *casser* le paysage et par le transformer en un chaos. Il devient le règne de l'incongru, le lieu des voisinages les plus étranges, le domaine du choc et de la fissure. Le beau y a pour critère le bizarre, pour effet la surprise. La ville, « ce bric-à-brac confus [122] », se caractérise, comme la devanture d'un magasin de jouets, par « l'inextricable fouillis de (ses) formes bizarres et de (ses) couleurs

119. *L'Amour du Mensonge*, p. 171. — 120. *Les Yeux des Pauvres*, p. 320. — 121. P. 891. — 122. *Le Cygne*, p. 158.

disparates [123] ». Couleurs, sons, formes, tout s'y cogne et y hurle en d'épouvantables dissonances. Ainsi, autour du *Vieux Saltimbanque*, toutes les boutiques d'une foire

> piaillaient, beuglaient, hurlaient. C'était un mélange de cris, de détonations de cuivres et d'explosions de fusées... Partout la joie, le gain, la débauche, partout la certitude du pain pour les lendemains, partout l'explosion frénétique de la vitalité [124].

La frénésie urbaine débouche donc sur un tohu-bohu. Aucune unité, d'ondulation ni de correspondance : la ville et tous ses habitants sont emportés par les caprices du zigzag, et soumis à la loi tragique de l'*angulaire*. Cela compose les plus surprenantes silhouettes, celle par exemple de ce vieillard dont Baudelaire prend bien soin de préciser qu'il « n'était pas voûté, mais cassé » et que son échine faisait

> ... avec sa jambe un parfait angle droit,
> Si bien que son bâton, parachevant sa mine,
> Lui donnait la tournure et le pas maladroit
> D'un quadrupède infirme ou d'un juif à trois pattes... [125]

Les corps n'ont pas été ici victimes d'un affaissement ni d'une fatigue. On a l'impression que leurs « membres discords », leurs dos bossus, ou leurs jambes tordues ont été volontairement cassés pour les soumettre au caractère général d'angularité qui domine le paysage urbain. Car Paris, royaume du dissonant, du dissymétrique, de l'impair, de tout ce qui boite, — voyez *le Cygne*, — c'est le monstre qui brise à la fois les anatomies et les destins. Ainsi cheminent les petites vieilles, boitillantes, « trottant » pareilles « à des marionnettes »,

> ... stoïques et sans plaintes
> A travers le chaos des vivantes cités [126].

« Des *vivantes* cités... » C'est bien en effet le paradoxe ultime du voyage parisien que ce chaos reste, ou plutôt qu'il redevienne vivant. Tout dans la ville se voulait au départ artificiel, stérile :

123. *Morale du Joujou*, p. 682. — 124. *Le Vieux Saltimbanque*, p. 300. — 125. *Les Sept Vieillards*, p. 160. — 126. *Les Petites Vieilles*, p. 163.

mais l'agitation de cette stérilité, l'éclat de cet artifice, la fébrilité des échanges humains, l'acharnement que met Paris à briser harmonies et destins, tout cela finit par créer une sorte de *fécondité seconde*. L'angulaire s'y multiplie, la dissonance s'y exaspère : et de cette exaspération sortent en fin de compte une continuité, une harmonie nouvelles. Ainsi Guys peut-il adorer « l'étonnante harmonie de la vie dans les capitales, harmonie si providentiellement maintenue dans le tumulte de la liberté humaine [127] ». Mais cet accord n'est pas ici le fruit d'un équilibre ; il ressortirait bien plutôt d'un excès : c'est le tumulte sans cesse accru de toutes les libertés contradictoires qui se nie et se dépasse finalement lui-même en harmonie.

Cette métamorphose peut s'opérer dans l'étendue calmante d'une transparence : ainsi Baudelaire entend, « du haut de la montagne », arriver à son balcon, « à travers les nuées transparentes du soir, un grand hurlement, composé d'une foule de cris discordants, que l'espace transforme en une lugubre harmonie, comme celle de la marée qui monte ou d'une tempête qui s'éveille... [128] » Mais c'est le plus souvent dans l'intuition d'un *fourmillement* d'existence que s'opère le retour au sentiment d'une continuité vivante. Ruptures, explosions, angles droits, à force de déchiqueter le paysage, conduisent en effet ce bric-à-brac de formes vers sa fin naturelle, sa conclusion logique : le tas d'ordures. Brisée, émiettée, l'existence retombe dans l'informe. Mais au cœur de cet informe, dans la masse amorphe du monceau d'ordures, se réveille une fécondité nouvelle. La fange y devient ferment :

> Au cœur d'un vieux faubourg, *labyrinthe fangeux*
> Où l'humanité grouille en *ferments* orageux,

s'affirme un pouvoir inédit d'expansion, d'explosion, et s'esquisse tout un avenir d'orages. Comme dans la dialectique du corrompu, la vie triomphe au moment où la forme s'effrite, mais avec cette différence essentielle que l'effritement n'est pas ici dû à la poussée d'une vitalité interne. La fécondité parisienne ne jaillit pas du

127. P. 890. — 128. *Le Crépuscule du Soir*, p. 314.

cœur d'une intimité personnelle, mais elle serait plutôt le fruit d'une réciprocité active. Née *entre* les hommes, dans l'espace fiévreux de leurs relations, elle est le produit de leurs affolements et de leurs malentendus, la fille de leurs hypocrisies, de leurs hontes, de leurs mensonges. Baudelaire le dit bien lui-même, c'est « de la fréquentation des villes énormes, c'est du *croisement* de leurs innombrables rapports que naît cet idéal obsédant [129] ».

Et cet idéal, qui qualifie ici la forme du poème en prose, n'est-il pas également la *liberté ?* Car si la volonté des hommes est à chaque instant déterminée, « enfermée comme dans une circonférence », par les mille circonstances qui font la vie quotidienne, cette circonférence est « mouvante, vivante, tournoyante, et change tous les jours, toutes les minutes, toutes les secondes son cercle et son centre », sous l'action des autres circonférences, ses voisines, des autres volontés. Une fatalité circulaire et enfermante se mue en une liberté ondulatoire ou tournoyante, et cela grâce aux relations qui unissent les hommes : « Ainsi, entraînées par elle, toutes les volontés humaines qui y sont cloîtrées *varient à chaque instant leur jeu réciproque*, et c'est ce qui constitue la liberté [130]. » La liberté résulte en somme d'un croisement de destins; elle naît en une poésie du carrefour (« ô toi que j'eusse aimée, ô toi qui le savais... «) — ou mieux encore en un lyrisme global de la masse humaine, agitée de chocs et de contre-chocs, et toute parcourue de variations infinitésimales. Sous l'effet de ces mouvements browniens, la foule urbaine se transforme en une prodigieuse source d'énergie, en un vaste « réservoir d'électricité »; la ville se gonfle d'un suc nouveau, sa stérilité redevient perméable à toutes les expressions, tous les échanges :

> Les mystères partout coulent comme des sèves
> Dans les canaux étroits des colosses puissants.

Passage de la mort minérale à la vie végétale. Il ne reste plus à l'homme des foules qu'à aller faire provision d'énergie au sein de la masse anonyme, et à l'amateur d'âmes qu'à se glisser, à la poursuite de ses victimes, « dans les plis sinueux des vieilles capitales », dans la « fourmillante cité », où « le spectre en plein

129. *Préface des P. P. P.*, p. 282. — 130. P. 942.

jour raccroche le passant ». Car non seulement, désormais, les hommes se raccrochent les uns les autres, faisant ainsi vivre la ville, mais ils se font aussi raccrocher par des fantômes ou par des symboles; ils vivent naturellement au coude-à-coude avec le fantastique. Par la grâce de la relation humaine un réel mort avait débouché sur une nature vivante : le voici maintenant qui engendre une surnature, une vie puissamment irréelle.

A chacun de ces paysages correspond une rhétorique. Car si Baudelaire écrit ces poèmes, au lieu de seulement vivre ses songes, c'est que l'écriture réalise plus pleinement en elle tout ce dont la rêverie ne contenait encore que la promesse ou que l'esquisse. Le langage n'est pas une traduction affaiblie du vécu. Dans son domaine propre, celui de la signification, il parvient à *reproduire* le réel, à en réaliser matériellement la substance, à en mimer les mouvements. Baudelaire se flatte ainsi dans ses notes sur les *Fleurs du Mal* que « la phrase poétique peut imiter la ligne horizontale, la ligne droite ascendante, la ligne droite descendante... qu'elle peut suivre la spirale, décrire la parabole, ou le zigzag figurant une série d'angles superposés [131] ». Elle est entre ses mains un instrument pliable à toutes les figures. Mais cette réussite aurait été bien impossible si entre langage, esprit et réalité, n'avaient a priori existé certains rapports internes, certaines analogies de structure. L'architecture verbale doit bien rejoindre une architecture sensible si l'on veut passer sans heurts d'une phrase à une réalité et d'une réalité à une phrase, si l'on prétend justifier la suggestion et fonder le langage. C'est une des conséquences de la loi d'analogie universelle qu'entre mots et choses il n'y ait ni divorce, ni même intervalle, que toute réalité soit toujours très exactement exprimable, que les mots soient des choses qui demandent à être goûtées dans leur saveur matérielle, et les choses des mots qui réclament d'être lus et interprétés. Si la nature est alors un « dictionnaire », c'est dans l'exacte

131. P. 1383.

mesure où la poésie est une « cuisine ». La sorcellerie évocatoire de Baudelaire repose tout entière sur un optimisme du langage; elle se fonde sur la croyance hautement affirmée que la « rhétorique et les prosodies ne sont pas des tyrannies inventées arbitrairement, mais une collection de règles réclamées par l'organisation même de l'être spirituel [132] ».

Cette organisation nous étant maintenant mieux connue, nous devinerons assez aisément ces règles. Ce n'est point hasard, par exemple, si l'une des vertus essentielles de la phrase poétique réside, pour Baudelaire, dans sa souplesse berçante et sinueuse, s'il loue chez Gautier le « mouvement de ce beau style onduleux et brillant », et la majesté de l'écoulement verbal :

> C'est... le caractère de la vraie poésie d'avoir le flot régulier, comme les grands fleuves qui s'approchent de la mer, leur mort et leur infini, et d'éviter la précipitation et la saccade... La poésie lyrique s'élance, mais toujours d'un mouvement élastique et ondulé. Tout ce qui est brusque et cassé lui déplaît, et elle le renvoie au drame ou au roman de mœurs [133].

Elle peut tout aussi bien d'ailleurs le renvoyer au *Tableau Parisien*, ou au poème en prose : car la peinture d'un univers brisé réclame une rhétorique de la rupture. Le poète y « trébuche sur les mots comme sur des pavés »; il juxtapose, sans lien interne, de petits tableautins subtilement dissonants, dont « chacun peut exister à part », et qui se heurtent les uns aux autres. L'ondulation lyrique s'y conjugue à une esthétique toute nouvelle du réveil poétique, du choc imaginaire. Telle est la réussite dont rêve Baudelaire dans les *Petits Poèmes en Prose :* le miracle d'une « prose poétique assez souple et assez heurtée pour s'adapter aux mouvements lyriques de l'âme, aux ondulations de la rêverie, aux soubresauts de la conscience [134] ».

Soubresaut, ondulation, écoulement, point de geste humain qui ne puisse s'incarner en une phrase. Ce qui fait pour Baudelaire toute l'excellence du langage, c'est sa docilité matérielle, sa plasticité, sa souplesse à tout traduire, à tout résoudre. Allons plus loin encore : si Baudelaire tient son paysage verbal pour

132. P. 779. — 133. P. 1043. — 134. P. 281.

supérieur à tout autre paysage, c'est qu'il existe entre lui et son langage une relation immédiate, une familiarité existentielle. Ce fut sa grande chance, ou plutôt son génie, que la structure ontologique de ce langage ait si exactement, si spontanément correspondu à l'architecture intérieure de son être. Écoutons-le par exemple nous décrire les opérations de la sorcellerie évocatoire si proche de celle du haschisch :

> La grammaire, l'aride grammaire elle-même devient quelque chose comme une sorcellerie évocatoire : le *substantif* dans sa *majesté substantielle*, l'*adjectif*, vêtement transparent qui l'habille et le colore comme un glacis, et le *verbe*, ange du mouvement qui donne le branle à la phrase [135].

Substantif, adjectif, verbe, la grande trinité des archétypes du langage recouvre et exprime alors une autre trinité, — profondeur, transparence, mouvement, — qui est celle de l'être baudelairien lui-même. Le substantif emplit la profondeur. En substituant à la vacuité du gouffre la chaude plénitude de la substance, il lui donne épaisseur et densité. A la profondeur il conserve bien sa magie, sa verticalité sacrale, son pouvoir de résonance et de vertige, mais il la vide aussi de ses terreurs, puisqu'il aboutit lui-même à une surface sémantique, à un sens précis et tout humain. Ce sens, l'adjectif le vaporise et le fait rayonner. Il dispose tout autour du nom un halo de vibrations immobiles. Il humanise encore la transcendance et la concentration substantives en les diluant en *qualités* idéales. Ces qualités s'étalent alors de mot en mot, glissent les unes dans les autres et tendent d'objet à objet un *vernis*, une nappe, une continuité sensibles qui permettent l'établissement horizontal des correspondances (« Il est des parfums *frais* comme des chairs d'enfants »). L'adjectif le plus baudelairien, ce sera donc l'adjectif le plus lisse et le plus vide de déterminations, le plus transparent aussi, le plus apte à créer tout autour du nom une zone neutre d'expansion, une aire de communication et de gloire. Le verbe enfin vient doucement agiter toute cette architecture : il lui *donne le branle*, il balance les mots, les fait respirer, onduler, progresser les uns vers les

135. *P. A.*, p. 467.

autres. Il replace le langage dans son milieu naturel, qui est l'écoulement d'une durée vivante. Par là il l'ouvre à toutes les découvertes, mais il l'expose aussi à tous les risques. Au cœur de la majesté substantive et du rayonnement adjectif c'est le verbe qui introduit le mouvement, l'inconnu, le déséquilibre, la mort peut-être. Dans la splendeur d'un langage parfait mais inutile il inscrit en somme, — et c'était nécessaire pour que ce langage devînt poésie, — toute la fragilité du geste humain.

Tout beau vers de Baudelaire doit donc nous apparaître comme une figuration et comme une solution matérielles de sa vie. Et cette vie, comment croire qu'elle ne fut pas sauvée alors qu'il lui fut accordé de si parfaitement aboutir à quelques phrases?

Fadeur de Verlaine

Et tout le reste... (Art Poétique.)

I

En face des choses l'être verlainien adopte spontanément une attitude de passivité, d'attente. Vers leur lointain inconnu il ne projette pas sa curiosité ni son désir, il ne tente même pas de les dévoiler, de les attirer à lui et de s'en rendre maître; il demeure immobile et tranquille, content de cultiver en lui les vertus de porosité qui lui permettront de mieux se laisser pénétrer par elles quand elles auront daigné se manifester à lui :

> Ferme tes yeux à demi,
> Croise tes bras sur ton sein,
> Et de ton cœur endormi
> Chasse à jamais tout dessein... [1]

Repos, silence, détente, ouverture. L'œuvre verlainienne illustrerait assez bien un certain quiétisme du sentir : volonté de ne pas provoquer l'extérieur, art de faire en soi le vide, croyance en une activité émanatoire des choses — brises, souffles, vents venus d'ailleurs, — sur laquelle l'homme se reconnaît sans pou-

1. *Fêtes Galantes*, *En Sourdine*, éd. Y. G. Le Dantec, p. 96.

voir, attente de cette grâce imprévisible, la sensation. Celle-ci lui est la messagère d'un univers lointain, le signe physique d'un objet émetteur qui l'envoie doucement s'imprimer sur la mollesse de l'esprit.

Mais entre l'objet qui l'a produite et l'esprit qui l'accueille en lui, la sensation a dû franchir de si vastes espaces et percer de telles opacités qu'elle se trouve largement dépouillée à son arrivée de la richesse signifiante et sensible dont elle avait été investie à son départ. Éventée comme un parfum trop longtemps débouché, elle ne présente plus à l'esprit que la trace effacée, que la très vague suggestion de cet objet dont elle devrait pourtant constituer le signe irréfutable. Les étendues brumeuses de temps ou d'espace qu'il lui a fallu parcourir ont émoussé sa vivacité, amoindri sa particularité; elle ne vit plus que d'une vie atténuée, expirante, et qui ne se rattache plus qu'à grand-peine à la vie plus chaude et plus précise du lieu ou du moment d'où elle avait d'abord jailli.

Et l'on voit Verlaine préférer les odeurs évanescentes, « l'odeur de roses, faible, grâce au vent léger d'été qui passe [2] », les paysages à demi fantomatiques, noyés d'irréalité par la montée des brumes et des crépuscules, les sons déjà tout pénétrés de silence, « air bien vieux, bien faible et bien charmant », qui « rôde discret, épeuré quasiment [3] », et qui va « tantôt mourir par la fenêtre ouverte un peu sur le petit jardin », toutes sensations à demi mortes et qui ne contiennent plus en elles aucun renvoi précis à leur origine concrète — rose, campagne ou piano. Leur charme est justement de se délivrer de cette origine, d'en abolir en elles jusqu'à la notion, et de vivre d'une existence autonome, privée d'attaches, d'une vie qui n'appartient qu'à elles et qui, si fragile qu'elle nous semble, si voisine de la disparition, ne doit plus rien à rien, ni à personne. Ayant détruit en elles par leur progressif affaiblissement toute référence et même tout allusion à un monde réel, ces sensations vivent un court instant en nous, irréelles et cependant présentes, messagères vides de tout message, absur-

2. F. G., *Cythère*, p. 90. — 3. *Romances sans Paroles, Ariettes Oubliées*, v., p. 123.

dement et délicieusement suspendues dans l'équilibre instable de leur gratuité.

Ces remarques permettront de mieux saisir la signification qu'il convient d'attacher au goût verlainien du *feutré*, à son obsession du *fané*. C'est en effet aux objets privés de rayonnement intérieur que va la prédilection de Verlaine : ils doivent être dotés d'un pouvoir assez amoindri pour que la sensation qui les signale à l'esprit lui apporte seulement l'indication d'une existence prête à s'éteindre, peut-être même déjà morte au moment où le moi en reçoit l'impression. « Nimbes d'anges défunts [4] », la sensation fanée annonce la disparition de son objet. Il ne peut donc être question de remonter en elle et, refaisant en sens inverse le chemin qu'elle a dû parcourir pour arriver à nous, de redécouvrir sa vérité originelle : au bout de la route c'est seulement de l'inexistence que l'on rencontrerait. Aussi le *fané* verlainien contient-il toujours, à la différence du *suranné* baudelairien dont il procède pourtant directement, une nuance d'irrévocable. L'odeur fanée n'est pas ici invite à retrouver le printemps adorable qui l'a autrefois exhalée, ni même le flacon d'où elle a pu s'échapper. Alors que le *suranné* baudelairien, — parfum, saveur, mode, regret, spectacle, — est le signe à demi mourant d'une puissance bien vivante, la trace à demi effacée, mais repérable d'un luxe essentiel, d'une ferveur intacte que l'esprit pourra retrouver dans leur intégrité originelle s'il s'applique à remonter le cours de la sensation, à réapprendre la douce langue natale, le *fané* verlainien veut définitivement oublier son origine. A demi penché vers son extinction prochaine, il tâche de s'immobiliser en un présent vague, vide de toute détermination précise, d'où toute curiosité et toute nostalgie soient également bannies. Il est une somnolence, un état d'immobile dérive. L'être s'y délecte à sentir sans savoir ce qu'il sent, sans même savoir qu'il n'y a plus rien à savoir, que le monde est en train de disparaître, et qu'il ne lui reste plus pour posséder les choses que cette trace elle-même évanescente : sa sensation.

Ces états de sensibilité vide et suspendue ne sauraient cependant

4. F. G., *A Clymène*, p. 92.

se prolonger sans menacer l'existence même du moi qui s'en délecte. A mesure que la sensation s'épuise, la conscience risque de s'engourdir et l'être de tomber en léthargie. C'est pourquoi la sensation diffuse doit en même temps exciter, agacer la conscience qui la recueille. Verlaine, si amoureux pourtant de bercement et d'harmonie, cultive donc la dissonance, il recherche le timbre criard, la fausse note, les « accords harmonieusement dissonants dans l'ivresse » où « la tendresse des sens étreint l'effroi de l'âme [5] », il choisit tout ce qui, dans le mariage tonal des sensations, grince, heurte, provoque un malaise, une gêne qui soit en même temps un éveil. Il apprend de Baudelaire les charmes subtilement discordants du prosaïsme, de Rimbaud les vertus de l'argot, du gros mot, de la vulgarité ordurière qui écorche la dignité vide du langage. Son goût de l'impair, du rejet, du boitillement prosodique et du déhanchement syntaxique, son esthétique du mot impropre et de la « méprise » volontaire, toutes les tendances qui caractérisent son traitement du langage poétique peuvent sans doute s'expliquer par rapport à ce besoin profond. Aussi bien que par le désir de créer une continuité sentie, on peut en rendre compte par le désir inverse de déterminer de quelque manière un état amorphe de la sensibilité. Et sans doute ces deux explications sont-elles vraies à la fois; dans la masse de la sensation vague, la puissance corrosive de la dissonance ou de l'impair creuse des fêlures, crée des lignes de rupture, taille des plans de déséquilibre, qui, sans renvoyer à l'évocation d'aucune réalité précise, rompent pourtant d'une certaine manière la cohésion harmonique du sentir. C'est cette même puissance qui retient la somnolence sur la pente du sommeil. Toute la réussite verlainienne fut donc de se fabriquer une incantation qui invitât à la fois à la jouissance d'une indétermination et à la délectation d'une extrême acuité sensible. « Un instant à la fois très vague et très aigu [6] », tel est le moment type dans lequel se situe la rêverie verlainienne.

Resterait à décrire les modes selon lesquels se réalise cet *à*

5. *Poèmes Saturniens, Nuit du Walpurgis Classique*, p. 55. — 6. *Jadis et Naguère, Kaléidoscope*, p. 201.

la fois, ce mariage du vague et de l'aigu, ou, pour reprendre les termes de Verlaine lui-même, cette jonction de l'« indécis » au « précis » qui permet à la « chanson grise » d'exercer pleinement ses maléfices [7]. Ces combinaisons sont aussi diverses et subtiles que le génie verlainien lui-même. Le plus souvent les deux tonalités sensibles se juxtaposent, ou mieux se superposent, l'une dissimulant à demi et recouvrant l'autre : derrière l'opacité molle du *fané* se devine alors la pointe d'une acuité cachée. C'est le thème profondément verlainien et déjà tout symboliste de la vision ou de la conscience *à travers* un écran d'apparences, de brumes ou de souvenirs :

> C'est des beaux yeux derrière des voiles,
> C'est le grand jour tremblant de midi,
> C'est par un ciel d'automne attiédi
> Le bleu fouillis des claires étoiles... [8]

Voilette veloutant un visage, buée de chaleur, tiédeur d'automne, autant de nappes vibrantes et suspendues derrière lesquelles regard, étoiles, soleil viennent inscrire leur dure précision. Parfois, derrière l'écran épaissi, l'on ne peut que deviner une forme fuyante :

> Je devine à travers un murmure
> Le contour subtil des voix anciennes... [9]

La ligne mélodique émerge un instant, mais pour se perdre aussitôt dans le « jour trouble » où tremblote une musique informe et délirante, « l'ariette, hélas, de toutes lyres ». A d'autres moments, c'est au contraire l'acuité qui l'emporte, et l'on voit la sensation vague se déchirer soudain, comme crispée autour d'un centre de rupture :

> O ce soleil parmi la brume qui se lève,
> O ce cri sur la mer, cette voix dans les bois... [10]

Sensations à la fois déchirantes et égarées, en lesquelles se

7. *J. et N.*, *Art Poétique*, p. 206. — 8. *J. et N.*, *Art Poétique*, p. 206. — 9. *R. S. P.*, *Ariettes oubliées*, II, p. 121. — 10. *Jadis et Naguère*, *Kaléidoscope*, p. 201.

résume un court instant tout le vague des maux « sans raison » et des douleurs diffuses, et où la conscience reconnaît, en face d'elle et au loin d'elle, une image foudroyante de son propre malheur.

Entre aigreur et douceur la sensibilité verlainienne exige cependant davantage qu'une coexistence, si étroite fût-elle; elle veut un mélange intime, une qualité où ces deux tonalités contradictoires se trouvent contenues à la fois, et inséparablement l'une de l'autre. Aussi la voit-on se plaire au monde équivoque de l'aigre-doux, ou comme dit mieux Verlaine, de la *fadeur*. Car fadeur n'est pas insipidité : c'est une absence de goût devenue positive, réelle, permanente, agaçante comme une provocation. Le fade est un fané qui se refuse à mourir et qui du fait de cette rémanence insolite revêt une sorte de vie nouvelle, une vie louche et un peu trouble, dont on soupçonne qu'elle se situe bien en-deçà, en tout cas en-dehors de sa prétendue douceur. Fadeur d'un sentiment ou fadeur d'une idée, c'est une banalité qui, au lieu d'engendrer la seule indifférence, pénètre, absorbe, et qui, même si elle écœure, oblige à tenir compte d'elle. C'est une façon qu'aurait l'inexistence de séduire la sensibilité et de se faire reconnaître par elle comme existante : un néant abusivement paré de tous les attributs de l'être...

La fadeur amoureuse, à qui Verlaine donne une dignité littéraire et poétique avec *La Bonne Chanson*, combine ainsi les éléments de séduction du vide, — ici l'ignorance sexuelle de la fiancée, qui oblige la poésie à rester inoffensive, — et toutes les rêveries grivoises que cette blancheur a pour effet d'exciter chez un fiancé trop averti. La virginité de Mathilde et la salacité de Paul ne peuvent ici s'accorder que dans une poésie du vide temporel, de l'imminence, dans un équilibre douteux qui est celui même de la fadeur. Même équivoque dans la sensation fade, où s'équilibrent et s'engendrent l'un l'autre les tonalités majeures et mineures, le calme assourdi et les saveurs aigrelettes. Dans l'un des poèmes les plus authentiques de Verlaine, *les voix* fanées et mourantes, voix de la Haine, de la Chair, d'Autrui, se mettent à grincer et à s'affadir au moment même de leur évanescence :

> Voix de la haine : cloche en mer, *fausse*, *assourdie*
> De neige lente. Il fait si froid ! Lourde, *affadie*,
> La vie a peur et court follement sur le quai
> Loin de la cloche qui devient plus assourdie.
>
> Voix de la chair : un *gros tapage fatigué*.
> Des gens ont bu ; l'endroit *fait semblant d'être gai*,
> Des yeux, des noms, et l'air plein de parfums *atroces*
> *Où vient mourir* le gros tapage fatigué.
>
> Voix d'Autrui : *des lointains dans les brouillards*
> Vont et viennent ; des tas d'embarras ; des négoces,
> Et tout le cirque des civilisations
> Au son trotte-menu du violon des noces [11].

C'est le même son trotte-menu qui court en fausset à travers toutes les créations authentiquement verlainiennes. C'est lui qui les condamne à demeurer grêles et boitillantes, privées de profondeur harmonique et d'architecture intérieure, qui les voue à paraître plus tremblotantes que tremblantes, plus dorloteuses que berçantes, plus falotes que vraiment lunaires [12]. Esthétique de l'impression fausse qui connut ses plus beaux triomphes dans les *Romances sans Paroles* :

> Des romances sans paroles ont,
> D'un accord discord ensemble et frais,
> Agacé ce cœur fadasse exprès,
> O le son, le frisson qu'elles ont [13] !

Nous aurons à revenir sur cet *exprès* qui pose le problème de la sincérité verlainienne. Contentons-nous de noter ici l'aveu ravi des *frissons* que ces accords *discords* ont provoqués en lui, et la reconnaissance, d'autant plus probante que Verlaine s'en croit à ce moment délivré, des séductions équivoques de la fadeur [14].

11. *Sagesse*, I, XIX, p. 162. — 12. Et ce n'est point hasard si Verlaine a précisément adoré ces terminaisons diminutives en -otte, -otter, -ette, etc., qui, donnant à la sensation un prolongement mineur, la situent, juste au moment où elle va disparaître, dans un demi-jour un peu aigre. — 13. *Parallèlement*. A la manière de P. V., p. 359. — 14. Cette équivoque n'est peut-être pas sans relation avec cette autre ambiguïté

II

Séductions délicieuses, mais dangereuses, car elles dissolvent peu à peu la fermeté de la conscience qui s'abandonne à elles. Dans la douceur ou dans l'aigreur l'esprit pouvait continuer à vivre sans rien abdiquer de lui-même, sans virer pour autant à l'aigre ou au doux. Mais l'aigre-doux lui est une tentation irrésistible; par la fadeur il se laisse malgré soi envahir, transformer, *affadir*. La fadeur n'est même rien d'autre que cet affadissement de l'esprit, cette façon sournoise qu'ont les choses d'insensiblement le pénétrer et de se le soumettre; elle est une contagion qui décompose la conscience, qui l'oblige à céder aux appels d'un monde sans visage et à renoncer aussi à son propre visage.

Laissons-nous persuader
Au souffle berceur et doux... [15]

chantait l'un des meilleurs poèmes des *Fêtes Galantes*. Et la poésie verlainienne la plus authentique ne fait guère en effet que prêcher à sa suite un art de se *laisser* persuader. Mais il convient de remarquer le caractère tout particulier de cette persuasion. Il ne s'agit point ici, comme à l'ordinaire, de donner son adhésion à quelque réalité précise, mais bien au contraire de s'abandonner à une imprécision où la notion même de réalité finisse par se trouver égarée. La tentation de la fadeur se situant toujours dans le

qui fit de Verlaine un être sexuellement ambivalent. Peut-être conviendrait-il alors de relier le goût du fané, des brumes et de la continuité sensible à certaines tendances féminines, et de rattacher au contraire le besoin de déchirure et de dissonance au côté viril de sa nature. En face de Verlaine, Rimbaud se situe tout entier du côté masculin du choc et de la dissonance : admirons-le d'avoir reconnu la féminité verlainienne, et d'avoir voulu la nourrir en faisant lire à Verlaine les poésies de Marceline Desbordes-Valmore, dont celui-ci aussitôt s'enthousiasma. — 15. *F. G.*, *En Sourdine*, p. 96.

vague ou dans l'impalpable, aux limites de l'inexistence, Verlaine réclame en somme qu'on se laisse persuader à rien, c'est-à-dire au rien : ou du moins à ces incarnations approximatives du rien que représentent un souffle, un silence, une nuit. Πειθώμηθα νυκτὶ μελαίνῃ. Cédons à l'appel de la nuit noire : on devine bien les raisons pour lesquelles Verlaine fut si lontemps hanté par cet hémistiche apparemment inoffensif d'Homère [16]. C'est que l'espace nocturne possède, malgré son opacité, ou peut-être à cause d'elle, une vertigineuse réalité sensible. De même le vent ou le silence nous rendent immédiatement, concrètement perceptibles le mouvement ou l'absence. Ce sont les lieux d'un pur sentir. Tout ce qu'on peut affirmer alors, c'est que quelque chose arrive : mais quand, comment, pourquoi ce quelque chose est arrivé, nul ne saurait le dire, ni ce qu'était ce quelque chose, ni même ce qui lui est vraiment arrivé. La rêverie verlainienne préfère ainsi les milieux négatifs et aveugles d'où ne peuvent émerger d'autre existence que celle d'un pur *il y a*, d'autre présence que celle d'une réalité vide.

Cette neutralité gagne bientôt l'esprit qui s'abandonne à elle. Rien de plus curieux que d'observer, à travers l'approfondissement de cette rêverie, le progressif effacement de toutes les caractéristiques individuelles du moi. Il semble que disparaisse d'abord ce qu'on nomme le *caractère*, c'est-à-dire la confiance en soi, en sa nature et en son étoile, l'enracinement dans un destin personnel. L'être se sent placé sous le signe de Saturne, c'est-à-dire soumis à une puissance extérieure dont les desseins lui restent impénétrables. Il se sent gagné d'incertitude et d'irresponsabilité, et l'image de la feuille morte poussée de-ci de-là par la fantaisie du vent mauvais lui est à la fois symbolique et prophétique de son vacillement profond [17]. Puis l'inquiétude s'intériorise, et c'est la vie tout entière, spatiale et surtout temporelle, qui se voit livrée aux hasards du *çà et là*. Souvenirs, repères sentimentaux, hiérarchies morales, tout s'efface; un voile gris tombe sur le passé :

16. Cf. *Le Dantec*, *Notes*, p. 919. — 17. *P. S.*, Chanson d'Automne, p. 57.

Un grand sommeil noir
Tombe sur ma vie...
Je ne vois plus rien,
Je perds la mémoire
Du mal et du bien
O la triste histoire... [18]

Les projets se diluent dans le vague de l'objet, dans « les cieux bruns où nagent nos desseins [19] ». Tout se met à communiquer, à se recouvrir; le mal de la *réversibilité* noie toutes les distinctions temporelles :

Les déjà sont des encor...
Les jamais sont des toujours...
Les toujours sont des jamais...
Les encor sont des déjà... [20]

A travers ses diverses durées l'être se trouve emporté par le tournoiement d'un vire-vire — « tournez, tournez, bons chevaux de bois!... » — ou plus exactement par le mouvement de va-et-vient d'une balançoire qui lui ferait traverser et retraverser sans relâche les divers niveaux temporels de sa vie, « mort doucereuse [21] », « mort seulette que s'en vont (...) balançant jeunes et vieilles heures ... [22]» « O mourir de cette escarpolette [23]!... » Mort qu'il nous faut évidemment interpréter comme une mort à soi-même, comme une perte du sentiment de soi. La conscience est alors devenue aussi grise que la chanson qui exhale sa plainte; l'être n'a plus de nom, d'histoire, ni même d'âge; il est n'importe où et n'importe qui; à la fois défunt et nouveau-né, il continue à se balancer absurdement dans l'intériorité d'un temps vide :

Je suis un berceau
Qu'une main balance
Au fond d'un caveau
Silence, silence... [24]

18. *Sagesse*, III, V, p. 183. — 19. *Id.*, III, VIII, p. 185. — 20. *Parallèlement*, *Réversibilités*, p. 356-357. — 21. *Id.* — 22. *R. S. P.*, *Ariettes oubliées*, II, p. 122. — 23. Les terminaisons diminutives — seu*lette*, escarpo*lette*, réintroduisant dans le vertige l'aigreur de la particularité, montrent que cette mort n'est nullement apaisée : moins douce en effet que « doucereuse ». Ici encore se retrouve l'ambiguïté de la fadeur. — 24. *Sagesse*, III, III, p. 183.

Telle est la *langueur* verlainienne, si différente, on le voit, de la langueur baudelairienne dont elle dérive cependant. Celle-ci n'était guère qu'un assoupissement provisoire des puissances spirituelles ou volontaires, une permission accordée à la nonchalance du luxe profond. Qu'elle se manifestât dans la paresse du chat, du navire à l'amarre ou de la femme endormie, l'être y demeurait toujours riche d'un monde de virtualités actuelles, de toutes les promesses de la félinité, de l'érotisme ou du voyage. Mais la langueur verlainienne épuise l'être; elle semble vouloir le pousser à bout, le forcer à se dissoudre et à s'oublier en autre chose que lui-même. Elle écœure, effrite ce moi qu'elle a pour projet de détruire, et qui, livré à ses méandres, en vient bientôt à ne plus se reconnaître lui-même [25]. Et rien d'étonnant à ce qu'il s'ignore en effet, puisque la langueur est le lieu d'un changement, d'une sorte de conversion intérieure, le passage du moi personnel à un moi impersonnel où ne subsiste plus rien de la sensibilité ancienne. A travers la langueur s'opère en somme la destruction de toutes les caractéristiques individuelles, et l'émergence à un mode nouveau de la sensibilité où chaque événement ne soit plus rapporté à aucune expérience particulière, mais revécu anonymement, dans l'impersonnalité d'un pur sentir.

Les états de conscience les plus typiquement verlainiens semblent ainsi suspendus dans un climat de neutralité indifférente. Nul n'en revendique la propriété, et Verlaine moins que personne. Il s'applique même à récuser toute responsabilité, suggère que d'eux à lui il n'existe, et n'a jamais existé aucune liaison intime. Il les fait vivre hors de lui, loin de lui, dans une objectivité trouble, sur le mode du *cela:*

> C'est l'extase langoureuse,
> C'est la fatigue amoureuse,
> C'est tous les frissons des bois,
> C'est vers les ramures grises
> Le chœur des petites voix... [26]

25. Il n'est pas indifférent que, dans la 3e Ariette oubliée, *Il pleure dans mon cœur*, qui décrit précisément ce passage à l'impersonnel, Verlaine ait hésité sur le terme qui rendrait le plus exactement cette sensation de dissolution intime. Avant *s'écœure*, choix définitif, il avait essayé s'*effrite*, s'*ignore*, s'*ennuie*. Cf. Le Dantec, p. 918. — 26. *R. S. P.*, *Ariettes oubliées*, I, p. 121.

Extases, fatigues, délices qui semblent exister en eux-mêmes, et que la conscience paraît éprouver du dehors, par participation, Ou bien, et inversement, ce sont eux qui visitent la sensibilité, s'y glissent clandestinement comme des étrangers indésirables. Et c'est alors le verbe impersonnel qui proclame l'irresponsabilité du moi et son refus de vivre ses états sur le plan de l'intimité sentie :

> Il pleure dans mon cœur
> Comme il pleut sur la ville... [27]

Tristesse aussi anonyme, aussi gratuite qu'une tombée de pluie... A ces moments à la fois douloureux et privilégiés la conscience a presque cessé de vivre sur le mode de l'existence séparée. Elle est tombée dans ce « délire » que tente de décrire l'extraordinaire deuxième *Ariette oubliée:* elle est devenue un « œil double », on pourrait même dire multiple ou unanime, « où tremblotte à travers un jour trouble » non plus « le contour subtil des voix anciennes » ni les lueurs « d'une aurore future », c'est-à-dire la ligne mélodique ou lumineuse d'une destinée particulière, mais « l'ariette, hélas, de toutes lyres [28] », c'est-à-dire la voix d'un lyrisme impersonnel [29].

Il faut bien comprendre toute la profondeur de cette tentative si l'on veut justement apprécier les conséquences extrêmes et contradictoires qu'elle devait comporter, tant pour le succès de l'esthétique verlainienne que pour la destinée particulière du poète lui-même.

Nul doute d'abord qu'à travers elle la poésie verlainienne n'ait découvert son originalité vraie, qui est celle d'une communication

27. *Id.*, III, p. 122. — 28. *R. S. P.*, *Ariettes oubliées*, II, p. 122. — 29. Cette tentation de l'impersonnel se retrouve présente, si l'on y prend garde, tout au long de la carrière littéraire de Verlaine. En mai 1873, donc après les *Romances sans Paroles*, et probablement en réflexion sur elles, il écrit ainsi à Lepelletier qu'il « caresse l'idée de faire un livre de poèmes d'où l'homme sera complètement banni » (cité par Michaud). Sorte de « parti pris des choses », projet de poésie impressionniste d'où l'homme serait, semble-t-il, exclu, à la fois comme « sujet » et comme conscience de la description poétique. Plus tard, dans la préface à *Parallèlement*, il proclame aussi son désir de faire « enfin de l'impersonnel ».

immédiate et naïve entre les consciences. Dans le vague de cette sensibilité impersonnelle chacun pouvait retrouver ou replacer son impression particulière. Ainsi se créait, entre Verlaine et son public, et aussi entre Verlaine et lui-même, puisqu'il devenait en écrivant son propre public, une complicité spontanée dans le sensible, une alliance au cœur de ces sensations vides dont nul ne savait ce qu'elles évoquaient, ni même qui les avait originellement ressenties. Complicité indirecte, bien différente de la complicité impérieuse qu'exige et que crée la poésie baudelairienne. Chaque vers des *Fleurs du Mal* semble nous concerner directement; né de la méditation d'une expérience unique, le mot y paraît fait pour s'enfoncer immédiatement au cœur d'une autre intimité, celle de « l'hypocrite lecteur », son « semblable », son « frère »; mais Verlaine recherche la rencontre dans une indifférence qui soit comme un lieu commun de la sensibilité. Et son appel, plus insidieux, n'est pas moins efficace; car il profite de l'incertitude, il la souligne même, sur le mode interrogatif, comme pour mieux brouiller les cartes :

> Cette âme qui se lamente
> Et cette plainte dormante,
> *C'est la nôtre*, n'est-ce pas ?
> *La mienne*, dis, et *la tienne*,
> Dont s'exhale l'humble antienne
> Par ce tiède soir, tout bas... [30]

Tiédeur des mains qui se rejoignent dans l'ombre, douceur d'un tutoiement chuchoté à travers la grisaille anonyme [31], facilité d'une communion plus authentiquement réalisée ici, dans le vague du sensible, qu'elle ne pourra l'être, plus tard, dans la banalité de l'idée.

Mais cette situation demeurait ambiguë. Elle risquait même de devenir douloureuse, dans la mesure où Verlaine continuait à s'interroger sur elle : preuve trop évidente qu'il ne parvenait

30. *R. S. P.*, *Ariettes oubliées*, I, p. 121. — 31. Cf aussi *Fêtes Galantes*, *En patinant :* « Rires oiseux, pleurs sans raisons, Mains indéfiniment pressées, Tristesses moites, pâmoisons, Et quel vague dans les pensées... » (p. 89).

pas à l'assumer pleinement, à se perdre tout entier dans son impersonnalité nouvelle, et que demeuraient en lui assez de traces de l'individualité ancienne pour assister à la montée de l'anonyme, s'en étonner et en souffrir.

Tout le malaise verlainien tient en effet à ce dédoublement, à cette irrémédiable déchirure. Car tout comme Rimbaud, Verlaine pourrait écrire que « JE est un autre »; mais alors que Rimbaud, une fois cet *autre* découvert, se livre entièrement et frénétiquement à lui, Verlaine ne peut abolir en lui la voix ancienne, et il se condamne donc à demeurer *à la fois* JE et Autre. A l'inverse de Rimbaud, intégralement présent en chacun de ses mouvements, il éprouve l'impossibilité d'adhérer à lui-même. Il sent sur le mode de l'anonyme, mais il se sent sentir sur le mode du particulier. Son moi impersonnel lui fait connaître d'étranges extases, mais sa sensibilité personnelle ne peut que constater la distance qui le sépare encore de ces extases, et de cet autre lui-même plus lui-même que lui. Et c'est dans cet intervalle que se situe sa poésie. Elle dit l'étonnement et la couleur d'un être à demi aliéné, transporté dans un paysage dont il ne peut découvrir le sens, et dans lequel il lui est cependant interdit de tout à fait se perdre.

La conscience se sent alors à la fois présente et absente à elle-même : « envolée, en allée, vers d'autres cieux, à d'autres amours [32] », mais en même temps attachée à cette terre où il lui appartient de dire, par les procédés les plus calculés et au besoin les plus cyniques de la parole, le caractère ineffable de sa fuite ou de son envol. Le poète est à la fois ici et ailleurs, attaché à son propre langage et perdu dans la langue anonyme, dans « l'ariette de toutes lyres ». Il se sent vivre hors de lui-même, dans le lointain d'un faux exil :

> Est-il possible, le fut-il —,
> Ce fier exil, ce triste exil ?
>
> Mon âme dit à mon cœur : sais-je
> Moi-même que nous veut ce piège

32. *Jadis et Naguère, Art poétique*, p. 207.

D'être présents bien qu'exilés,
Encore que loin en allés?...[33]

Piège de l'absence-présence, qui peut devenir, si l'on en inverse les termes, le piège de l'exil prétendu, de la fausse naïveté. On se retrouve alors les mains et l'esprit vides, « comme quand on ignore des causes [34] »; on se lance à la recherche de ses propres raisons :

Il pleure sans raison
Dans ce cœur qui s'écœure.
Quoi ! nulle trahison?
Ce deuil est sans raison.

C'est bien la pire peine
De ne savoir pourquoi
Sans amour et sans haine
Mon cœur a tant de peine.[35]

Et le monde semble avoir lui aussi perdu ses raisons d'être. La vie est comme un rêve intermittent d'où l'on s'éveille en sursaut de temps à autre pour s'interroger sur le sens de ce qu'on est en train de rêver :

Ce sera comme quand on rêve et qu'on s'éveille
Et que l'on se rendort et que l'on rêve encor
De la même féerie et du même décor [36]...

A chaque réveil, la destinée apparaît plus énigmatique. Les questions jaillissent, interminablement, pour tenter de cerner ou de percer le mystère inquiétant de l'indétermination sensible :

33. *R. S. P.*, *Ariettes oubliées*, VII, p. 125. — 34. *J. et N.*, *Kaléidoscope*, p. 201. — 35. *R. S. P.*, *Ariettes oubliées*, III, p. 122. — 36. *J. et N.*, *Kaléidoscope*, p. 202. A l'inverse du *Rêve Intermittent d'une Nuit Triste* de M. Desbordes-Valmore, qui est un déroulement continu d'images doucement délirantes, la rêverie verlainienne comporte des chocs et des réveils, de véritables intermittences. Mais ces intermittences ne compromettent pas son unité intérieure. Du personnel à l'anonyme, de l'éveil au sommeil c'est la même féerie et le même décor, le même paysage, mais réalisé avec plus ou moins de perfection. « Les choses seront *plus les mêmes qu'autrefois*... » Certains moments et sentiments privilégiés permettent de saisir concrètement le mystère de ce *même*

— Corneille poussive,
Et vous, les loups maigres,
Par ces bises aigres
Quoi donc vous arrive?... [37]

— Quoi donc se sent ?...
On sent donc quoi ?
Des gares tonnent,
Les yeux s'étonnent :
Où Charleroi ?

— Parfums sinistres !
Qu'est-ce que c'est ?
Quoi bruissait
Comme des sistres... [38]

Au *c'est* a succédé le *qu'est-ce que c'est?* Et la tentative verlainienne s'achève dans ces sursauts d'homme frôlé par l'invisible, dans cette interrogation nerveuse qui diffère assez peu d'un cauchemar [39]. La raison refuse alors d'admettre un vide qui soit seulement un vide, une existence qui ne contienne rien d'autre que sa propre révélation. Le rien lui apparaît maintenant comme le lieu de tous les possibles, comme l'origine même du fantastique. Faute d'avoir pu en épouser pleinement la neutralité, la conscience repeuple l'anonyme de toutes ses petites frayeurs. Verlaine retombe dans le marais de la particularité la plus étroitement physiologique et nerveuse. Mais ce n'est point d'elle que lui est venue sa malédiction : tout son malheur fut de s'être arrêté en chemin, de n'avoir su ou pu pousser jusqu'au bout l'expérience et de n'avoir pas atteint à ce point où, se perdant totalement, il se serait peut-être retrouvé.

qui est en même temps un *plus*, c'est-à-dire un autre. Tel est par exemple le sentiment du *déjà vu*, ou du déjà senti. « Ce sera comme quand on a déjà vécu... » continue le poème. L'interrogation verlainienne apparaît alors comme le premier mouvement d'une quête intérieure que Verlaine n'aurait pas eu le courage de poursuivre, comme une sorte d'appel à la réminiscence. — 37. *R. S. P.*, *Ariettes oubliées*, VIII, p. 126. — 38. *R. S. P.*, *Paysages belges*, Charleroi, p. 128. — 39. Cf. déjà dans les *Poèmes Saturniens* la réaction analogue du « Tout suffocant et blême, quand Sonne l'heure » *(Chanson d'automne)*.

III

Faute d'atteindre à cette limite, et dans l'impossibilité reconnue de continuer à vivre dans l'équivoque, Verlaine renonce brusquement. On le voit, après les *Romances sans Paroles*, tenter de se réinstaller dans le monde familier, celui de la sensation précise et personnelle. Ce qu'on nomme la conversion de *Sagesse*, qu'avait annoncée la première conversion de la *Bonne Chanson*, n'est guère en effet qu'un essai pour se ressaisir et pour ressaisir les choses selon les habitudes du sens commun.

Il importait dès lors de disqualifier tout ce qui avait précédé, et de faire apparaître les tentatives préalables comme à la fois dangereuses et mensongères. La courbe du destin verlainien épouse ici assez curieusement, on l'a peu remarqué, celle de l'évolution rimbaldienne. Comme Rimbaud, Verlaine brûle ce qu'il avait adoré, il semble même mettre à chanter la palinodie une sorte de joie mauvaise. Coïncidence plus étrange encore : Rimbaud s'accuse d'avoir divinisé le désordre de son esprit, mais Verlaine s'accuse de charlatanisme, et d'avoir fait passer pour sincère une parade inauthentique. Rien de tout cela n'était vrai, nous dit-il, ce cœur était « fadasse exprès », et s'il a pu se croire un instant de bonne foi, c'est de cette bonne foi suspecte de l'enfance qui touche de si près à la mauvaise foi :

> — Or moi je pardonne à mon enfance
> Revenant fardée et non sans grâce;
>
> — Je pardonne à ce mensonge-là [40].

Mensongère encore la « chanson bien douce » puisqu' « elle ne pleure que pour vous plaire [41] »... Pour Verlaine comme pour

40. *Parallèlement, A la manière de Paul Verlaine*, p. 359. — 41. *Sagesse*, p. 160.

Rimbaud c'est donc l'artifice littéraire qui est rendu responsable de l'échec vécu; et la conversion, à la réalité rugueuse à étreindre comme au Dieu de *Sagesse*, signifie la fin d'une expérience authentique dont on voudrait nous faire croire après coup qu'elle ne fut qu'imposture.

Il ne suffit cependant pas d'anathémiser l'erreur passée, il faut se reconstruire un autre monde. Rimbaud qui accuse de son échec la littérature elle-même s'enfuit dans une action et un silence où nul ne peut honnêtement le rejoindre. Mais Verlaine continue à écrire, car il accuse moins le langage que sa propre faiblesse. Et c'est donc encore à la littérature qu'il confie sa palinodie. Il entreprend de chanter en vers la réalité nouvelle qu'il croit avoir découverte, et dans laquelle il cherche refuge contre le retour des tentations anciennes. Avec son aide, il s'efforce de refuser le vague, la fadeur, la dissonance ou la méprise, de conjurer tous les brouillards du paysage ou de l'esprit, et surtout cet invincible glissement vers l'anonyme qui faisait autrefois le pouvoir de son incantation. La sensation fanée, il tâche de s'en délivrer en la laissant, ou en la faisant mourir; il veut tuer les voix mourantes :

> Ah! les Voix, mourez donc, mourantes que vous êtes...
> Mourez parmi la voix que la Prière emporte...
> Mourez parmi la voix terrible de l'Amour [42].

Nouvelle voix, vibrante et rassurante, puisqu'elle lui arrive d'un lieu précis, soigneusement exploré et reconnu : la personne même du Christ vers laquelle en retour pourront converger les prières. « L'ignorance indécise » fait donc place à une foi méticuleuse qui ne se reconnaîtra satisfaite que lorsqu'elle aura découvert dans la destinée terrestre et divine du Sauveur une exacte correspondance de la destinée du pécheur lui-même :

> N'ai-je pas sangloté ton angoisse suprême
> Et n'ai-je pas sué la sueur de tes nuits,
> Lamentable ami qui me cherches où je suis ? [43]

La conscience individuelle ne se perd plus dès lors dans le vide

42. *Id.*, I, XIX, p. 162. — 43. *Sagesse*, II, 10, I, p. 172.

des cieux : au fond du ciel l'accueille une conscience divine étrangement semblable à ce qu'elle se sent être elle-même, un moi à la fois transcendé et rédempteur. Et l'efficacité de cette rédemption tient à sa précision, à sa littéralité; le pouvoir de la religion provient ici de son caractère incarné, historique et concret. Aussi le sentiment religieux n'est-il guère chez Verlaine qu'une idolâtrie. Il a besoin, pour vivre et pour se soutenir, d'images, et si possible d'images d'Épinal : les plus nettes, les plus familières, les plus naïves seront celles qui provoqueront en lui les adhésions les plus heureuses. Seule la netteté du Vrai dissipera pour lui l'incertitude des possibles. Car ce Vrai a désormais un nom, un corps, une existence personnelle; la sagesse provoque bien encore « un doux vide, un grand renoncement », elle s'enveloppe bien d'une nouvelle forme de fadeur — « une candeur d'une fraîcheur délicieuse » — mais ce vide n'est pas une absence ni cette fadeur un écœurement : dans le moi évidé plus de *on*, plus de *ça*, mais un *Il*, une présence indubitable et radieuse, « *Quelqu'un* en nous qui sent la paix immensément »...

Assuré de ce point d'appui, relié par sa foi nouvelle à ce *Quelqu'un*, à ce centre divin de référence et de prière qu'est la personne de Jésus-Christ, Verlaine peut se retourner vers soi, et, seul dans la cellule de Mons, entreprendre de se refaire une âme. On le voit reconstruire avec application toutes les catégories logiques, « les cases » de son esprit, et y ranger en bon ordre, soigneusement étiquetées, les explications qui échappaient autrefois à son angoisse et que la foi lui a d'un seul coup rendues :

> O Belgique qui m'as valu ce dur loisir
> Merci ! J'ai pu du moins réfléchir et saisir
> Dans le silence doux et blanc de tes cellules
> *Les raisons qui fuyaient* comme des libellules...
> Les raisons de mon être éternel et divin,
> Et les *étiqueter* comme en un beau musée
> Dans les cases en fin cristal de ma pensée... [44]

Intériorité classée et assagie, où toute question trouve aussitôt et automatiquement sa réponse, où toute pensée se réfère à des

44. *Parallèlement*, p. 358.

structures fixes, monde spirituel d'où le hasard et le mélange ont été exclus à jamais.

Le paysage en même temps s'épure et se dégage. Une lumière à la fois spirituelle et physique en nettoie les brouillards, en fait apparaître les lignes et l'architecture et, en même temps qu'elle montre, démontre :

> Et la lumière crue
> Découpant d'un trait noir
> Toute chose apparue
> Te montre le Devoir
> En sa forme bourrue... [45]

Les choses émergent de leur indétermination ancienne; l'objet se clôt et s'affirme; chaque sensation devient très exactement signifiante. Et Verlaine peut alors se livrer sans risque d'erreur, et avec l'ingénuité d'un peintre primitif, à une remise en place des apparences selon les coordonnées à la fois physiques et morales dont il vient de redécouvrir la force convaincante. « Le ciel est, *par-dessus* le toit »... Tout se réinstalle dans sa vérité. Plus de vents mauvais venus d'on ne sait où : « Cette paisible rumeur-là *vient de la ville* [46]... » Et la plainte finale : « Dis, qu'as-tu fait, toi que voilà, de ta jeunesse », demeure malgré tout rassurante, comme une prise de conscience qui permettrait d'échapper aux vertiges de la réversibilité. Car les temps eux aussi se réordonnent en fonction du salut : les deuils de la réversibilité étaient « sans rachat [47] », mais le péché de la jeunesse perdue est au contraire racheté au moment même qu'il est reconnu et avoué. Tout s'explique et se réaccorde dans l'harmonie d'un ordre divin.

Resterait à se demander, avant de conclure, si cet ordre ne fut pas aussi, ou seulement, celui de la banalité. A l'anonymat authentique du pur sentir Verlaine n'a-t-il pas seulement substitué l'anonymat inauthentique de l'idée ou du sentiment reçus? Après *Sagesse*, l'être verlainien ne dépouille plus sa particularité pour tâcher de se dépasser lui-même : il abdique de plus en plus son originalité pour épouser une communion humaine, pour retrouver l'approbation d'un *on* social. Cette originalité

45. *S.*, I, XXII, p. 165. — 46. *S.*, p. 184. — 47 *P.*, *Réversibilité*, p. 35.

était tout entière située sur le plan du sentir : or voici que la sensation devient suspecte, qu'on s'efforce de la contrôler, de la tenir en lisière. On ne lui permet plus de venir jeter le désarroi dans ce musée embaumé qu'est devenu l'être intérieur ni dans la définitive architecture de paysages sans mystère. On lui demande seulement de venir prouver un ordre qu'elle n'a nullement contribué à construire. La poésie verlainienne devient alors didactique et bavarde. Elle développe des thèmes, des lieux communs, et, retrouvant sur le plan de l'idée la vieille tentation de l'anonyme, elle échoue trop souvent dans le pire des prosaïsmes. Pas besoin de communion extérieure, Verlaine en arrive à chanter la patrie, les généraux et les gendarmes : tragédie d'un être qui, à partir d'un certain moment, a refusé l'expérience sensible, et qui savait pourtant très bien que tout le reste est littérature.

Rimbaud ou la poésie du devenir

Quant au monde, quand tu sortiras, que sera-t-il devenu ? En tout cas rien des apparences actuelles. (Jeunesse.)

I

> A trois heures du matin, la bougie pâlit : tous les oiseaux crient à la fois dans les arbres : c'est fini. Plus de travail. Il me fallait regarder les arbres, le ciel, saisis par cette heure indicible, première du matin... [1]

Cette heure indicible, c'est l'heure rimbaldienne par excellence, l'heure du commencement absolu, de la naissance. Rimbaud se lève en même temps que le soleil. Trois heures du matin : c'est entre nuit et jour, la première s'achève, mais le second n'a pas encore vraiment paru. Et dans ce creux temporel, cet hiatus sensible nommé aube, se produisent soudain une explosion de force et de pensée, une brusque giclée d'existence. D'un seul coup le silence se fait cri, l'immobilité se mue en un frisson d'ailes battantes, un charme a *saisi* arbres et ciel. Moment vertigineux et puissamment ambigu où quelque chose se détruit *(C'est fini, Plus de travail)*, pour que quelque chose d'autre se produise. C'est ce même moment, cette même fulgurante naissance de la pensée à elle-même que décrit aussi la fameuse lettre du *Voyant:*

1. *Œuvres complètes*, éd. de la Pléiade, p. 270.

« JE est un autre. Si le cuivre s'éveille clairon, il n'y a rien de sa faute... » Un autre, on ne sait comment issu du JE, mais qui « bondit » d'un seul coup de la profondeur intérieure sur « le devant de la scène [2] » et l'emplit de sa frénésie. L'ancienne, la morose unité du moi éclate soudain et se métamorphose en une multiplicité véhémente. Et dans le même mouvement les choses se libèrent aussi; elles échappent à l'empire de l'habitude ou de la raison; elles jaillissent et s'éparpillent aux quatre coins d'un ciel tout neuf.

Ainsi se réalise, sous sa forme la plus spontanée, la plus merveilleusement immédiate, ce *dégagement* des sens et des objets vers lequel tend toute l'ascèse rimbaldienne. C'est lui que chante de manière inoubliable le petit poème *L'éternité :*

> Des humains suffrages,
> Des communs élans
> Là tu te dégages
> Et voles selon [3].

Pour vivre ce pur élan, aucun effort n'a été nécessaire : tout naturellement chaque aube change et recrée notre être, retrouve un court instant la vraie vie. Mais l'aube véritable ne dure qu'un éclair : redescendu dans la monotonie, dans le ressassement du quotidien, l'être y redevient la proie des humains suffrages, des communs élans. C'est alors que pour faciliter son envol, sa délivrance, Rimbaud fait intervenir le « systématique et raisonné dérèglement de tous les sens ». Si spectaculaire qu'il apparaisse, ne nous laissons pas aveugler par ce trop fameux désordre : il ne constitue pas l'essentiel de l'aventure rimbaldienne. S'il vise à fausser la sensation, à détraquer l'habitude, à bafouer raison et beauté, s'il prétend faire sortir le moi de son assiette et les choses de leurs casiers trop bien étiquetés, c'est à seule fin de secouer l'être, et de lui donner l'occasion de se dégager, donc de s'appréhender lui-même. Déréglé, le monde redevient mouvant et libre. Mais comprenons que le dérèglement constitue un exercice préalable en vue d'une fin bien plus haute : et cette fin le dépasse et le nie, puisqu'il s'agit au fond pour Rimbaud de

2. *Id.*, p. 254. — 3. P. 132.

découvrir, dans et par le désordre, une sorte de règle nouvelle. Dans la hiérarchie des gestes créateurs, plaçons donc le dérèglement bien au-dessous du dégagement; il en représente la face dure et tendue, il en est à la fois le prélude et la caricature. Leurs climats eux-mêmes s'opposent : d'un côté volonté et souffrance, de l'autre souplesse, spontanéité. Pour symbole le dérèglement pourrait prendre l'affreuse verrue artificielle poussée sur le visage des *comprachicos*, alors que le signe idéal de la vie dégagée, c'est l'aile déployée, l'aube envolée.

« Exaltée ainsi qu'un peuple de colombes », l'aube se gonfle donc vers une plénitude roucoulante et plumeuse. Elle s'élève vers une allégresse qui culmine et se crève soudain en un froufrou d'envols, de cris ou de paroles. Création merveilleusement radicale : car rien n'y retient les oiseaux à l'arbre, aucune atmosphère, aucun souvenir; rien non plus n'y rejoint le silence au cri; aucune transition n'y relie le JE à l'autre. Début absolu, l'aube envolée n'est un avènement que pour en être en même temps une rupture. Sa fraîcheur est faite d'un oubli total : ainsi les saules de *Mémoire* « d'où sautent les oiseaux sans brides » restent pâles « comme une robe verte et déteinte [4] », mais les oiseaux débridés ont eux-mêmes hérité de leur vigueur; ils s'élancent avec la violence d'un jet de sang, d'un coup de tonnerre. Dans *Vies I* [5] : « un envol de pigeons écarlates tonne autour de ma pensée ». Et cette pensée, cessant alors de s'habiter ou de se contempler elle-même, comme celle d'un Hugo, ou de se concentrer, de se vaporiser et de se bercer, comme celle d'un Baudelaire, se projette violemment dans toute la diversité des choses. L'oiseau porte et promeut l'élan. Son aile déploie le ciel comme un éventail de routes; elle signifie l'espace déchiré, le monde ouvert.

Parfois le monde s'entr'ouvre seulement : la bride se tend sans se rompre, quelque chose arrête l'envol. Ainsi dans le *Bateau ivre*, faux symbole du délire, et qui incarnerait bien plutôt la difficulté de l'ivresse totale et de la véritable liberté. Au-dessus du bateau, « presque île ballottant sur [ses] bords les querelles et les fientes d'oiseaux clabaudeurs aux yeux blonds », toute une

4. P. 121. — 5. P. 173.

agitation volatile, mais non pas un envol. Ces oiseaux restent sur les bords du navire, qui n'est lui-même qu'une presqu'île, non une île : liés à lui, ils n'ont pas la force de le quitter, c'est-à-dire de le désintégrer pour le faire renaître. Sa quille n'éclate pas, il ne peut pas « aller à la mer »; sa demi-folie n'arrive donc pas à le dégager vraiment de la réalité ancienne, de ce monde clos et continental, — « l'Europe aux anciens parapets » — vers lequel il ne lui reste plus alors qu'à revenir.

Au thème dynamique de l'explosion ailée s'oppose ainsi celui, passif et insatisfait, de l'*essaim*, envol arrêté, mouvant, mais condamné à se mouvoir autour d'un centre immobile, et à ne jamais se déployer, — ou celui encore du *bourdonnement*, bruit indistinct, tout prisonnier encore du silence, et qui n'arrive pas à s'élancer dans l'espace des sons, à vraiment naître. Ainsi dans *Enfance* [6], cet admirable poème du malaise, on voit un promeneur s'avancer dans un paysage de clôture, de vide et d'hostilité : les palissades sont « si hautes qu'on ne voit que les cimes bruissantes », l'auberge est vide, le château à vendre, l'église close. Ce bruissement d'arbres incarne une vie prisonnière, une vigueur à demi paralysée et trop faible en tout cas pour faire éclater sa prison : « L'essaim des feuilles d'or entoure la maison du général », « des fleurs magiques bourdonnaient ». Ces sensations engendrent à la fois un charme et un malaise, si l'on se souvient que pour Rimbaud l'oiseau est aussi feuille ou fleur. Tout serait sans doute sauvé, et les « vieux » eux-mêmes, « enterrés tout droits dans le rempart aux giroflées », reviendraient à la vie, — ils n'auraient qu'à se laisser porter par l'éclosion des fleurs et à traverser la muraille, — si les choses parvenaient à *s'exalter* et à prendre leur vol. Mais c'est le contraire qui se produit : à mesure que le voyageur avance, on voit disparaître autour de lui tous ces signes concrets du désir malheureux. Plus d'essaim ni de bourdonnement : bientôt même aucun bruissement, aucun frisson, aucun duvet de vie; simplement une rugosité des surfaces : « les sentiers sont âpres »; une léthargie atmosphérique : « l'air est immobile », et ce soupir, qui nous révèle pleinement la valeur originelle de

6. P. 168.

l'oiseau : « Que les oiseaux et les sources sont loin ! » Enfin l'inévitable conclusion : « Ce ne peut être que la fin du monde en avançant ».

Aux origines du monde il y avait donc l'oiseau-source. Mais avant même ces origines, quelle réalité mère, quelle aile repliée, quelle infra-source ? « Ta mémoire et tes sens, chante Rimbaud à l'homme libéré, ne seront que la nourriture de ton impulsion créatrice [7] » : mais cette impulsion, qui contient en elle l'élan même de la vie et de la poésie, par quel miracle surgira-t-elle de l'expérience ancienne, sortira-t-elle toute armée des sens et de la mémoire ? Car si JE est un AUTRE, c'est bien je qui a produit cet autre; et pourtant il n'a *pas* pu le produire, puisque cet autre est justement un *autre*, un être radicalement neuf, incompréhensiblement étranger. « On me pense », écrit Rimbaud, mais ce *on* c'est aussi un *moi;* cette pensée, c'est encore et plus que jamais la mienne. Paradoxe d'un nouveau *cogito*, — on me pense, donc je deviens, — qui constitue la clef de toute l'aventure rimbaldienne. Le mystère qu'interroge la poésie de Rimbaud, c'est précisément celui de ce passage, de cet avènement du *même* à *l'autre*, celui-là même en vertu duquel la nuit devient aussi du jour, le passé du futur, et le néant de l'être. C'est le mystère de la création.

Voyons donc dans les *Illuminations* un effort, le plus complet peut-être qui ait été tenté par aucun écrivain moderne, pour vivre humainement ce mystère. Considérons-les comme la description et comme l'opération d'une genèse : genèse intérieure de l'autre à partir du moi, mais aussi genèse extérieure d'un monde vrai à partir d'un monde d'impostures, genèse enfin d'une force, d'une « santé », d'une « franchise » nouvelles, à partir du besoin désespéré que l'homme moderne éprouve de cette force, de cette franchise, de cette santé. Car s'il anéantit les faux réels, le désir d'être réussit aussi à transformer le vide en plénitude, à créer l'être. Toute l'œuvre de Rimbaud constitue ainsi comme un essai de réponse à la fameuse question posée dans le *Bateau ivre :*

7. P. 200.

Est-ce en ces nuits sans fonds que tu dors et t'exiles
Million d'oiseaux d'or, ô future Vigueur ?

Ces nuits sans fonds, Baudelaire avait déjà plongé en elles pour y trouver un noyau de l'ombre, un cœur de l'être : soleil couché, bijou perdu, souvenir effacé, lac antérieur, il s'efforçait toujours vers un vertigineux en deçà de lui-même et du monde, à la poursuite du « Dieu qui se retire ». Mais Rimbaud ne poursuit plus le Dieu, il ne remonte plus aux sources : bien plutôt épouserait-il la descente du fleuve ou la remontée des soleils. A la profondeur défendue, il veut arracher sa force, de la nuit il veut extraire sa charge de lumière. Puis il actualise ce jour en un or multiple et vivant, il le déploie, le projette devant lui en un futur qu'il s'efforcera de rejoindre. Tel est bien chez Rimbaud le projet essentiel de la création poétique : convertir la nostalgie baudelairienne en un mouvement de conquête, transmuer le passé en avenir, *brûler* si possible le présent et, à tous les niveaux de l'être, éveiller la *future vigueur*.

***

« Son corps ! le dégagement rêvé, le brisement de la grâce, croisée de violence nouvelle... [8] » Ainsi surgit le *génie :* surgissement miraculeux, dégagement *rêvé*, car à l'inverse de l'envol des oiseaux il ne déchire pas la forme ancienne. La brisure s'y conjugue de croisement, la violence s'y ajoute à une grâce qu'elle transforme sans vraiment la détruire. Greffée sur la vie d'autrefois, une vie nouvelle s'y élève et s'y dégage sans rupture; c'est le glissant plaisir de la métamorphose.

Plaisir continu, qui se développe en une durée, et qui peut donc acquérir valeur théâtrale, surtout quand il prend pour objet et lieu le corps humain lui-même. La métamorphose peut même alors constituer un vrai spectacle, avec scène, spectateur, narrateur. Ainsi à la fin de *Parade* [9] et dans *Being Beauteous* [10]. On y voit toute une série de signes physiques, — frissons, tremblements des membres, éclat bizarre du regard, — trahir d'abord la montée de l'effervescence : mais, comme c'est en des corps d'acteur

8. P. 198. — 9. P. 172. — 10. P. 173.

ou de danseuse que se manifeste cette ébullition charnelle, la frénésie parvient à se discipliner selon la progression toute scénique d'une mimique ou d'une danse, d'un jeu de plus en plus intense. « Les yeux flambent, le sang chante ». Puis le corps se soulève, s'agrandit, « les os s'élargissent ». La danseuse abandonne bientôt tous les traits qui faisaient d'elle un individu particulier, elle cesse même d'être femme : surhumaine, désexuée, élevée à l'échelle d'une vie plus vaste et moins personnelle, elle devient un *being beauteous*, un « être de beauté de haute taille », le lieu pur et quasi abstrait d'une existence en voie de dégagement. Nul doute que le goût rimbaldien du génie ou de la fable, des êtres immenses et détachés comme la légende, que son amour aussi des architectures colossales et amoncelées les unes sur les autres, « de la ville énormément florissante [11] », bref que son obsession de la vie superlative ne correspondent à ce besoin essentiel d'accroître toujours davantage la forme afin de la faire déboucher et culminer en une autre forme, de la métamorphoser. Normal, anormal, extraordinaire, génial, ce sont là quatre étapes de la même ascèse délivrante. Dans cet univers en extension, où le gigantisme signale une fécondité en acte, l'exemple des *comprachicos* nous révélait déjà la valeur créatrice de l'horreur : voici maintenant que le monstre libère l'homme de lui-même, qu'il lui permet de devenir génie.

La forme ancienne commence donc par s'évider, par mourir en quelque sorte à elle-même. On assiste à une spectralisation frénétique du corps : « Des sifflements de mort et des cercles de musique sourde font monter, s'élargir et trembler comme un spectre ce corps adoré [12]. » Mais cela ne suffit pas encore : il faut que ce corps tremblant, agrandi, soulevé, succombe finalement à la poussée interne qui lui commande de toujours s'accroître davantage. Soudain son épiderme éclate et le sang coule, comme le jus d'un fruit trop mûr, d'une pulpe à l'étroit dans sa peau. La blessure n'a chez Rimbaud aucun sens sadique : elle déverse une vie, exprime une pléthore, et c'est pourquoi le sang qui coule se marie si souvent chez lui à d'autres images de fré-

11. P. 136. — 12. P. 173.

nésie heureuse, feu qui flambe, fleurs qui s'ouvrent « qui tintent, éclatent, éclairent ».

Voici donc « des blessures écarlates et noires » qui « éclatent dans les chairs superbes ». Ces blessures sont noires, parce que le noir s'associe toujours chez Rimbaud au rouge, dont il constitue un état limite : il est un rouge foncé, intense, excessif, un rouge dont la véhémence serait déjà à demi explosée. Souvenons-nous qu'il est aussi la couleur de la fermentation active, des « golfes d'ombre », et qu'il colore, dans le sonnet des *Voyelles*, l'envol bourdonnant des mouches autour des cadavres, l'explosion des « puanteurs cruelles ». (*A*, ***noir*** corset ***velu*** des mouches ***éclatantes*** Qui ***bombinent*** autour des puanteurs cruelles... [13]) Dans tous les cas, il signale un déchaînement, il colore un sang exaspéré. Après le noir, plus rien de possible que la mort, par éclatement et rupture, ou que la renaissance : et en effet, au bout de l'exaspération charnelle, on assiste dans *Being Beauteous* à un dégagement léger comme une danse. « Les couleurs propres de la vie ***se foncent***, ***dansent*** et ***se dégagent*** autour de la Vision, sur le chantier... [14] » Un nouvel être surgit de cette mort : « elle recule, elle se dresse », et cette nouveauté gagne par contagion le spec-

13. P. 103. — 14. A ce thème du *chantier* s'associe parfois l'image d'une métamorphose qui serait due non plus à la poussée d'une spontanéité particulière, mais à l'efficacité d'un *travail organisé*, d'une action collective. « Le travail humain, écrit Rimbaud dans *Une Saison en Enfer*, c'est l'explosion qui éclaire mon abîme de temps en temps » (p. 227). Une vie nouvelle peut sortir de cette explosion, c'est-à-dire de l'effort commun des hommes en vue d'un avenir meilleur. Ainsi, dans *Bonne Pensée du Matin*, à quatre heures du matin, l'été, l'Aube se peuple de charpentiers qui s'agitent, « dans l'immense chantier, vers le soleil des Hespérides ». Rimbaud nous les décrit, tranquilles dans leur désert de mousse (on verra plus loin la valeur génétique de la mousse chez Rimbaud), et il supplie la Reine des Bergers de leur apporter *l'eau de vie*, au sens concret du terme, en attendant la culmination de leur œuvre, « le bain dans la mer à midi ». Mais cette *attente* justement agace Rimbaud; il n'accepte le travail que sous la forme d'une explosion foudroyante, d'une réalisation instantanée : d'une révolution. Le plus souvent il lui reproche son caractère progressif, sa lenteur à changer la vie. Au contraire la naissance du Génie, ou de l'Être de Beauté, possède un caractère quasi fulgurant qui le soustrait à tous les avatars de la durée.

tateur lui-même : « Oh! nos os sont revêtus d'un nouveau corps amoureux! » Amoureux, ce nouveau corps, car il est une chair libre, sans frontière, ouverte à toutes les osmoses, une chair qui s'abat « à travers la mêlée des arbres et de l'air léger », rejoignant un certain délire naturel. La métamorphose aboutit alors à un mélange de vie et de matière; elle épouse une extase de perméabilité cosmique; elle marque un premier accomplissement de cette force qui, dans sa virtualité, se nomme chez Rimbaud *jeunesse*, et dans son activité *amour*.

Que toute la jeunesse de Rimbaud n'ait été occupée que de l'amour, que de la recherche et de l'expression d'un certain état d'extase charnelle, c'est ce que nous prouvent abondamment ses premières œuvres. Emplies par des obsessions de pubescence, de turgescence, de gonflement ou de débordement, les *Poésies* sont visiblement travaillées par les « rousseurs amères de l'amour ». Leur intérêt premier tient même justement à ce que l'amour s'y enveloppe d'amertume, s'y colore de réprobation. Tout s'y passe comme si l'érotisme ne s'y acceptait pas encore, comme s'il y subissait une condamnation, y entraînait un dégoût. On y voit en effet le désir refusé s'y trahir sous les espèces les plus répugnantes, celle de la fermentation, de la pourriture ou de la scatologie. La description des *stupra*, — organes et substances, — la prédilection pour l'ordure, la pratique du jargon ou de l'argot y sont pour Rimbaud des moyens de déguiser, et pourtant de manifester sa jeune force. En eux le jaillissement premier se trouve souillé ou parodié : en eux il est cependant contenu, et d'une certaine manière exprimé. Quand Rimbaud écrit par exemple à l'un de ses amis, — et cela au moment même où, travaillant aux *Illuminations*, il se trouve presque mystiquement plongé dans la contemplation de la nature, — que « la contemplostate de la nature (l')absorcule tout entier », il réussit à salir à la fois lui-même, le monde, sa contemplation et son langage. Cet exemple montre bien que l'ignoble naît chez lui d'une pudeur retournée, et non d'un choix premier de la bassesse. L'obscène humilie un élan non assumé. Il est le signe d'une vigueur qui hésite encore à choisir le plein dégagement, c'est-à-dire l'inquiétante liberté, et qui tâche de se traduire indirectement, négativement, en provoquant dans le champ du quotidien un malaise à la fois destructeur et révélateur. Bref le JE obscène n'ose pas encore s'avouer autre, tout en sachant fort bien qu'il n'est plus l'ancien JE. Il se laisse paralyser par toutes les facilités de la mauvaise foi.

Rimbaud essaie-t-il, dans les *Poésies*, de briser ces facilités, s'efforce-t-il d'échapper à cette tentation du négatif, veut-il traduire son obsession par des moyens licites? Le résultat n'est pas meilleur : car c'est alors pour chanter, comme pouvaient le faire dans le même temps un Glatigny ou un Coppée [15], de la façon la plus doucereuse et la moins efficace, les attraits de la nature printanière, les charmes des jeunes filles que l'on voudrait bien embrasser, sans trop oser, la douceur des oiseaux qui chantent dans les arbres. Fadeur ou nausée, fadeur de la nausée, nausée de la fadeur, Rimbaud jeune ne sort pas de ce cercle. Pour lui pas d'autre choix que celui du mièvre ou de l'obscène, point de milieu entre l'excrément et la petite fleur bleue.

A partir des derniers poèmes au contraire, et surtout à partir des *Illuminations*, tout change. Rimbaud découvre, ou bien invente, — la distinction ici n'a pas grand sens, — de nouveaux paysages qui le libèrent à la fois du banal et du scatologique. « La circulation des sèves inouïes », « l'éveil jaune et bleu des phosphores chanteurs », toute cette effervescence d'être qui n'avait pas jusqu'alors trouvé moyen de directement se traduire, nous allons désormais la voir s'exprimer sans camouflage ni malaise. Par l'invention d'un monde neuf, Rimbaud se donne les moyens de librement rêver à sa vigueur en train de s'éveiller, à ce pouvoir de métamorphose qui l'occupe et qui va le transformer en un *on*, ou quelqu'un d'autre. Mais cette vigueur, ce pouvoir, il ne les accepte en lui qu'en les découvrant au même moment hors de lui, dans les choses. En elles seules il peut s'atteindre. Et bien sûr les choses varieront dans leur grain, leur forme, ou leur arrangement, selon l'être que Rimbaud cherchera à posséder en elles. Ainsi plus tard, aux derniers moments de la *Saison*, voulant se

15. Ce Coppée qu'il parodie, dans l'*Album Zutique*, avec une si inquiétante perfection...

ressaisir comme un individu solide et séparé, il tâchera d'étreindre une réalité rugueuse : dans les *Illuminations* il s'écoute au contraire naître et grandir au cœur d'un réel instable et dynamique, à la fois tranchant et velouté, foisonnant et déchiré, d'une nature en voie de devenir. Ce réel, impossible de comprendre Rimbaud sans tâcher de le rêver avec lui, sans explorer en même temps que lui les lieux, emblèmes ou fantômes de sa propre genèse.

***

Ce sont d'abord les arbres, et de préférence les petits arbres, taillis ou futaies, végétaux qui portent en eux la suggestion d'une santé sans règle ni entrave, et dont l'enchevêtrement feuillu semble protéger en outre on ne sait quelles opérations secrètes. La futaie foisonne et obscurcit; elle déploie en tout sens un instinct d'expression, un désir de lumière, mais elle étend aussi au-dessous d'elle une ombre défendue, un espace interdit, un silence. C'est en elle que se *déclarent* les naissances :

> Puis dans la futaie violette, bourgeonnante,
> Eucharis me dit que c'était le printemps... [16]

Futaie *violette* parce que cette couleur, beaucoup plus que le vert, signale une fécondité en acte. Au premier moment du printemps Rimbaud se précipite « au sein du sillon », pour y cueillir la « doucette et la violette... [17] » Il voudra « expirer en ces violettes humides Dont les aurores chargent les forêts [18] ». Le vert signale un calme, une virginité, une abondance heureuse — « paix des pâtis, paix des rides que l'alchimie imprime aux grands fronts studieux... [19] » Mais le violet est au vert ce que le noir est au rouge : un vert foncé, actualisé, déployé, aussi vibrant, vivant et plein de sève que le taillis lui-même. « Pour Hélène se conjurèrent les sèves ornementales dans les ombres vierges... Pour l'enfance d'Hélène frissonnèrent les fourrés et les ombres... [20] » De cette ivresse violette, et à partir de « l'ombre des futaies mou-

16. P. 167. — 17. P. 137. — 18. P. 129. — 19. P. 103. — 20. P. 196.

vantes », s'élèvent dans *Aube* des ailes, des paroles. Que ces futaies se meuvent un peu plus encore, qu'elles se déplacent vers les espaces libres, qu'elles gagnent sur les chemins, et ce sera le mystère incliné des talus, « qui tiennent dans leur ombre violette les mille rapides ornières de la route humide [21] ». Lieux de transition entre forêts et routes, terrains d'échange et de passage entre le virtuel et l'actuel, entre la vie enclose et la vie déclarée, les talus sont sans doute les endroits où l'on peut le mieux voir germer la métamorphose et circuler la féerie (*Ornières*). Mais ils prolongent seulement le taillis. C'est dans la futaie que tout couve. Toute existence part du sous-bois et revient au sous-bois. Quand, dans l'une des *Illuminations* les plus oniriques, Rimbaud imagine sa chute au plus profond de l'ombre, au cœur de la nuit originelle, il se rêve en train de tomber, de façon à la fois étouffante et délicieuse, dans l'épaisseur du taillis intérieur :

> — Postillon et bêtes de songe reprendront-ils sous les plus suffocantes futaies pour m'enfoncer jusqu'aux yeux dans la source de soie... [22]

Source de soie, source d'être et de vie.

Autre soie, autre végétal-source : l'herbe des prés. Plus délectable, mais plus complexe encore. Car plus rien ne reste en elle de suffocant ni de dissimulé. C'est directement, en plein jour, qu'elle étale sa succulence et son mystère. Dans le taillis la vigueur demeurait enclose, enveloppée, en tout cas virtuelle : mais dans le pré elle frissonne, s'étale, se gonfle, s'élève; elle se manifeste sans masque comme un pur passage d'éléments, comme une libre métamorphose du sol en atmosphère. L'herbe est pour Rimbaud la forme végétale de l'éclosion.

A l'époque des *Poésies* la traduction de cette rêverie demeure encore littérale, extérieure :

> — Il rêvait la prairie amoureuse, où des houles
> Lumineuses, parfums sains, pubescences d'or,
> Font leur remuement calme et prennent leur essor ! [23]

Mais voici que dans les *Illuminations*, ces « prés fous » où « tremble

21. P. 180. — 22. P. 187. — 23. P. 78.

l'argent des pubescences [24] », sont pénétrés et éclairés de l'intérieur par l'activité imaginante. Tantôt alors ils se lient en profondeur à des images d'envol bruissant : c'est dans *Dévotion*, « l'herbe d'été bourdonnante et puante [25] », ou mieux encore, dans *La Chanson de la plus haute tour* « ... la prairie A l'oubli livrée, Grandie, et fleurie D'encens et d'ivraies Au bourdon farouche De cent sales mouches [26] », prairies dominées par une vie violente, et dont l'indiscipline se trahit sous les espèces un peu répugnantes de cette santé végétale : la pourriture. Tantôt l'herbe s'associe aux images d'un dégagement plus brutal, plus crispé, elle se lie à des rêveries de jaillissement métallique ou enflammé : ainsi dans *Mystique* « les herbages d'acier et d'émeraude [27] », « les prés de flamme (qui) bondissent jusqu'au sommet du mamelon ». Tantôt enfin le dégagement herbeux se fait plus souple, plus simple : le « clavecin des prés » s'anime par en dessous « sous la main d'un maître [28] », et les plus délicieuses mélodies matérielles s'exhalent alors de la terre. Le gazon nous apparaît finalement comme un vivant velours, une directe efflorescence du sous-sol, une chevelure [29] de la terre, un fruit et une traduction de la sous-jacence essentielle. Il exprime le dégagement, permet la métamorphose; il constitue le lieu privilégié de toutes « les naissances latentes » : type parfait d'épiderme à la fois fécond et voluptueux.

A l'herbe l'imagination rimbaldienne associe diverses substances cousines, pour composer le tapis magique d'où surgira sa féerie : par exemple la mousse, herbe infinitésimale, duvet végétal, qui regagne sur l'herbe en densité et en spongiosité

24. P. 102. — 25. P. 195. — 26. P. 131. — 27. P. 185. — 28. P. 185. — 29. La chevelure incarne certainement pour Rimbaud une verdeur, une présence vivante. Elle s'associe souvent aux autres expressions sensibles de la profondeur et de la vigueur (cf. plus loin) : yeux, sueurs, etc. En revanche, quand Rimbaud se sent grillé à tous les feux de l'Enfer, et que la source de vie se tarit en lui, il s'écrie : « Je ne suis qu'un bonhomme en bois, *la peau de ma tête se dessèche*... » Et il tâche de se raccrocher à des souvenirs d'enfance qui sont aussi des souvenirs de fécondité liquide : « O mon enfance, mon village, les prés, le lac sur la grève, le clair de lune... », p. 232.

tout ce qu'elle perd sur elle en expressivité et en déploiement. Ou bien encore ces mousses artificielles, et davantage resserrées, affinées, que sont velours, soies, gazes ou satins. Tous ces tissus, dans le grain desquels se concentre la douceur à demi dégagée de l'herbe, ont pour rôle d'incarner le lien charnel d'une surface et d'une profondeur. La soie par exemple marque l'affleurement de la « source de soie »; elle complète, on l'a vu, le rêve de la « futaie profonde ». Et quand Rimbaud évoque dans *Barbare* [30] la « soie des mers arctiques », il imagine de même une tendresse épidermique de l'eau, une surface doucement vivante chargée de faire éclore en elle toute l'ombre immobile des grands fonds; il rêve à une mer-gazon.

Le tapis magique est donc un tissu vivant, ou plutôt un tissu chargé de produire la vie, d'aller la chercher dans toutes les ténèbres matérielles et de la promouvoir au grand jour. Il a pour fin le dégagement aérien d'une existence, et c'est pourquoi l'herbe tremble, frissonne, semble toujours prête à s'envoler. Point de rêverie plus parfaite chez Rimbaud que celle des « pigeons qui tremblent dans la prairie... [31] » Mais la logique végétale transforme le plus souvent cet envol en un épanouissement : à la pointe de l'herbe on voit alors naître une fleur.

On sait l'importance du lyrisme floral chez Rimbaud et la richesse de son florilaire. Mais, si variées qu'elles puissent paraître, ces fleurs n'en comportent pas moins un caractère commun, un trait essentiel : toutes sont des « fleurs magiques [32] », puissantes, mais mal différenciées, presque impersonnelles. Comme le génie était un être de beauté, un *being beautous*, elles sont de purs êtres floraux. Ce qui en elles hallucine Rimbaud, ce n'est pas la couleur, la valeur décorative ou pittoresque : c'est seulement l'anonyme mystère de la floraison, c'est le mouvement de déploiement qui les constitue comme l'ultime métamorphose de la prairie qui les supporte ou de la futaie qui les produit. Métamorphose absolument parfaite, car entre herbe et fleur ne se glisse aucun hiatus, ne se produit aucune déchirure. Dans la fleur, l'apparition de l'*autre* — apparition qui est aussi une ouver-

30. P. 190. — 31. P. 128. — 32. P. 169.

ture, et de par l'écartement des pétales, le jaillissement des corolles, le surgissement des étamines, presque un éclatement, — se produit en une seule poussée continue.

Mais comment épouser *du dedans* cette continuité? S'il est vrai que les aurores chargent les forêts de violettes humides, comment vivre l'exact moment où l'arbre se fait explosion florale, où la forêt devient violette? C'est alors au corps humain, refuge des continuités les plus profondes, que l'imagination rimbaldienne emprunte ses analogies. L'herbe était déjà chevelure, ou plume : voici maintenant que la fleur se mue en une bouche, directement ouverte sur un corps endormi, et chargée d'exprimer, d'excréter le suc le plus intime d'une chair. Ainsi le poète

> Trouve aux abords du Bois qui dort
> Les fleurs, pareilles à des mufles,
> D'où bavent ces pommades d'or...[33]

Baves, pommades, comme les morves et lichens d'azur du *Bateau ivre*, toutes ces excrétions à la fois dégoûtantes et radieuses relèvent de ce choix malheureux de l'ignoble dont on a vu qu'il caractérisait le premier Rimbaud. Reste qu'originellement la fleur est une gueule ouverte au-dessus d'un sommeil végétal; elle entrouvre un écran, signale une frontière : dans *Enfance*, c'est aussi à la lisière d'une forêt que « les fleurs de rêve tintent, éclatent, éclairent[34] » ; la fleur y marque l'éveil de tout un univers étranger.

Et c'est pourquoi Rimbaud rêve aussi son ouverture comme la levée d'une paupière. La fleur alors s'intériorise, elle devient regard. Le « souci d'eau » de *Mémoire*[35], « jaune et chaude paupière », est comme un œil lumineux posé sur un œil plus vaste et plus glauque, l'étang, « œil d'eau sans bords ». Dans la fleur ce n'est plus seulement une vigueur qui s'actualise : c'est une existence qui se creuse, tout un monde intérieur qui s'exprime et qui se recueille. Car les fleurs peuvent regarder, parler, dire leur nom. Elles sont familières, curieuses; elles peuvent même

33. P. 98. — 34. P. 168. — 35. P. 121.

pousser cette curiosité jusqu'à l'indiscrétion ou jusqu'à l'impudeur : Rimbaud n'aime pas les fleurs trop bavardes ou trop ouvertes — « Oh ! les fleurs qui regardaient déjà [36] », dit-il avec regret dans *Après le Déluge*. Il faut bien qu'en elles une vigueur s'épanouisse, mais que serait une vigueur totalement épanouie, une vérité absolument déployée? La vraie fleur est la plus silencieuse, la fleur entrouverte, tout comme l'aube la plus neuve est celle qui a su conserver en elle quelques traces de l'ombre et des prestiges de la nuit.

La fleur parfaite est donc jaillissement et réserve, fraîcheur et impénétrabilité : c'est une fleur qui ressemblerait à une pierre. Car la pierre a pour attribut premier la pudeur; elle est toujours prête à se clore sur soi, ou à s'enfouir dans un sol; ainsi ces pierres précieuses qui se cachent dès le lendemain du Déluge, au moment où le quotidien se réinstalle, alors qu'au contraire « les fleurs regardaient déjà ». Pierre, fleur farouche. Il existe en tout cas chez Rimbaud une étroite parenté du floral et du minéral, qui s'affirme en deux séries de rêveries parallèles : tantôt ce sont les fleurs qui se pétrifient, et cela dans leur partie la plus vivante, leur organe le plus intime, leur sexe végétal; et Rimbaud rêve alors de trouver dans l'épaisseur obscure,

> ... au cœur des noirs filons
> Des fleurs presque pierres, — fameuses —
> Qui vers leurs durs ovaires blonds
> Aient des amygdales gemmeuses... [37]

Étrange rêverie que celle d'un sexe-larynx, d'une féminité-bouche... Tantôt ce sont au contraire les pierres qui se floralisent, et surtout alors les pierres précieuses, auxquelles l'imagination rimbaldienne associe, à cause de leur éclat, les métaux riches et luisants, et à cause de leur transparence, les substances gelées, comme cristal ou glace. Et sans doute Rimbaud reçoit de Baudelaire le goût de ces substances; peut-être même lui emprunte-t-il le mécanisme intime de leurs associations : mais à travers ces choix, ces mariages, c'est quelque chose de très différent qui pour lui se dévoile. Car Baudelaire rêvait surtout bijoux et métaux comme

36. P. 167. — 37. P. 99.

des profondeurs closes ou ouvertes, comme des signes de stérilité ou de fécondité, des chemins, ouverts ou fermés, pour une possible exploration de l'être : mais Rimbaud voit en eux les signes d'un être manifesté, les porteurs d'un épanouissement actuel, les lieux et les moyens d'une création immédiate.

Ces mariages imaginaires permettent de mieux saisir le sens de mainte illumination, et en particulier de l'étrange poème intitulé *Fleurs* [38], qui constitue l'*apothéose florale* de Rimbaud. Le triomphe des fleurs s'y développe en trois mouvements successifs, où la floralité tour à tour se découvre, se consolide, enfin se dépasse et se détruit elle-même.

Dans un décor tout entier composé de substances-mères, « d'objets de douceur », — soies, gazes, velours verts, — ou d'objets d'étrangeté, comme ce cristal en train de noircir au soleil, — et l'on se souvient que le noircissement des teintes indique très souvent chez Rimbaud une imminence de création, un paroxysme latent, — sur un tapis magique où se rencontrent tous les signes habituels, yeux, chevelure, d'une sous-jacence vivante, on assiste d'abord à la simple merveille d'une floraison :

> D'un gradin d'or, — parmi les cordons de soie, les gazes grises, les velours verts et les disques de cristal qui noircissent comme du bronze au soleil, — je vois la digitale s'ouvrir sur un tapis de filigranes d'argent, d'yeux et de chevelures.

Alors, autour de la fleur ouverte, c'est la construction de tout un jeu d'architectures de pierre ou de bois dur : rigoureuses, géométriques, disposées en protection, presque en adoration de ce tendre cœur épanoui. Car cette fleur est maintenant un fruit aquatique, une « rose d'eau » : née d'une fluidité, posée sur une épaisseur liquide. A l'inverse des fleurs aux « amygdales gemmeuses », c'est dans l'intimité de l'édifice floral que s'en recueille la tendresse, et c'est la périphérie qui en concentre toute la dureté. Notons d'ailleurs que cette périphérie reste elle-même féconde et créatrice; sur l'agate extérieure fleurissent des pièces d'or jaune, et « les verges de rubis » alternent avec cette efflorescence herbeuse que sont les « bouquets de satin blanc » :

38. P. 186.

> Des pièces d'or jaune semées sur l'agate, des piliers d'acajou supportant un dôme d'émeraudes, des bouquets de satin blanc et de fines verges de rubis entourent la rose d'eau.

Enfin, en un dernier mouvement, la fleur se multiplie, elle fait éclater sa vigueur, « la foule des jeunes et fortes roses » se tendent vers le ciel et vers la mer :

> Tels qu'un dieu aux énorme yeux bleus et aux formes de neige, la mer et le ciel attirent aux terrasses de marbres la foule des jeunes et fortes roses...

Marbre et neige, ce marbre fondu, laissent subsister jusque dans l'harmonie finale de cette rencontre le souvenir d'un monde où les pierres pouvaient encore s'émouvoir : et c'est d'ailleurs le marbre des terrasses qui *porte* la floraison des roses.

Mais plus surprenant reste le *renversement* ultime du regard, qui fait de *Fleurs* l'un des poèmes les plus efficaces et les plus bouleversants de toutes les *Illuminations*. Car les fleurs, autrefois, étaient elles-mêmes des yeux : leur regard portait une curiosité, il dévoilait une présence. Mais voici qu'au moment de leur apothéose les fleurs n'ont plus besoin de voir : aveugles, elles se dirigent simplement vers un autre regard, elles se dressent vers cette double immensité marine et céleste que Rimbaud rêve comme un double *œil* cosmique, et qui exerce sur l'envol floral une irrésistible attraction. La fleur dès lors n'est plus regard, elle n'est plus même *sous* un regard, elle est *vers* un regard, *pour* un regard. Elle s'élance pour se rejoindre elle-même dans cet anonyme regard bien évidemment issu d'elle. C'est dire que le mystère floral n'est plus celui d'une origine, mais bien celui d'un projet, d'une intention qui s'incarne admirablement dans toute la profondeur concrète du monde, dans le « bleu » des choses. Puisqu'aucune autre conscience humaine n'a pu opérer en Rimbaud le choc premier, aucune rencontre éveiller la métamorphose, — rien de plus solitaire, de plus vide d'échos que son aventure, — il lui faudra bien se jeter en avant de lui-même, prendre pour but sa propre conscience et son propre espoir. Il se fera donc fou pour découvrir dans les choses une *raison* nouvelle, *qui soit aussi la sienne*, et pour se retrouver dans ce qu'il nomme lui-même

« l'inouï ». Aveugle volontaire, toujours à la poursuite de son vrai regard, de son vrai génie [39]. JE qui tente de se faire *autre* en se voyant et s'appelant lui-même par les yeux de l'univers entier.

Hantée de regards, couverte d'ailes ou de corolles, la pierre relève ici d'une minéralité bien impure. Il n'y a pas chez Rimbaud, comme chez un Ponge par exemple, amour de la chose pour elle-même, goût de l'inertie objective; son choix n'est pas celui de l'inanimé; bien au contraire, quand il imagine la matière, il la pénètre toujours de rêveries puissamment animistes; le minéral lui est un végétal gelé, la fleur une pierre fondue. L'étude du lapidaire rimbaldien montre bien que sa géologie recouvre en fait une botanique, que la pierre représente pour lui un *fruit*, un vivant produit de la terre : comme dans la fleur il choisissait surtout de voir la floraison, il imagine dans la pierre les obscures opérations d'une genèse. Il la situe au bout d'un mûrissement de matière; il la voit non point formée de l'extérieur, comme le galet pongien, par l'action d'une série de facteurs physiques, sédimentation, érosion, roulage, mais façonnée du dedans, selon la poussée intérieure d'une humeur chthonienne, durcie et peu à peu crispée à partir d'une boue essentielle, enfin élevée jusqu'à la surface du sol, expulsée à l'air libre. Le galet rimbaldien est un « fils des déluges », tout comme l'homme nervalien un enfant du limon.

Cet enfantement peut prendre des formes très diverses. Il peut être brutal comme une éruption. A partir d'un feu central, dont l'imagination rejoint étrangement celle d'une sorte de sacrifice, de supplice volcanique de la terre, à partir du « cœur

39. C'est bien là le sens de l'illumination intitulée *Conte*. Pour le Prince de cet apologue, massacrer femmes, bêtes ou amis, tuer « tous ceux qui le suivaient », c'est encore un moyen de se délivrer des « communs suffrages » et des « humains élans », de se dégager de tout ce qui le retient dans la perfection des « générosités vulgaires ». Le Prince y poursuit son Génie, un génie d'abord imaginé comme un appel, une *promesse*, la « promesse d'un amour multiple et complice ». Quand il rejoint ce génie, c'est-à-dire quand il s'atteint pleinement lui-même en un moi transfiguré, c'est l'apothéose de la Vigueur, le triomphe de « la santé essentielle ». Triomphe extatique qui, comme dans *Aube*, ne se distingue pas d'une chute ou d'une mort, d'un passage à l'inconscience.

terrestre éternellement carbonisé pour nous », jaillissent dans *Barbare* [40], des brasiers de diamants. Ces diamants, à peine sortis du sol, se mêlent d'ailleurs à d'autres diamants, directement tombés du ciel, aux « rafales de givre », pour composer d'éblouissantes gerbes pierreuses où se marient vertigineusement les éléments sensibles les plus disparates : « les feux à la pluie du vent de diamants... »

Ailleurs, dans les moments de spontanéité heureuse, disparaît cette suggestion que le diamant naît d'une douloureuse brûlure de la terre. Dans *Solde*, Rimbaud chante « les richesses jaillissant à chaque démarche ! Solde de diamants sans contrôle ! [41] » Mais plus souvent encore que la terre enflammée, c'est la terre liquide qui semble porter en elle et enfanter les pierres. On voit les pierres précieuses apparaître à la surface du sol le lendemain d'une pluie ou d'un déluge, dans une boue encore humide ; ou bien elles pointent hors de la terre pour le premier dégel du printemps, dans la mollesse d'un sol fondu. Ainsi des bijoux d'*Enfance* « debout sur le sol gras des bosquets et des jardinets dégelés [42] » ; ces bijoux voisinent d'ailleurs avec ces fruits encore plus surprenants de la fécondité herbeuse et printanière : « enfantes et géantes, superbes *noires* dans la *mousse* vert-de-gris »... Dans les *Fêtes de la faim* elles-mêmes, chant de guerre de la gourmandise minérale, hymne apparent à la sécheresse, — « si j'ai du goût, ce n'est guère que pour la terre et les pierres ! » — ce que Rimbaud poursuit à travers « le roc, le charbon, le fer », et tous les cailloux qu'il brise, c'est l'humidité première dont ils sont évidemment issus. « Fils des déluges », « pains couchés aux vallées grises », les galets tirent leur succulence de la fécondité liquide qui les a portés jusqu'à l'être. Et cela est si vrai qu'il suffit de voir cette fécondité se manifester à nouveau pour que Rimbaud abandonne aussitôt le monde sec des pierres : dans la dernière strophe des *Fêtes de la Faim* la terre se couvre soudain de feuilles, et l'affamé se jette, pour s'y assouvir, dans la fraîcheur d'un sillon entrouvert :

> Sur terre ont paru les feuilles !
> Je vais aux chairs de fruit blettes.
> Au sein du sillon je cueille
> La doucette et la violette...

40. P. 190. — 41. P. 200. — 42. P. 168.

Directe émanation de la terre, tendre produit d'une ombre matérielle, il est normal de voir la *violette* constituer pour la soif de Rimbaud le seul véritable breuvage [43].

Sous les pierres, sous l'herbe, au fond du sillon, dans la sous-jacence invisible de la terre, dans cette obscurité où dorment les oiseaux futurs, il y a donc toujours une humidité qui veille, une fraîcheur, une eau latente. Latence qui tend d'ailleurs à devenir présence : car l'instinct de cette liquidité profonde est de s'élever, de traverser les surfaces du sol, de submerger le monde. L'univers des *Illuminations* est ainsi dominé par la hantise d'une apocalypse inondante, et l'imagination rimbaldienne obsédée par une mythologie du Déluge.

Mais ce Déluge, — et c'est là une des rêveries qui polarisent le plus étrangement le paysage rimbaldien, — vient de la terre, non du ciel, du bas, non du haut. C'est une pluie ascensionnelle, un égouttement montant; « il sourd des prés », on le « relève », il monte avec les étangs et les prairies *(Enfance)*, il atteint de « hauts chemins » *(Ouvriers)* où il laisse jusque dans les pires périodes de sécheresse des flaques d'eau « où vivent de petits poissons »; puis, repoussé par la lumière d'un soleil toujours blême, il redescend; son idée « se rassied », il s'enfonce à nouveau sous terre. Quand, dans *Une Saison en Enfer*, Rimbaud essaie de réagir contre la vérité profonde de ses obsessions et de penser les choses selon les catégories d'une « théologie sérieuse », il affirme, comme pour se convaincre lui-même, que l' « enfer » — le feu — « est

43. Elle est aussi pour lui un aliment de choix, celui qu'il préfère à toutes les autres friandises, vivantes ou végétales, plumeuses ou fleuries, dont regorge le sous-bois :

> Le loup criait *sous les feuilles*
> En crachant les *belles plumes*
> De son repas de volailles :
> Comme lui je me consume.
>
> Les salades, les fruits
> N'attendent que la cueillette;
> *Mais l'araignée de la haie*
> *Ne mange que des violettes.*

certainement en bas, et le ciel en haut » : mais dans les *Illuminations* les positions sont exactement inverses. C'est l'eau, non le feu, qui est en bas, et c'est d'en bas qu'elle part pour laver les souillures des choses et les « vomissures » des hommes, pour occuper l'azur « qui est du noir ». La véritable rédemption n'est pas chez Rimbaud une descente ; elle ne se prépare pas par des génuflexions ou des humiliations ; elle épouse au contraire le mouvement d'un surgissement cosmique. La rêverie du déluge montant soutient donc exactement et nourrit en profondeur le lyrisme, fondamental chez Rimbaud, de l'insurrection, du relèvement humain, du jaillissement floral ou minéral, du bondissement musculaire ; elle est au départ de toutes les imaginations qui situent l'existence dans le mouvement d'une ascension verticale. Elle exalte pleinement la vie dressée.

Dans la *Saison* aussi, le feu « se relève avec son damné » : mais c'est alors un surgissement démoniaque. Car tout comme l'eau baigne les *Illuminations* de sa puissance fécondante, le feu étend sur la *Saison* un désert d'aridité et de souffrance. Feu négatif, destructeur, rêvé dans ses effets plutôt que dans son origine, pouvoir véritablement infernal qui finit par épuiser toute matière, et par provoquer parallèlement dans l'esprit un vide, une absence, « un sommeil bien ivre sur la grève ». Car autour du damné les objets peu à peu disparaissent, et loin de lui s'efface cet univers de choses merveilleuses qui offrait au rêveur des *Illuminations* un milieu favorable où s'atteindre, ou du moins se poursuivre lui-même. Dans la *Saison*, il ne sent plus, ne perçoit plus. « Décidément nous sommes hors du monde. Plus aucun son, mon tact a disparu [44]. » Et du même coup il n'est plus perçu, il n'existe plus : « Là-bas, ne sont-ce pas des âmes honnêtes, qui me veulent du bien ?... Venez... J'ai un oreiller sur la bouche, elles ne m'entendent pas, ce sont des fantômes. Puis, jamais personne ne pense à autrui [45]. » « Au matin, j'avais le regard si perdu et la contenance si morte que ceux que j'ai rencontrés ne m'ont peut-être pas vu [46]. » Le damné de Rimbaud, c'est un homme insensible et un homme invisible, invisible sans doute

44. P. 213. — 45. P. 212. — 46. P. 205.

parce qu'aveugle, privé de son épaisseur intime parce qu'insensible à toute l'épaisseur des choses.

Il est donc normal que toutes les expressions de nostalgie qui se font jour dans la *Saison* renvoient au climat de fraîcheur, à l'état de bonheur végétal et liquide où baignent les *Illuminations.* « Je réclame, je réclame une *goutte* de feu [47]. » « Ah ! l'enfance, l'*herbe*, la *pluie*, le *lac sur les pierres* [48]. » « Ah ! mon château, ma Saxe, mon *bois de saules* [49]. » Dans la *Saison* au contraire l'extérieur se réduit à une monotonie mortelle, au contact de laquelle aucune profondeur humaine ne risque de s'émouvoir :

> Du même désert, à la même nuit, toujours mes yeux las se réveillent à l'étoile d'argent, toujours sans que s'émeuvent les Rois de la vie, les trois mages, le cœur, l'âme, l'esprit...

Alors que le mythe de la naissance pénètre et dynamise tout l'univers des *Illuminations*, il n'est point, on le voit, de nativité possible dans l'enfer de Rimbaud. Et tout le malheur du damné, à bien y réfléchir, tient sans doute à cette stérilité, cette solitude, cette séparation d'avec les choses qui le vouent à un soliloque tragique et sans issue. Au lieu de se poursuivre continûment dans la substance d'une matière toute poreuse au rêve, la chasse spirituelle s'enferme en elle-même, se traduit en une série de secousses, d'allers et de retours, d'élans et de reprises, de prières et de railleries d'où ne se dégage aucune progression intérieure. Le rythme de la *Saison en Enfer* est celui d'un trépignement immobile, d'une frénésie ressassante et toujours en lutte contre elle-même. Rimbaud y a la démarche d'un animal harcelé : « au dernier moment, j'attaquerai à droite, à gauche... » Si règnent ici contestation et déchirure, c'est que la recherche de soi s'y est à l'excès intériorisée, moralisée. Désormais coupé des choses, plein de méfiance à l'égard de la sensation, Rimbaud s'y retrouve seul avec lui-même et avec les images abstraites de son passé. Il s'y livre sans défense à l'histoire, à la morale ou à la théologie, à ces pâles fantômes de lui-même que sont Jésus, Dieu ou Satan, les ancêtres gaulois ou bien la Vierge Folle, représentants de ce monde lointain des hommes et des dieux qu'il n'a jamais vraiment connu

47. P. 214. — 48. P. 212. — 49. P. 213.

que par ouï-dire ou que par nostalgie. A défaut de pouvoir être le poème de la relation, *Une saison en Enfer* réussit alors à être le tragique poème de l'absence : absence des autres, absence des choses, absence de soi. La vraie vie y est pathétiquement absente, alors qu'elle est, ou plutôt qu'elle devient si merveilleusement présente dans chacune des *Illuminations*. C'est que le feu est passé par là, qu'il a tout consumé. L'enfer rimbaldien, ce n'est peut-être qu'un vide sensible, une terre brûlée.

Le Paradis rimbaldien, c'est au contraire l'amitié naturelle, le monde humecté, la terre éponge. Et l'on comprend alors pourquoi Rimbaud est à ce point sensible à toutes les formes d'affleurement liquide, pourquoi il aime si particulièrement les substances, — boues, mousses ou gazon, — qui puissent s'imbiber de l'eau profonde et la transporter à travers elles jusqu'au jour. C'est la porosité qui permet l'éclosion. « Le *clair* déluge qui *sourd* des prés » rejoint dans son imagination les « *molles éruptions* d'Etnas », les « crevasses de fleurs et d'eaux des glaciers [50] », — ou encore cette vision troublante d'un « nid de bêtes blanches » éclos dans l'humidité entrouverte d'une « fondrière [51] ».

Mais c'est encore la *goutte* qui incarne avec le plus de bonheur ce rêve d'avènement liquide : pleinement satisfaisante parce que formant dès sa naissance un tout, un microcosme, un petit monde clos et cependant épanoui. A moitié pierre, à moitié fleur, et surtout quand elle se recueille à la pointe d'un brin d'herbe. Former des gouttes, les faire s'égoutter, ce sera la fonction primordiale du pré, une fonction qui peut donner lieu aux plus stupéfiantes genèses, celle par exemple dans *Soir Historique* de tout un monde artificiel, de la « comédie » qui « *goutte* sur les tréteaux de gazon [52] ». Toute naissance un peu miraculeuse sera ainsi rêvée comme un émergement liquide; tout objet *né* d'un autre objet, ou délicatement posé sur une surface étrangère, apparaîtra comme un égouttement de matière ou de chair :

> L'étoile a *pleuré rose* au cœur de tes oreilles...
> La mer a *perlé rousse* à tes mammes vermeilles,
> Et l'Homme *saigné noir* à ton flanc souverain [53].

50. P. 191. — 51. P. 169. — 52. P. 192. — 53. P. 104.

Pleurs, sang, lait, ailleurs sueur : ce sont des liquides intimes, des humeurs qui trahissent une épaisseur biologique. Ils sont au corps ce que la goutte est à la terre. Ils peuvent d'ailleurs jaillir directement de la terre elle-même, et la montée des larmes se mêle alors au surgissement des déluges pour inonder physiquement le monde dans le flot d'une tristesse insupportablement humaine : « Eaux et tristesses, montez et relevez les Déluges [54] ! » Faites de votre mélancolie un remède à la mélancolie, utilisez vos pleurs comme un moyen de vous sauver et de vous perdre dans cette « haute mer faite d'une éternité de chaudes larmes [55] ». Quant au sang, — et l'on devine toute la charge érotique de ce sang noir ou vert, — il s'identifiait, dès les premiers poèmes, à l'égouttement d'une sève :

> Quand tout le bois frissonnant *saigne*
> Muet d'amour
> De chaque branche, gouttes vertes,
> Des bourgeons clairs,
> On sent dans les choses ouvertes
> Frémir des chairs... [56]

L'expression reste encore banale, la rêverie extérieure. Mais ces vers nous sont pourtant infiniment précieux en ce qu'ils nous permettent de saisir le projet originel du désir chez Rimbaud : transformer la terre en un vaste « corps amoureux », ouvrir les choses pour provoquer en elles le frisson et l'éveil d'une chair, pour y faire apparaître un nouvel être.

C'est l'évocation d'un paysage ainsi sensibilisé que développe, dans une étonnante richesse d'associations imaginaires, l'illumination intitulée *Barbare* [57]. Paysage que Rimbaud tâche bien en effet d'*évoquer*, de susciter, car il n'existe pas encore. Tout s'y déroule *entre* deux mondes, dans la suspension d'un vide sensible : loin de l'univers ancien, — et cet éloignement ne se maintient qu'au prix d'une tension difficile, — mais à distance aussi d'une harmonie non encore créée. A mi-chemin entre « les voix anciennes » et la nouvelle « douceur ». Tout l'effort de l'imagination rimbaldienne consiste alors à refuser le passé et à se tendre vers l'immi-

54. P. 167. — 55. P. 169. — 56. P. 56. — 57. P. 190.

nence, à solliciter tous les présages, si obscurs soient-ils, de la Vigueur future. Ces signes peuvent bien apparaître au premier regard absurdes, incohérents, bizarrement associés les uns aux autres : nous savons maintenant reconnaître en eux les expressions parentes d'une même obsession. Quoi de surprenant à voir le rouge d'un drapeau saigner sur la surface soyeuse d'une mer et se métamorphoser en viande, puisque Rimbaud rêve cette soie elle-même comme une chair humide et fleurie? Pourquoi ne pas accepter de voir se marier écumes et brasiers, ces mousses de l'eau et ces mousses du feu? Quant aux diamants et aux givres, ne sont-ils pas des cristaux, de terre et d'eau?

Enfin le dernier mouvement de *Barbare*, qui débute par un appel extatique à cette existence idéale non encore existante, « O Douceurs, ô monde, ô musique », parvient à rassembler sur la surface d'une eau-mère, et dans la fécondité d'un chaud désordre flottant, la plupart des objets, organes ou substances où s'incarne d'ordinaire le mythe rimbaldien de la genèse : « là les formes, les *sueurs*, les *chevelures* et les *yeux*, flottant. Et les *larmes* blanches, bouillantes, ô douceurs ». — A tous ces signes s'ajoute la mystérieuse « voix féminine arrivée au fond des volcans et des grottes », une voix descendue au fond même de l'obscur abîme où dorment nuit, oiseaux, vigueur, et où le moi futur est encore exilé. Si cette voix nous semble si émouvante, c'est qu'elle constitue un signe, — et l'on sait combien dans les *Illuminations* ces signes peuvent être rares, — d'une directe intervention d'autrui dans l'aventure rimbaldienne : elle incarne la nostalgie d'un éveil par les autres, elle évoque la possibilité d'une métamorphose qui serait due à une influence amoureuse. Mais cette voix bientôt s'efface; elle a touché le fond de l'être sans vraiment l'émouvoir ni lui arracher un nouvel être. Tout se situe donc à nouveau dans le futur, dans l'espérance, et l'illumination s'achève sur l'image reprise du drapeau rouge prophétique.

Le charme unique de *Barbare*, c'est qu'une douceur s'y rende presque physiquement sensible sans y être pourtant existante. La barbarie rimbaldienne est une gourmandise de l'irréel : mais elle est en même temps une tension pour réaliser cet irréel, et cette tension, finalement insatisfaite, engendre à son tour un malaise. Car nous sommes « bien après les jours, et les saisons, et les êtres et les pays », mais nous n'avons pas encore abordé aux autres rives : nous sommes en dehors du temps, mais non encore dans l'éternité; nous vivons dans une sorte d'intemporalité provisoire. Et les choses elles-mêmes peuvent bien résonner sous l'écho esquissé d'une harmonie nouvelle — *ô Douceurs, ô monde, ô musique!* — : cet essai d'atteindre à un autre monde aboutit en fin de compte à détruire l'ordre ancien, à remplacer la convention par une fiction, — « *elles n'existent pas* » — et par une incohérence. Dans le chavirement général des apparences, « le virement des gouffres et le choc des glaçons aux astres », tout se cogne à tout, sans vraiment se réunir ni se recomposer. Aucun espace humain ne sort de ces naufrages; ce ne sont pas là les « plans magiques » auxquels rêve Rimbaud, et sur lesquels « se rencontrent lunes et comètes, mers et fables [58] ». Le chaos barbare reste figé dans une discontinuité pathétique : l'avenir y demeure enfermé dans ses limbes.

C'est que l'accomplissement de cet avenir et l'avènement à une vie changée se lient sans doute au rétablissement d'une certaine continuité sensible. La réalité nouvelle ne pourra se constituer que dans l'unité d'une seule nappe matérielle. Il faudra donc dépasser le geste de la destruction, le moment du chaos et du chavirement, et recréer au cœur de la fragmentation des éléments de cohésion concrète : bref retrouver le sens d'un certain *tissu* des choses.

Pour cela Rimbaud pourra utiliser diverses forces liantes : celles par exemple que lui proposent le ruissellement des liquides ou la vaporisation des herbes. Une certaine perméabilité cosmique corrige en effet la discontinuité barbare : l'*arc-en-ciel* symbolise cette réunion spongieuse de l'univers. Ainsi dans la vision suivante où tous les éléments du paysage se traversent et s'entrepénètrent en une sorte de gloire poreuse :

> ... la fille à lèvre d'orange, les genoux croisés dans le clair déluge qui sourd des prés, nudité qu'ombrent, traversent et habillent les arcs-en-ciel, la flore, la mer... [59]

58. P. 170. — 59. P. 168.

Mélange merveilleusement aisé, où se dévoilent les parentés les plus inattendues, tous les dons immédiats d'un *âge d'or :*

> Reconnais ce tour
> Si gai, si facile,
> Ce n'est qu'onde, flore,
> Et c'est ta famille... [60]

Ailleurs Rimbaud refuse ce *tour*, cette familiarité. « La voix angélique » qui dans *Age d'or* « vertement s'explique », et découvre à Rimbaud la simplicité des alliances naturelles, lui conseille aussi de vivre et de laisser « au feu l'obscure infortune ». Mais pour échapper à cette infortune, Rimbaud pourra tout aussi bien l'exaspérer, et s'abandonner entièrement à la puissance dissolvante du feu. Il demandera au soleil, « œil de feu », d'assécher toute l'humidité terrestre, et de faire éclater les différents objets du monde. Il l'implorera dans *Alchimie du Verbe* de désagréger les choses et de réduire le divers à l'unité d'une même pulvérulence :

> Général, s'il reste un vieux canon sur tes remparts en ruines, *bombarde-nous avec des blocs de terre sèche*. Aux glaces des magasins splendides! dans les salons! Fais manger sa poussière à la ville. Oxyde les gargouilles. Emplis les boudoirs de poudre de rubis brûlante... [61]

A l'échelle moléculaire, au dernier degré du déchirement intime, le monde retrouvera une vraie cohérence : de cette matière écrasée, ravalée, les cœurs pourront « s'éprendre ». Objet, sujet, tout s'y rejoint et s'y épouse dans l'homogène. Car la poussière met la conscience à égalité avec les choses; le moi y brille, y vit et meurt dans l'éclat d'une substance indéfiniment réduite : « Je vécus, étincelle d'or de la lumière *nature* [62]. »

Les extases rimbaldiennes les plus complètes, celles qui lui ouvrent véritablement les portes de ce qu'il nomme lui-même *éternité*, conjuguent toutes ces formes de fusion objective. Ainsi dans *Bannières de Mai*, « l'azur et l'onde communient », mais on peut aussi être blessé par un rayon de soleil et aller « mourir sur la mousse [63] », sur le tapis magique : triple mort par l'air, par l'eau et par le feu.

60. P. 133. — 61. P. 221. — 62. P. 222. — 63. P. 130.

Surtout, si le court poème *L'éternité* constitue un sommet, poétique et vécu, de l'aventure rimbaldienne, c'est parce qu'il reprend et satisfait, dans la pureté d'une seule résolution harmonique, toutes les tentations contradictoires dans lesquelles Rimbaud a jusque-là vécu. Il débute par une merveilleuse définition de la vie changée et réunie à elle-même, « de cette vie éternelle, non écrite, non chantée, — quelque chose comme la Providence *(les lois du monde un)* », que Rimbaud évoque maladroitement dans les brouillons de *L'Alchimie* :

> ... L'Éternité
> C'est la mer allée
> Avec le soleil...

Allée avec, et non pas simplement *mêlée à*, comme il est écrit dans *l'Alchimie*. L'union des deux extrêmes sensibles, eau et feu, ne se sépare pas du mouvement qui les attire l'un *vers* l'autre, et qui les pousse en même temps, l'un *avec* l'autre vers un autre espace et vers un autre temps, vers une nouvelle substance, une et ambiguë, une *eau de feu*. Comprenons bien le caractère purement intérieur de ce mouvement; tout se passe ici dans l'esprit; cette union n'est elle-même qu'une pensée, que « l'aveu » d'une conscience poussée jusqu'à la pointe d'elle-même, « étincelle d'or », « âme sentinelle » :

> Ame sentinelle
> Murmure l'aveu
> De la nuit si nulle
> Et du jour en feu.

Nulle, la nuit, puisque pleinement accomplie, vidée de sa promesse, accouchée de ses oiseaux, de sa vigueur. Devenue actuelle, celle-ci peut emplir de son feu la totalité du monde. Puis c'est la description du *dégagement* rêvé, de l'envol idéal :

> Des humains suffrages
> Des communs élans
> Là tu te dégages
> Et voles selon.

Selon... Cette préposition privée de complément et comme suspendue dans le vide même de son envol, posera plus tard, une fois l'extase retombée, un très grave problème : selon quoi cet envol s'opère-t-il, à quelle règle obéit-il? Mais, dans l'*éternité*, une telle question serait absurde, car l'élan ne s'y situe pas dans le développement temporel d'une action qui aurait à s'inventer en cours de route ses critères, il ne s'identifie pas au mouvement d'une liberté qui devrait se créer sa propre loi. Il se place d'emblée dans un présent éternel; l'envol commence, culmine, s'achève en un même moment : il est un bondissement à la fois fulgurant et immobile, une « possession immédiate et éternelle ». Inutile alors de passer par l'espérance religieuse (« Là pas d'espérance, nul orietur »), ni par la patience du savant (« Science avec patience, le supplice est sûr »). Le but est atteint dans l'instant même où il est conçu, (« sans qu'on dise enfin »), et l'image de l'action juste se dégage d'elle-même, sans aucune ambiguïté, du spectacle de cette unité glorieuse. L'éclat soyeux de cette flamme est une image non équivoque du devoir :

Puisque de vous seules
Braises de satin,
Le devoir s'exhale
Sans qu'on dise : enfin.

Rien désormais ne manque plus à Rimbaud : son dégagement lui a redonné un « *monde un* », un sens de la globalité des choses; par lui il atteint à un *totum simul* sensible. D'un autre côté, et paradoxalement, son affranchissement lui a permis de découvrir la règle qui lui manquait. Des braises de satin, c'est en fin de compte un devoir qui s'exhale. La seule vraie morale de Rimbaud, c'est celle qui réconcilie le feu, la soie, l'instant, l'éternité.

« Après ces nobles minutes vint stupidité complète [64]. » Après l'extase, l'abrutissement, la chute. Comme l'expérience baudelairienne des *Paradis Artificiels*, la possession extatique de l'*éternité* s'achève chez Rimbaud en une retombée, en un échec. Ainsi,

64. P. 234.

dans *Matinée d'Ivresse* [65], le fumeur d'opium avait cru toucher « à l'œuvre inouïe », « au corps merveilleux »; il avait cru vaincre le temps. Mais voici que la « fanfare tourne », que le temps recommence à couler, et que l'unité mystique du monde, le *totum simul* un instant possédé, s'éparpille à nouveau en mille petites réalités distinctes : « Cela finit — ne pouvant nous saisir sur-le-champ de cette éternité — par une débandade de parfums. » Débandade, c'est-à-dire à la fois déroute, fuite, dispersion. Le « monde un » un moment entrevu se défait en une multiplicité vertigineuse.

Échec par conséquent, mais non désastre. D'abord parce que la rupture de l'unité extatique n'entraîne pas chez Rimbaud, comme chez Baudelaire, un renversement des signes, parce qu'elle ne provoque pas un brusque passage de l'être au néant. Chez ceux qui l'ont vécue, l'extase interrompue ne se prolonge pas en amertume; elle laisse au contraire subsister derrière elle des traces positives, et comme une obscure mémoire corporelle. « Ce poison va rester dans nos veines même quand, la fanfare tournant, nous serons rendus à l'ancienne inharmonie. » Ce poison, qui est une rémanence et presque un souvenir, s'installe dans l'épaisseur du corps avec une assurance, une obstination qui font aussi de lui une promesse. Car ce qui a été perdu peut toujours être retrouvé. Cette éternité que, faute de préparation ou d'agilité spirituelle, nous avons laissé s'éparpiller entre nos mains, nous pouvons essayer de la *réunir* à nouveau :

> O maintenant nous si digne de ces tortures ! *rassemblons fervemment cette promesse surhumaine* faite à notre corps et à notre âme créés : cette promesse, cette démence ! L'élégance, la science, la violence !

Et pour que cette violence ressaisisse les choses et les recompose en une seule gerbe, il suffit peut-être que nous acceptions, à chaque minute de notre vie, de sacrifier cette vie, ou du moins que nous soyons prêts à abandonner tout ce qui en elle marque une différence, nous distingue, et nous fait exister comme des individus particuliers :

> Que par toi beaucoup, ô Nature,
> — Ah moins seul et moins nul ! — je meure [66]

65. P. 176. — 66. P. 130.

Et que cette mort soit une acceptation des vicissitudes du temps : « Je veux bien que les saisons m'usent. » Alors peut-être l'éternité nous sera rendue; mais pas avant que, contre la totalité sensible désirée, nous ne donnions, et toutes les fois qu'il le faudra, la totalité de ce que nous sommes. Désormais, chante Rimbaud à la fin de *Matinée d'Ivresse*, « nous savons donner notre vie tout entière tous les jours ».

Mais il y a mieux encore : non seulement la retombée de l'éternité peut se vivre comme la promesse d'un retour à l'éternité, — promesse qui devra s'exploiter en toute une ascèse temporelle, — mais l'état qui succède à cette chute n'est pas exactement l'état antécédent, « l'ancienne inharmonie ». Le passage au *monde un* a de toute façon détruit l'architecture de l'ancien monde et libéré les choses, même si cette unité doit ensuite dégénérer en une multiplicité retombante. Cette multiplicité nouvelle ne ressemble en effet en rien à l'absurde diversité d'autrefois : elle aussi relève de l'inconnu, et appartient d'une certaine manière à l' « inouï ». Le Baudelaire de la *Chambre Double*, une fois chassé de son extase, retrouvait, huissiers ou concubines, toutes les « trivialités de (sa) vie »; s'il abandonnait les nuages, c'était pour retomber dans la triste soupe quotidienne. Mais Rimbaud ne retombe pas. La plupart du temps [67] il ne retrouve pas l'état premier d'où il était parti : il poursuit simplement dans l'univers du nombre, du temps et de la différence, la même tentative d'expression totale qui avait culminé dans l'expérience unifiante de l'éternel.

Lieux, moments, existences vont donc être rendus à une liberté merveilleuse, le réel se faire l'espace même du possible, les sensa-

67. Il faudrait ici nuancer. Un poème comme *Après le Déluge* doit s'interpréter comme un retour à l'état ancien : une ancienneté pourtant lavée, et comme recouverte d'un vernis d'innocence. Mais *Alchimie du Verbe*, complété par ses brouillons, nous est un témoignage plus essentiel, en raison même de son caractère voulu et testamentaire. C'est toute l'expérience de Rimbaud qui nous y est racontée au moment où Rimbaud renonce à cette expérience. Et l'*Alchimie* met très nettement en évidence le passage de l'unité (*l'Éternité*) à une multitiplicité neuve (« *tous les sophismes de la folie* »).

tions se multiplier, et tout glisser à la métamorphose. Rimbaud se vante « de lever toutes les impressions possibles [68] », « de posséder tous les paysages possibles [69] ». Il s'imagine à la fois saint, savant, piéton de la grand'route, enfant abandonné; il aime dans la comédie l'infinie substitution des masques et des personnages. En un étonnant vertige temporel il recompose, épouse les destins. « Devant plusieurs hommes [70] », il « cause tout haut avec un moment de leurs autres vies » : « Le monsieur ne sait ce qu'il fait, il est un ange, cette famille est une nichée de chiens ». Le temps foisonne, l'espace prolifère. Et la conscience apparaît comme le carrefour où se croisent ces vies multipliées, le lieu où tous les possibles éveillés se rencontrent et se télescopent. Le jeu de ces rencontres, la gamme de ces combinaisons sont bien entendu infinis. Tout se multiplie partout, et donne tout. « Le rêve intense et rapide de groupes sentimentaux avec des êtres de *tous* les caractères parmi *toutes* les apparences » aboutit à prodigieusement diversifier le monde, à faire du moi « un opéra fabuleux ».

Tel est le *bonheur* rimbaldien, qui ne se situe pas, on le voit, sur le même plan que la *joie*, « bouffonne et égarée », d'*Éternité*. De l'une à l'autre il y a retombée, diminution d'être. Car le bonheur se découvre dans le temps, dans la multiplicité et l'indétermination des choses, — (« O saisons, ô châteaux ») — et toujours il s'enveloppe d'une certaine nostalgie; il porte en lui la conscience d'un manque spirituel, peut-être aussi le souvenir d'une exaltation plus pleine (« quelle âme est sans défaut?... ») Il est « magique », en ce qu'il met Rimbaud en possession d'un monde sans loi, fixité, ni limite, d'un univers où l'on n'a plus besoin de vouloir ni de s'efforcer puisque tout y est instantanément réalisé (« Mais je n'aurai plus d'envie, il s'est chargé de ma vie »). — A cette vie désormais irresponsable il procure la jouissance d'une infinie plasticité sensible, il assure une invention toujours renouvelée. Il nourrit une légèreté d'imagination et de démarche qui réussit à susciter les plus incroyables alliances. Mais cette souplesse n'est pas sans ambiguïté ni sans danger; elle se distingue mal d'une magie éparpillante :

68. P. 235. — 69. P. 218. — 70. P. 223.

Ce charme ! Il prit âme et corps
Et dispersa tous efforts...

Il ne saisit même âme et corps que *pour* les disperser. Car il rassemble, mais dissout; il rend les choses transparentes, mais instables. Si rapide, si impatient qu'il volatilise les mots eux-mêmes :

Que comprendre à ma parole ?
Il fait qu'elle fuit et vole !

Et il est vrai que la richesse même de l'imagination engendre chez Rimbaud un laconisme, une rapidité mortelle à tout langage. A l'inverse de Verlaine qui s'efforçait de toujours davantage effilocher et appauvrir sa sensation afin, littéralement, de ne plus rien avoir à dire, c'est l'excès du bonheur sensible qui risque ici de provoquer une poésie du silence.

On connaît la conclusion de l'aventure : ce bonheur, Rimbaud finira par le refuser. Il lui reprochera de l' « énerver », de rendre la « vie trop immense [71] ». Il l'accusera d'empêcher cette concentration d'énergie sans laquelle ne saurait se réaliser aucune expérience, mystique ou poétique, ni même aucune action pratique. Car dans la perspective éparpillante du bonheur « l'action n'est pas la vie, mais une façon de gâcher quelque force, un énervement », une crispation; elle appauvrit la vie, puisqu'elle ne peut jamais réaliser qu'un seul de ses possibles. Action, point du monde. Et Rimbaud peut bien alors triompher, dans *Génie:* « O fécondité de l'esprit et immensité de l'univers [72] », mais toute la morale d'*Alchimie du Verbe* revient à démontrer comment cette fécondité s'égare à la limite dans cette immensité, comment l'homme aux semelles de vent finit par se découvrir incapable de simplement poser les pieds sur terre. Au Rimbaud qui écrit *Une Saison en Enfer*, l'ivresse du possible paraît seulement engendrer la folie. Déjà « damné par l'arc-en-ciel », cette première fusion sensible, Rimbaud condamne alors le bonheur comme « sa fatalité, son remords, son ver ». Reniant à la fois l'éternité et le merveilleux, la magie unifiante et la magie multipliante, il s'efforce de res-

71. P. 235. — 72. P. 198.

saisir la solidité ancienne, et d'« armer » ces puissances rassurantes qu'il nomme « force et beauté ». Il lui faut un espoir fixe, une vie enracinée, encadrée, qui soit comme un refus opposé à l'envol et à la métamorphose. Il lui faut aussi une durée linéaire, un temps unidimensionnel. Renonçant à la « possession immédiate » ou au vertige « des autres vies », il « s'arme d'une ardente patience [73] ». Rimbaud repousse en somme loin de lui la tentation de la totalité cosmique pour retrouver sa propre identité. Il a créé « *toutes* les fêtes, *tous* les triomphes, *tous* les drames »; maintenant il veut « posséder la vérité dans *une* âme et *un* corps [74] ».

II

Ce dénouement ne peut s'expliquer que mis en rapport avec une origine. Pour comprendre le renoncement de Rimbaud, il faut avoir exactement saisi quel était son projet, et pourquoi ce projet n'a pas été rempli. Car si la poésie lui apparaît finalement comme une activité d'échec, c'est pour avoir commencé par lui être une activité d'exploration et de conquête : une *entreprise*, conduite selon certains plans très précis. Son ambition en effet n'a rien de vague; dès le début il sait où il veut aller. Au lieu de tant épiloguer sur sa retraite, il vaudrait mieux par conséquent s'interroger sur ses buts, son intention première, et se demander si cette intention n'était pas dès le départ contradictoire, si elle ne contenait pas en elle la logique d'un inévitable échec.

A relire ses textes théoriques, on relève chez lui deux ordres d'ambitions qui restent longtemps confondus ou parallèles, mais qui peuvent aussi diverger et entrer en conflit. Rimbaud y manifeste d'abord, et c'est son projet le plus évident, le plus communément commenté, un désir de renouvellement total : il veut y faire éclater la littérature et la société anciennes, il veut bondir dans l'*inconnu*, l'*inouï*, il s'entraîne à la voyance. Mais cet inconnu,

73. P. 230. — 74. P. 230.

Rimbaud peut-il vraiment affirmer qu'il ne le *connaît* pas déjà? Cherche-t-il sans savoir ce qu'il trouvera? Il semble au contraire qu'avant même le départ de l'aventure il se faisait une idée très nette de son aboutissement. Le ton de ses déclarations évoque moins un Rimbaud voyant qu'un Rimbaud prophète :

> Cet avenir sera matérialiste, vous le voyez. Toujours pleins du *Nombre* et de l'*Harmonie* ces poèmes seront faits pour rester. Au fond ce serait encore un peu la poésie grecque... [75]

Rimbaud vient de définir la poésie grecque comme un chant qui rythme la spontanéité d'une vie harmonieuse. La seule différence entre la poésie grecque et la poésie moderne tiendrait à un certain décalage du chant et de l'action : l'harmonie ne se situerait plus dans l'actualité du geste humain, mais elle s'élèverait hors de lui, dans son avenir, le préfigurant, l'informant à distance. « La poésie ne rythmera plus l'action, elle sera *en avant.* » Or c'est justement, on l'a vu, vers cet en-avant, ce lui-même futur et lointain que ses rêveries les plus profondes projettent toujours Rimbaud. Voici maintenant que cet avenir prend figure : il se veut libre, mais rythmique; et le moi voué à le connaître et à le vivre se proclame d'avance harmonie pure.

Telle est bien la deuxième exigence rimbaldienne : c'est toujours une certaine harmonie, encore inexistante, que Rimbaud vise à rejoindre et à faire exister. S'il aspire à créer du neuf, il veut trouver dans cette nouveauté les indices d'un certain accord matériel. Il peut accepter momentanément le désordre : « Si ce que le poète rapporte de là-bas a forme, il donne forme; si c'est informe, il donne l'informe [76]. » Mais cet informe n'est bien évidemment pour lui qu'un pis-aller, qu'une expression provisoire. Vu *d'ici*, *là-bas* peut apparaître absurde. Mais tout l'effort poétique consiste justement à passer d'ici à là-bas, à faire naître l'un à partir de l'autre. Pour dépasser l'informe, il suffira donc de « trouver une langue », d'inventer un « langage universel » capable à la fois de décrire le neuf et de lui découvrir une structure. D'un côté « le poète définirait la quantité d'*inconnu s'éveillant*

75. P. 256. — 76. P. 255.

en son temps dans l'âme universelle », mais de l'autre il donnerait « la *formule* de sa pensée », « l'*annotation* de sa marche au Progrès ». Il serait une « énormité devenant norme [77] », une anarchie légiférante.

Pour Rimbaud point d'univers vrai qui ne montre ainsi ses lois, ses critères. Si notre monde est haïssable, c'est surtout parce qu'il dissimule, n'ose pas s'avouer, cache ses vrais principes. Or Rimbaud a toujours besoin de savoir à quoi s'en tenir, et selon quelles règles mesurer, juger, aimer. Le monde de demain sera donc sans équivoque : pour loi, il aura l'amour, « mesure parfaite et réinventée », « raison merveilleuse et imprévue », et pour milieu l'éternité, durée sans ambiguïté ni contingence, « machine aimée des qualités fatales ». Tout y sera réglé par le déploiement d'une seule perfection rythmique. « Tu te mettras à ce travail : toutes les possibilités harmoniques et architecturales s'émouvront autour de ton siège. » Dans ce concert aucune fausse note, aucun cri discordant; et même aucune expression individuelle, aucun solo. « Les voix futures » constitueront un ensemble sonore, un chœur puissant et cohérent. Ce sera « l'éveil fraternel de toutes les énergies chorales et orchestrales et leurs applications instantanées; l'occasion unique de dégager nos sens ! [78] ». L'individuel, la diversité n'y existeront plus. Les voix particulières, les sons séparés y seront supprimés ou dépassés dans une même unité vibrante, unité justement de « l'énormité devenant norme, *absorbée par tous* » et transformée par là en un facteur de communion humaine, « un *multiplicateur de progrès* ». L'avènement du nouveau monde sera donc marqué par un passage du pluriel au singulier qui sera aussi et paradoxalement, un passage de l'individuel au collectif. Si puissante en effet la *Raison* de demain, qu' « un coup de (son) doigt sur le tambour décharge *tous les sons* et commence la *nouvelle harmonie* [79] ».

Rimbaud veut donc à la fois le jaillissement et l'architecture, l'harmonie et la liberté. Mieux : il réclame ce double accomplissement à la poussée d'une seule force, d'une unique Vigueur. Il exige de la destruction qu'elle construise, de l'éclatement qu'il

77. P. 256. — 78. P. 200. — 79. P. 175.

réunisse. Et cela, il le veut dans l'unité d'un seul instant, dans le paradoxe d'*un seul coup de doigt.* C'est ce paradoxe que s'efforce de vivre jusqu'au bout la poésie rimbaldienne. C'est lui peut-être qui explique l'échec de son aventure; c'est lui en tout cas qui éclaire les contradictions de son paysage. Car toute genèse, même rêvée dans une trame végétale ou charnelle, entraîne à un certain moment un saut, une rupture. L'harmonie vit au contraire de continuité : ou du moins elle a besoin de ces continuités lointaines que sont l'écho, la symétrie, le reflet, l'allusion ou la correspondance. Elle recherche au-dessus du divers une forme d'unité globale. Mais la genèse rimbaldienne, envol, jaillissement, explosion ou poussée végétale, a précisément pour projet de diversifier le monde, et de disperser mille petites libertés irrépressibles à la conquête d'un monde absolument ouvert. Il faut donc nous tourner à nouveau vers les choses, et regarder comment elles supportent cette contradiction : comment ce monde en pleine genèse essaie aussi de se créer une architecture, ou du moins comment il essaie de se découvrir quelques coordonnées, quelques points cardinaux. Il faut nous demander en somme s'il existe un *paysage* rimbaldien.

***

Initialement, on l'a vu, la création rimbaldienne revêt la forme d'un jet ascensionnel; elle se propose de vivifier la ligne d'une verticalité, et d'atteindre à un certain état de culmination glorieuse. Tout y commence par un soulèvement d'être, — « l'œuvre dévorante qui se rassemble et remonte dans les masses [80] », « la levée des nouveaux hommes et leur en-marche [81] »; et tout s'y continue par une longue marche montante : piéton obstiné, Rimbaud s'élève parmi les choses, « sur la jetée partie à la haute mer », ou sur « l'allée dont le front touche le ciel [82] ». Enfin cette marche ascensionnelle s'achève par la possession et la jouissance d'une hauteur sensible; le piéton touche le ciel lui-même, débouche dans la haute mer. Dans *Aube*, après avoir poursuivi la « déesse »

80. P. 199. — 81. P. 175. — 82. P. 170.

sur la cime des sapins, à travers les clochers et les dômes, l'enfant finit par la rattraper « en haut de la route, près d'un bois de lauriers »; il sent « un peu son immense corps ». Le désir a suscité, projeté en avant de lui, puis poursuit et rejoint une réalité en laquelle il s'incarne et se perd aussitôt. Le bondissement matinal de l'enfant s'achève en une aube charnelle, et cette rencontre fixe le paysage tout autour d'un zénith glorieux.

Mais aussitôt se produit la catastrophe : « l'aube et l'enfant tombèrent au bas du bois ». Très souvent chez Rimbaud la verticalité ascendante se trouve ainsi combattue et niée par un mouvement opposé, une poussée venue du haut, dirigée vers le bas, et qui semble avoir pour rôle d'humilier le bondissement humain. A l'origine de ce mouvement, il y a le ciel, cet azur que dans la *Saison* Rimbaud veut tenir pour paradisiaque, mais qui dans l'*Alchimie du Verbe* et dans les *Illuminations* apparaît comme noir et maudit, parce que voué à recueillir toutes les aspirations faussement spirituelles, toutes les impostures religieuses. Ciel écrasant, qui n'a nullement pour rôle d'ouvrir un infini ni de créer parmi les choses une dimension nouvelle, mais qui pèse au contraire de tout son poids aérien, et comme l'église elle-même, sur l'homme agenouillé. Toute sa jeunesse, Rimbaud a subi « l'inévitable descente du ciel [83] ».

Dans un état d'âme mystique il pourra vivre cette descente du ciel comme un étouffement parfumé, un recouvrement succulent, comme un moyen de se laisser physiquement cerner, envahir par une tendresse à demi spirituelle :

> La douceur fleurie des étoiles et du ciel, et du reste, descend en face du talus, comme un panier, — contre notre face, et fait l'abîme fleurant et bleu là-dessous [84].

Le plus souvent pourtant le ciel-panier cède la place au ciel-abîme, un abîme dont l'homme serait le fond. Et Rimbaud vit avec intensité le drame des écroulements ou des affaissements, la trajectoire des eaux brusquement englouties dans « des gouffres cataractants », ou, pire encore, celle des ambitions qui ne trou-

83. P. 198. — 84. P. 185.

vent plus en elles la force de s'élever, et retombent lamentablement en découragements ou en platitudes. Aux images exaltantes de la vie surgie il aime à cruellement opposer les gestes de la résignation, les attitudes d'une existence à fleur de terre : affaissements, affalements, accroupissements, agenouillements, tous les signes corporels d'une royauté des *assis*. A l'inverse de Baudelaire qui aimait dans l'indolence une heureuse vaporisation d'être et voyait en elle l'instrument de conquête d'une horizontalité glorieuse, Rimbaud identifie la paresse à une retombée spirituelle. Il l'associe à des images d'eau morte et d'énergie éparpillée :

> L'indolence requise (fut confiée) à une barque de deuils sans prix par des anses d'amours morts et de parfums affaissés [85].

Tout autant qu'à un manque de conviction interne cet affaissement est dû à une hostilité extérieure : c'est l'ardeur de l'été qui tue la vie de la nature. Le soleil dans les *Illuminations* est toujours le premier coupable : il blêmit les vitres, — comme le « sceau de Dieu » —; il paralyse les paysages dans des teintes froides, des gris de pierre ou de cristal; il détruit toutes les fantasmagories heureuses; dans les *Ponts* par exemple : « un rayon blanc, tombant du haut du ciel, anéantit toute cette comédie ». Or cette comédie représentait en fait un timide essai d'architecture, quelque chose comme la construction d'un bonheur humain. Mais soleil ou azur s'opposent au bonheur : du haut ne viennent qu'échecs et condamnations.

Pour Rimbaud, il est donc suprêmement important de neutraliser ce *haut*, de l'occuper ou de le boucher : d'installer à la place du ciel des éléments de paysage plus favorables au bonheur des hommes. Dans mainte Illumination le paysage se renverse, — « choc de glaçons aux astres » — et se retrouve cul par-dessus tête. Le ciel s'y étend alors en bas, toujours dangereux, mais désormais naturel comme un gouffre terrestre; la mer en revanche, l'eau originelle, « la haute mer faite d'une éternité de chaudes larmes », « la mer étagée là-haut comme sur les gravures » installe au-dessus des choses et des hommes la rassurante présence de

85. P. 196.

son humidité et de son amitié. Dans *Enfance II*[86], le ciel se trouve nié plus radicalement encore : Rimbaud s'y rêve muré, enseveli dans une tombe. Dans ce tombeau « blanchi à la chaux », et non plus illuminé par un soleil, « très loin sous terre », « très vivement éclairé » par une lampe artificielle, il s'accorde alors le luxe de rêver à la seule épaisseur terrestre qui l'entoure et qui le protège. Il imagine bien autour de lui des « gouffres d'azur », des « puits de feu », mais ces gouffres ni ces puits ne lui sont immédiatement présents. Dans ce tombeau il est absolument chez lui, possesseur de son monde et « maître du silence ». En lui aucune nostalgie du vertical, de la lumière : « Pourquoi une apparence de soupirail blêmirait-elle au coin de la voûte? » Ici encore, comme dans l'*Alchimie du Verbe*, on peut constater que de son paysage Rimbaud a bien réussi à *écarter l'azur*[87].

Ailleurs l'azur résiste, et le ciel descend, pendant que la terre monte. Ces deux mouvements pourront parfois, on le verra, se lier l'un à l'autre en une dialectique temporelle de la croissance, de l'apogée, et de la retombée, (une retombée vécue comme un trébuchement, comme le pas d'un ivrogne dégrisé qui s'en va rouler « dans les flaques » et sur « l'aboi des dogues »). Dans *Mauvais Sang* par exemple, Rimbaud évoque le vice « qui *a poussé* ses racines de souffrance à (son) côté..., qui *monte* au ciel, (le) *bat*, (le) *renverse*, (le) *traîne*[88] »... Mais Rimbaud n'a pourtant pas, pour rêver à la courbe du jet d'eau, la suprême aisance baudelairienne; il n'arrive pas non plus à « vaporiser les paysages en horizons »; il n'imagine pas la rencontre d'une terre montante et d'un ciel descendant sur la ligne lointaine qui les unira l'un à l'autre. Parmi les *Illuminations*, courants ascendants et courants descendants coexistent, se croisent, se mélangent, créant parmi les choses d'inquiétants remous d'existence. Ainsi dans *Enfance*,

86. P. 170. — 87. Ce n'est donc pas de cet azur que part, comme le dit Jacques Rivière, l' « impulsion créatrice » de Rimbaud. Je crois que l'origine en est au contraire un centre, un noyau situé dans l'épaisseur de la terre. Et s'il y a au coin du ciel une fissure, celle-ci n'annonce nullement l'avènement d'un nouveau monde : elle annihile au contraire toutes les tentatives humaines pour édifier ce nouveau monde. — 88. P. 208.

« les prés remontent aux hameaux sans coqs..., il y a une cathédrale qui descend et un lac qui monte... Il y a une petite voiture abandonnée dans le taillis, et qui descend le sentier en courant, enrubannée... » Et nous comprenons bien désormais le sens imaginaire de ce pré ou de cette eau montante, le sens aussi de cette église descendante, — elle descend comme le ciel qu'elle est chargée de représenter sur terre ; mais ces mouvements incoordonnés finissent par déséquilibrer le paysage, par provoquer tout autour de lui un malaise : « Ce ne peut être que la fin du monde en avançant. »

A cette anarchie montante et descendante, il existe sans doute des remèdes. Le paysage peut se fixer sur l'axe d'une verticalité immobile : comme dans les tableaux primitifs, où la perspective superpose les unes aux autres diverses couches d'espace sans profondeur, la vision se divise en plusieurs niveaux, plusieurs bandes étagées (dans *Mystique*, par exemple). Mais ce monde stratifié perd alors tout dynamisme intérieur, il se réduit justement à n'être qu'un tableau, un pur spectacle, une réalité vécue et vue de l'extérieur. Ce n'est peut-être point hasard si cette vision, celle « de la mer étagée là-haut comme sur les gravures », s'affirme par exemple dans *Après le Déluge*, poème de la vie « rassise » et des sources taries.

Dans d'autres illuminations, Rimbaud se résigne à la contradiction dynamique du haut et du bas; et c'est à l'intérieur même du va-et-vient vertical qu'il tente de susciter une harmonie architecturale. Il rêve à des villes (*Villes XVII* [89]) accrochées aux flancs d'une immense montagne : la vie s'y déplace de haut en bas, selon des lignes de force qui, pour rester inaperçues, n'en sont pas moins concrètement existantes. « Des chalets de cristal et de bois » « se meuvent sur des rails et des poulies invisibles ». Les maisons elles-mêmes s'immobilisent sur et sous les gouffres grâce à des dispositifs mécaniques assez analogues : plates-formes, passerelles, canaux suspendus au milieu des abîmes. Tout autour d'elles circulent de puissants courants de descente et d'ascension. En haut, d'abord un triomphe du ciel, une gloire

89. P. 181.

lumineuse : « Sur les passerelles de l'abîme et le toit des auberges l'ardeur du ciel pavoise les mâts ». Puis ce triomphe s'affaisse; le ciel descend sur les plus hautes neiges, qui à leur tour s'inclinent vers le bas : « L'écroulement des apothéoses rejoint les champs des hauteurs où les centauresses séraphiques évoluent parmi les avalanches ». A côté, « au-dessus du niveau des plus puissantes crêtes » s'étend une mer de nuages, mer féconde comme toutes les eaux rimbaldiennes, riche de bijoux, de bruits et de naissances : « troublée par la naissance éternelle de Vénus, chargée de flottes orphéoniques et de la rumeur des perles et des conques précieuses ». Mais cette mer « s'assombrit parfois avec des éclats mortels »; puis elle s'écroule brusquement en pluies violentes, « le Paradis des orages s'effondre »... — En bas, inversement, dans les entrailles de la terre, gronde une vie puissante : « les vieux cratères ceints de colosses et de palmiers de cuivre surgissent mélodieusement dans les feux », volcans à la fois actifs, décoratifs et harmoniques. Au fond des gouffres, des cris qui montent : « la chasse des carillons crie dans les gorges ». Et la vie peu à peu s'élève; sur les flancs des montagnes, où des fleurs gigantesques manifestent sonorement leur vitalité, « des moissons de fleurs, grandes comme nos armes et nos coupes mugissent, — on voit grimper d'étranges processions : « des cortèges de Mabs en robes rousses, opalines, montent des ravines... » Plus haut encore, dans un décor d'herbe et d'eau, — « les pieds dans la cascade et les ronces » — les cerfs tendent la tête vers la lune, « ils tettent Diane ». Mais Vénus en revanche descend et « entre dans les cavernes des forgerons et des ermites ». Tous ces courants opposés se rencontrent et se mélangent dans les rues de la ville elle-même, dans « le mouvement d'un boulevard de Bagdad, où des compagnies ont chanté la joie du travail nouveau »; de la force humaine montée des profondeurs, tout en subissant le charme d' « une brise épaisse » venue d'en haut, et en rêvant nostalgiquement aux « fabuleux fantômes des monts où l'on a dû se retrouver ». Mais faute de pouvoir en effet se rencontrer et se réunir dans une hauteur triomphale, au pays des fables et des génies, les nouveaux hommes acceptent fort bien de rechercher, ou plutôt de faire leur bonheur dans ces régions moyennes. Et c'est à elles, non à la hauteur ou à la profondeur, que Rimbaud adresse son invocation finale : « Quels bons bras, quelle belle heure me rendront cette région d'où viennent mes sommeils et mes moindres mouvements? [90] »

Autre forme typiquement rimbaldienne de la liberté : la dérive. Les morceaux éclatés du paysage ne s'y meuvent plus de haut en bas, ou de bas en haut, selon les lignes malgré tout signifiantes d'un surgissement ou d'une retombée : ils se déplacent au hasard, en tous sens, sans dessein ni destination apparente, et sans porter non plus en eux l'indication d'aucune origine concrète. Désamarrés de tout réel, venus de n'importe où et allant n'importe où, ce sont vraiment, au sens rimbaldien du mot, des bateaux ivres. Fragments errants d'univers, lancés à la poursuite de quelque gravitation nouvelle, êtres ou sentiments livrés aux caprices des « migrations énormes [91] », ils poursuivent tout au travers de la « vision » une course aussi absurde que rapide : en un instant surgis, présents et disparus. « Des accords mineurs se croisent, et filent [92] », « des bandes de musique... traversent la campagne nocturne », « il frissonne au passage des chasses et des hordes [93] ». Quelquefois, au lieu de traverser latéralement le champ du regard, ces réalités errantes se jettent violemment vers les premiers plans, tels des météores écrasés sur la terre. « Des élans se ruent dans les bourgs [94] », « des corporations de chanteurs géants accourent », directement venus des monts, du pays des génies. Apparitions brutales, surgissements inattendus qui trahissent une agressivité fondamentale. Cette intention offensive peut même s'afficher

90. L'architecture urbaine de *Villes XIX* se développe selon des lignes tout analogues : simplement l'impression de fourmillement et de discontinuité qui se dégageait de *Villes XVII* y est remplacée par des sensations d'énormité et d'étrangeté. Mais, des « hauts » jusqu'aux « bas quartiers », — et l'on voit comment Rimbaud transpose imaginativement les automatismes du langage, — c'est le même triomphe d'une verticalité impénétrable à l'intelligence humaine : « Sur quelques points des passerelles de cuivre, des plates-formes, des escaliers qui contournent les halles et les piliers, j'ai cru pouvoir juger la profondeur de la ville ! C'est le prodige dont je n'ai pu me rendre compte : quels sont les niveaux des autres quartiers sur ou sous l'acropole? Pour l'étranger de notre temps la reconnaissance est impossible. » — 91. P. 198. — 92. P. 179. — 93. P. 192. — 94. P. 182.

plus nettement encore : ce sont les oiseaux envolés qui s'abattent soudain sur le sol, « se jettent aux croisées », les « tourterelles de la veillée » qui se jettent sur « les taillis de dentelle teinte d'émeraude [95] » d'où elles avaient d'abord jailli. Et les taillis eux-mêmes au lieu de s'élancer vers le ciel, se rabattent méchamment vers les hommes : « les branches et la pluie se jettent à la croisée de la bibliothèque [96] ». La libération du paysage substitue alors à la banalité ancienne une multiplicité d'objets anarchiques et ennemis.

Dans ce monde sans loi ni direction tout n'obéit pourtant pas au seul hasard. Ce qui sauve les choses de l'absurde, c'est d'abord la perfection du désordre où elles sont emportées : alors qu'un seul objet égaré dans un univers sans dissonance y constitue un scandale, un ferment de désagrégation, cent dérives concomitantes composent presque un nouvel espace dérivant. Dans mainte illumination l'anarchie semble ainsi posséder le pouvoir composant d'un principe, la force agrégeante d'une loi.

Mais surtout ces fragments errants de monde ne sont pas des êtres isolés, des objets solitaires : ils revêtent le plus souvent l'aspect de *blocs* sensibles, réunissant des objets ou des sentiments analogues. Ce sont des multiplicités sans visage, à l'intérieur desquelles le pluriel, dans son indétermination même, suggère la notion d'une homogénéité sensible, impose le sentiment d'une certaine soudure interne. Ces « accords mineurs qui se croisent et filent », ces « élans qui se ruent dans les bourgs », ces « bandes de musique » qui traversent la campagne nocturne, ces « bouts de concerts seigneuriaux », ces « restants d'hymnes publics », constituent, parmi l'universelle incohérence, de petites îles flottantes. Ce sont des véritables microcosmes. Rien d'affaissé ne se mêle à ces élans, aucune tonalité majeure ne vient troubler l'harmonie de ce monde mineur; ils s'élancent ou dérivent tous ensemble, en famille, d'accord avec eux-mêmes. Et c'est cet accord qui les fait exister, qui prolonge leur course. On voit que le pluriel, d'abord issu d'une multiplication créatrice, d'un débordement et d'une fertilité, peut finalement servir à suggérer l'existence

95. P. 185. — 96. P. 169.

d'un certain tissu continu des choses. Ce monde éclaté, il le réunit, le rassemble à lui-même, le regroupe en petites masses homogènes. Première agrégation sensible, qui pourra préluder à toutes les recompositions.

Cette architecture interne peut d'ailleurs s'affirmer très nettement dans le mouvement même de la dérive : la masse errante s'érige alors en une collectivité solidement structurée, en un groupe conscient de son unité. Le bloc devient association. Dans *Villes XVII* « des *corporations* de chanteurs géants » descendent des montagnes, et des « *cortèges* de Mabs descendent des ravines ». Dans la même illumination « des *groupes de beffrois* chantent les idées des peuples ». Si l'on s'étonne de voir ainsi le *groupe* sensible subsister au sein du plus pur désordre, il faut se souvenir que ce désordre lui-même ne visait d'abord qu'à provoquer des rencontres d'objets, qu'à susciter des groupements nouveaux. Ainsi dans *Veillées* [97], qui nous décrit avec une extrême précision le mécanisme intérieur de son délire, Rimbaud regarde, à partir des extrémités d'une salle ordinaire, « décor quelconque », « des élévations harmoniques » qui « se rejoignent ». Cette réunion constitue une architecture nouvelle dont chaque mouvement de la rêverie s'emploie ensuite à modifier les composantes, mais sans jamais s'en prendre à la structure même. Après s'être développée dans un espace étagé, « succession psychologique de coupes de frises, de bandes atmosphériques et d'accidents géologiques », l'hallucination prend en effet un tour plus violemment dynamique, puis culmine dans « le rêve intense et rapide de groupes sentimentaux avec des êtres de tous les caractères parmi toutes les apparences ». Caractères, êtres, apparences peuvent bien, et vertigineusement, changer : la loi de leur association et de leur succession reste cependant fixe. Et ce sont ce parti pris de fixité, cette volonté de groupement qui permettent finalement à la veillée de s'organiser en « extase harmonique ».

Il n'est pas jusqu'à la passion rimbaldienne de la totalité qui ne joue finalement dans le sens d'une certaine reconstruction sensible. Lorsque Rimbaud convoque et fait défiler devant lui,

97. P. 184.

comme à la parade, « tous les homicides », « toutes les batailles », « tous les bruits désastreux » (*Mystique*), il élimine du même coup l'indétermination ou le hasard qui maintenaient au sein du pluriel le plus homogène, du groupe le plus compact, le soupçon d'un manque, d'une dissociation ou d'une évasion possibles. Mais désormais aucun trou dans la trame sensible : tous les objets regagnent leurs définitions, ils s'encadrent dans leur classe; plus d'exceptions, de singularités errantes, c'est la plénitude des formes et des espèces. Dans ce monde mouvant, mais intelligible, ce ne sont plus des choses qui se déplacent, ni même des grappes d'objets : ce sont des significations concrètes, des essences, presque des allégories.

Et le caractère de ces déplacements change aussi. Ambigus, apparemment privés de sens, on pressent pourtant qu'ils obéissent à quelque loi, qu'ils relèvent d'un certain ordre. Même si cet ordre est invisible, ou non encore né, on devine qu'ils sont quelque part expliqués et justifiés. « Toutes les légendes évoluent », « des bêtes d'une élégance fabuleuse circulent », « les centauresses séraphiques évoluent parmi les avalanches »... Évolutions, circulations, tous ces mouvements, si fréquents chez Rimbaud, et apparemment si gratuits, comment ne pas soupçonner qu'ils répondent à une exigence supérieure, d'ordre esthétique, moral, ou même métaphysique? Ils semblent en tout cas guidés par des intentions très précises. Nous ignorons seulement à qui appartiennent ces intentions : sans doute à un être encore inconnaissable, à ce *on* qui a aussi construit toutes les villes rimbaldiennes (*Villes XIX*) (« Pour l'étranger de notre temps », avoue Rimbaud, la reconnaissance en « est impossible »). Mais ce que cet « étranger », — nous-mêmes — peut en tout cas reconnaître, c'est la trace, au milieu du désordre, d'un projet supérieur. Car une *évolution* ressemble peu à une *dérive;* elle suppose un spectateur, elle plie la liberté du mouvement à certaines figures pré-existantes, elle l'étire en une durée orientée, et à chaque moment elle la domine, tout en se dominant elle-même et en jouissant de cette domination. De même une *circulation* implique la notion d'une direction intérieure et d'une finalité externe. Le prix de ces mouvements tient justement à ce qu'ils réunissent en eux les prestiges du spontané et ceux de l'intentionnel. Sans affirmer exactement un ordre, ils en suggèrent la possibilité ou le besoin. Ils en annoncent même vaguement la venue, mais ils reculent cette venue dans un lointain insaisissable. Ils suppriment le hasard, sans dire comment ni en faveur de quoi ils le suppriment, et ils maintiennent en même temps la poussée vitale. Ils apprivoisent la liberté.

Cette demi liberté possède son dessin favori : la ligne courbe. Ligne non point molle et ondoyante, comme chez Baudelaire, toujours prête à épouser la fantaisie des expansions vitales : mais au contraire ligne tendue, fuyante, hâtive, partagée, semble-t-il, entre la nécessité du droit et la folie de la dérive. Ainsi dans *Mystique* « tous les bruits désastreux filent leur courbe », dans *Marine* « les chars d'argent et de cuivre... filent circulairement vers l'Est, vers les piliers de la forêt, vers les fûts de la jetée, dont l'angle est heurté par des tourbillons de lumière ». La courbe tend ici vers le havre final d'une ligne droite, — « les piliers de la forêt » : et la lumière tourbillonne, mais tout autour d'une dureté angulaire, « les fûts de la jetée ». Le stable l'emporte ultimement sur la courbure, et cette victoire de la rectitude suffit à donner des coordonnées à la vision, donc à la transformer en paysage, presque en spectacle. Un champ fraîchement labouré y devient un tableau, une *Marine*.

D'autres illuminations qui se développent de façon plus intérieure, et selon la pure logique des rêves, marquent au contraire le triomphe du monde courbe. L'imagination s'y laisse dériver loin de toute rectitude, refusent l'angulaire tout comme le circulaire, oubliant même toutes les droites concrètes, — routes, jetées, piliers, canaux ou quais, — à l'intérieur desquelles le paysage rimbaldien essaiera de se retrouver un squelette. *Nocturne Vulgaire*, l'une des illuminations les moins rationnelles, les plus véritablement livrées aux fantaisies de l'onirique, constitue un excellent exemple de cet abandon : on y voit les divers mouvements de la rêverie s'y engendrer très exactement les uns les autres selon la logique aberrante d'un dynamisme de la courbure. D'abord c'est la rupture ou l'effacement des plans quotidiens (brèche creusée dans les cloisons, limites des foyers disparues, croisées éclipsées); certaines de ces apparences habituelles relevaient d'ailleurs déjà d'une circularité troublante et destructrice (« le pivotement des toits rongés »). Puis Rimbaud quitte le monde euclidien, qui est aussi le monde moderne, et, grâce à un changement de niveau géographique et temporel, il *descend* dans un véhicule XVIIIe siècle, tout entier construit comme une symphonie de lignes courbes : « ce carrosse dont l'époque est assez indiquée par les glaces *convexes*, les panneaux *bombés* et les sophas *contournés* ». Ce véhicule, détaché du reste du paysage, « isolé », refuse de suivre les chemins tracés; il tourne, quitte la route, s'engage sur une épaisseur de gazon, tapis évidemment magique où tout devient possible : « le véhicule vire sur le gazon de la grand'route effacée ». Ce virage, cet effacement signifient le déchaînement onirique du paysage, et des objets apparemment incongrus, mais tous également reliés à une rêverie de fécondité et de sexualité, se mettent à tourbillonner sur l'écran des vitres : « Dans un défaut en haut de la glace de droite tournoient les blêmes figures lunaires, feuilles, seins. » Puis le tournoiement s'associe aux signes habituels d'un paroxysme montant : les couleurs s'intensifient, s'obscurcissent (« un bleu et un vert très foncés envahissent l'image »), annonçant le déchaînement d'une violence multiforme (orages, Sodomes, Solymes, bêtes féroces, armées). Enfin, après un mouvement de nostalgie (nostalgie du retour aux origines, de l'enfoncement dans l'épaisseur herbue, feuillue, plongée « jusqu'aux yeux » dans la « source de soie »), c'est le dénouement, catastrophique : le tournoiement aboutit à un « roulement », un trébuchement d'ivresse, un vertige. « A travers les eaux clapotantes et les boissons renversées », restes sans doute d'une orgie, peut-être dernières traces d'un déluge « rassis », Rimbaud s'en va « rouler sur l'aboi des dogues ».

Catastrophe trop fréquente : à la fin d'*Angoisse*, Rimbaud « roulait » aussi « aux blessures, par l'air lassant et la mer [98] » : roulement que n'avait précédé aucun tournoiement, mais qui restait lié à des images d'eaux houleuses ou clapotantes. Dans les dernières poésies, et encore plus frénétiquement, il parlait de

98. P. 188.

« tourner dans la morsure », de remuer « des tourbillons de feu furieux [99] ». Mais c'est surtout dans *Alchimie du Verbe* que le mouvement courbe s'associe de plus près à la montée d'une insensibilité. « Je n'éprouvais plus rien, écrit Rimbaud dans les brouillons de l'*Alchimie*. Les (hallucinations étaient tourbillonnaient trop). » Et dans l'*Alchimie* elle-même la folie se définit explicitement comme la rupture des limites sensibles, l'invasion de l'ombre, l'abandon de l'être au tournoiement. « Ma faiblesse, y écrit Rimbaud, me menait aux confins du monde et de la Cimmérie, patrie de l'ombre et des tourbillons. » Cimmérie, terre du tourbillon, de la nuit et de la folie : c'est un des possibles aboutissements de la courbure.

Mais le monde courbe peut aboutir aussi à la suprême sagesse, à l'élégance la plus contrôlée. Rien de plus complexe que la création rimbaldienne, ni de plus ambigu que les schèmes sensibles par lesquels elle se découvre à elle-même. Le tournoiement peut ainsi n'engendrer aucun délire; il peut se faire générateur de grâce, suggestif d'harmonie. Il suffit pour cela qu'il se choisisse un centre d'attraction ou de révolution, et que la ligne courbe s'invente un *pivot* à partir duquel son tracé devienne signifiant, ou du moins prévisible. La courbure échappe alors à l'irrationnel.

Ainsi les dames d'*Enfance*, « qui tournoient sur les hautes terrasses voisines de la mer », nous obligent à tenir leur tournoiement pour une manifestation esthétiquement réglée, un rite cérémonieux, ou une danse. Plus décoratifs encore les anges de *Mystique* qui, « sur la pente du talus... tournent leur robe de laine dans les herbages d'acier et d'émeraude »; et plus exemplaires aussi, car ils illustrent directement le lien profond qui dans l'imagination rimbaldienne unit toujours le bondissement à la courbure, le dégagement à l'inflexion. Ces anges dansent en effet sur la pointe d'une herbe jaillissante, « les prés de flammes » qui « bondissent jusqu'au sommet du mamelon ». La grâce de leurs robes tournantes se situe à l'extrémité d'une poussée créatrice, au point de culmination d'un enthousiasme, ici mystique, ailleurs vital.

99. P. 123.

Dans le zénith de la vision, dans « la bande en haut du tableau », s'affirme alors avec évidence l'ambiguïté de la courbure : dans cette acmé sensible où le surgissement premier ne s'est pas encore tari ni recourbé, on peut voir, « dans la rumeur tournante et bondissante des conques des mers et des nuits humaines », se rencontrer et coïncider les deux dynamismes, jusque-là successifs, du jaillissement et de la dérive. Et cette rencontre suffit presque à donner forme à la *vague rumeur*, c'est-à-dire à créer un volume affectif, et à creuser parmi les choses une dimension nouvelle qui ressemble fort à un espace. De la même façon, dans *Métropolitain* (XXVIII), on assiste d'abord à la montée et au croisement des « boulevards de cristal », puis à la fuite verticale, à l'étagement des plans; on voit enfin le ciel culminer, se recourber et retomber en un désastreux bric-à-brac d'objets éparpillés :

> Du désert de bitume fuient droit en déroute avec les nappes de brumes échelonnées en bandes affreuses au ciel qui se recourbe, se recule et descend formé de la plus sinistre fumée noire que puisse faire l'Océan en deuil, les casques, les roues, les barques, les croupes... [100]

Et cette redescente du ciel peut bien apparaître liée à un climat de deuil et de désastre : il n'empêche que ce ciel a existé, qu'il a étendu un court instant parmi les choses le tissu cohérent de sa courbure, même si le sens de cette cohérence doit en fin de compte se réduire à la constatation d'une incohérence ou d'un échec. Expansion, recul, recourbement et retombée, ces diverses inflexions enchaînées ont suffi pour conférer à l'univers rimbaldien une continuité et une histoire, pour le situer dans une sorte d'espace-temps.

Découverte sans prix : car si Rimbaud éprouve tant de peine à réaliser une harmonie du type conventionnel, c'est parce qu'il refuse tous les espaces ordinaires. L'univers surgi ou écroulé qui est le sien n'accepte jamais de se fixer dans les lignes signifiantes d'une perspective, et cela doit nous apparaître normal, puisque c'est justement cette signification que Rimbaud veut changer,

100. P. 189.

cette perspective qu'il se propose d'abolir. Son horreur de l'ancien, son refus du passé et de la patience, son obsession d'une tension verticale et d'une vérité éclatée l'empêchent d'épouser la perspective traditionnelle fondée sur la fuite, l'horizontal, la convergence. Aucun foyer chez lui, aucun lointain : Rimbaud refuse toutes les formes sensibles du profond, et c'est là ce qui marque son vrai divorce avec Baudelaire. Ses visions s'étalent sur un écran sans épaisseur; pellicules suprêmement minces, et pourtant increvables, car il n'y a rien derrière, ni épaisseur, ni abîme, ni être, ni néant, ni dieu, ni infini; elles ne laissent aucune place pour la divination, ni l'annonciation, ni la « conjecture », — c'est-à-dire pour la Beauté au sens baudelairien du terme [101]. Voyons donc en Rimbaud un Baudelaire qui se serait délivré de son gouffre, guéri de son vertige, et guéri en même temps du Beau, un Baudelaire converti à la simple réalité du monde.

Mais il faut bien voir que cette conversion signifie du même coup une défaite, ou du moins un recul des droits de l'homme sur les choses. Dans le gouffre baudelairien, devenu transparence, résonance, profondeur, tout un univers humain finissait par se recomposer. Mais ici aucune recomposition, et donc aucune soumission à l'homme, à la loi du regard. Le paysage cesse avec Rimbaud de se fonder sur cette unité d'impression qui le faisait, depuis le romantisme, sortir bien sage et comme tout armé de l'œil ou de l'esprit, quand ce n'était pas de l'âme d'un tout-puissant spectateur. Ayant écarté du ciel l'azur, qui est du noir, Rimbaud en écarte en même temps l'œil de Dieu, c'est-à-dire au fond l'œil des hommes. Il cesse de tenir le monde pour un dictionnaire entrouvert, pour un recueil de significations déchiffrables. Il ne le traite pas non plus comme un panorama, ni comme un tableau sous glace. Aussi son paysage n'est-il plus vraiment un paysage, mais plutôt un anti-paysage, une pure vision sans témoin, un libre rassemblement d'objets dont chacun

101. Elles n'en laissent même aucune pour l'explication ou l'élucidation *symbolique*, c'est-à-dire pour une certaine critique, si nous acceptons pour vrai ce propos rapporté de Rimbaud sur sa poésie : « J'ai voulu dire ce que ça dit, littéralement et dans tous les sens. » (XXVII.)

a désormais le droit de vivre séparément son aventure et dont aucune pellicule, intellectuelle, sentimentale ou syntaxique, ne nous sépare plus. Le génie de Rimbaud est de nous épargner tout commentaire, toute preuve. Pour la première fois les choses se présentent à nous dans l'évidence de leur nudité et dans l'éclat de leur silence : pleinement devenues, à tous les sens du terme, des *pièces à conviction.*

Si une harmonie doit naître dans ce monde, elle ne peut dès lors provenir que des objets eux-mêmes, et non d'un quelconque état d'âme qui leur imposerait du dehors son unité. Car Rimbaud se veut voyant, non voyeur; nulle indiscrétion, nul quant-à-soi ne viennent chez lui ternir la fraîcheur d'un monde recréé, le jaillissement et le dynamisme des choses. Au contraire il se met à côté des choses, il se projette en elles, il tâche d'en épouser du dedans la liberté. Et c'est précisément à suggérer une forme intérieure de cette liberté [102], une solidarité active de ce dynamisme que s'emploie toute sa poésie. Alors qu'elle échoue à établir dans le désordre immédiat l'harmonie d'une architecture, l'édifice d'une syntaxe, alors qu'elle ne parvient pas à inscrire dans l'espace les lignes d'un ordre concret, l'imagination rimbaldienne se place à l'intérieur des choses mêmes pour y méditer ses mariages. Telle est la *poésie objective,* telle que l'entend et la pratique Rimbaud : poésie à la troisième personne, dont le mot d'ordre est justement « JE *est* un autre », poésie d'un JE devenu IL, d'une conscience qui se met pleinement du côté de l'objet. Et c'est pourquoi la littérature réussit pour la première fois sans doute à composer quelques purs poèmes d'amitié matérielle, et

102. Il peut arriver que cette liberté se découvre dès l'origine une vocation harmonieuse, et que la spontanéité s'allie d'elle-même à une forme. « Où achèteras-tu un objet de luxe ou d'art d'une structure plus savante que cette fleur des champs? Quand toutes nos institutions sociales auraient disparu, la nature nous offrirait toujours, en variété infinie, des millions de bijoux. » (p. XXII). Cette réflexion attribuée à Rimbaud éclaire son naturalisme et son optimisme fondamentaux. L'objet naturel (fleur-bijou) est à la fois liberté et structure, structure née d'une liberté et supportée par elle. L'objet artificiel, si savant qu'il soit, apparaît au contraire comme une architecture gratuite et improbable.

à susciter dans le regard d'un homme sans mémoire un nouveau paradis sans hommes.

***

Ceci est faux, bien entendu. Car tout paradis est d'abord et en définitive pour l'homme, par l'homme : Rimbaud seulement consent ici à s'oublier lui-même, à résigner son pouvoir de domination, son droit d'intervention, à se tenir pour moins important que tous les objets qui l'entourent. Choisissant la nouveauté du monde, il en accepte aussi l'autonomie, l'étrangeté, l'irréductibilité à tout critère humain.

Ou du moins il aurait dû les accepter s'il était resté logique avec lui-même, et fidèle à son projet premier. Mais c'était là une fidélité difficile, un choix qui exigeait de lui une presque impossible humilité. Davantage baigné de sagesse orientale, Rimbaud eût peut-être été capable de cette humilité : lui-même reconnaît à diverses reprises tout le prix spirituel d'une *stupeur* qui n'est au fond qu'un effacement du moi devant les choses. Mais il reste trop occidental, et cela quoi qu'il fasse, pour si totalement abdiquer raison ou volonté, pour choisir de se mettre lui-même absolument entre parenthèses. « L'esprit est autorité, il veut que je sois en Occident. *Il faudrait le faire taire pour conclure comme je voulais.* » Mais on ne peut pas le faire taire, et donc Rimbaud ne conclut pas. Comment d'ailleurs pourrait-il renoncer à cette rigueur, à cette autorité, à ce pouvoir de se contrôler soi-même qui lui ont permis par exemple d'élire, et sans aucun risque de naufrage, un dérèglement comme règle de vie, une anarchie pour discipline, une ignorance pour étude? Car s'il veut la folie, c'est par raison; s'il se lie au hasard, c'est en vertu d'un plan très sûr; l'incontrôlé même lui est système. Sacrifier cette exigence, ce désir essentiel de domination et de contrôle, ce serait pour Rimbaud se sacrifier tout entier, se nier soi-même. Aussi ne réclamera-t-il pas de lui-même un tel sacrifice, ne conclura-t-il pas, ne s'abandonnera-t-il pas tout à fait à la poésie objective. A la spontanéité première, toute dirigée vers une compréhension interne du dynamisme naturel, s'ajoute alors chez lui une spontanéité seconde, qui tend à ressaisir de l'extérieur cette nature, à la dominer, à la recomposer, à la rendre compréhensible, humainement viable. Au voyant se superposent un ingénieur et un metteur en scène : un organisateur de la nature, un artiste du paysage.

***

Point de paysage où l'on ne puisse circuler; humaniser les choses, cela consiste d'abord à les visiter, à faire courir à travers elles des voies de communication. Parmi les rêveries les plus mouvantes la *route* tend la ligne de sa rectitude; au milieu des dérives elle installe le tracé d'une orientation immobile. Divisant la vision en deux aires distinctes, elle y tient le rôle d'une frontière, mais elle lui donne aussi un *sens* quasi-physique, puisqu'elle engage toujours à une avancée, à un mouvement de découverte et de dévoilement. C'est par la route, et par la marche à pied que Rimbaud, on le sait, tâche de posséder le monde. Cette valeur invitante et ordonnatrice du chemin s'affirme surtout chez lui dans l'imagination des *ornières*, petits rails naturels où le mouvement s'enferme et glisse. Fixée, polarisée, la route peut alors se muer en une sorte de lieu scénique, où défilent les cortèges les plus féeriques *(Ornières)* : et ces féeries, qui pourraient ailleurs, — dans une herbe, ou dans un sous-bois, — relever d'un onirisme pur, s'ordonnent ici en une *suite* théâtrale. Grâce à la route le délire devient spectacle.

Parents de la route, d'autres éléments géographiques interviennent encore, comme en surimpression sur la trame de la vision originelle : ainsi le *quai*, — généralement bâti en marbre, — qui rectifie la rive tout en séparant durement terre et eau; le *parapet*, (« l'Europe aux anciens parapets... »), qui protège le quai lui-même, sorte de quai du quai; la *jetée*, quai perpendiculaire et dynamique, route aquatique, échelle dressée vers la haute mer; la *terrasse* enfin, et plus particulièrement la terrasse au bord de la mer, quai surélevé, espace magiquement élu pour la danse *(Enfance I)*, la prière *(Enfance IV)*, les rencontres cosmiques *(Fleurs)*. Tous ces éléments rectificateurs appartiennent à la rubrique des constructions humaines : ce sont des travaux de maçonnerie ou de voirie que le spectateur impose à son spectacle afin d'en contenir la liberté. Solidité, poids, rectitude, linéarité, tous ces attributs d'une certaine raison sensible veulent lutter contre le jaillissement premier. Encore y parviennent-ils assez mal.

Au chapitre des Ponts et Chaussées, n'oublions pas les *ponts* eux-mêmes. A l'inverse des routes ou des quais, qui ordonnent en séparant, ils ont un rôle de synthèse; ils se chargent de relier les uns aux autres les fragments épars de la vision. Sans eux point de villes possibles. Dans ces étranges ensembles architecturaux que travaille un délire de verticalité, les passerelles, les canaux suspendus, les plates-formes, les escaliers qui courent au-dessus des abîmes et d'étage en étage constituent les seuls éléments de continuité sensible. Leur labyrinthe autorise la circulation, sinon l'exploration véritable; il jette en tout cas au milieu du gouffre l'horizontalité d'un réseau très humain. Et cette humanité s'affirme aussi dans leur minceur, leur longueur, leur fragilité, dans ce caractère toujours menacé qui est le leur, et qui apparaît si bien à travers l'illumination intitulée *Les Ponts* : « tellement longs et légers » ces ponts, que les rives elles-mêmes, comme sous la contagion d'un effondrement imminent, « s'abaissent et s'amoindrissent ». Leur « bizarre dessin », leur enchevêtrement angulaire, plusieurs fois reflété dans le miroir de l'eau, suspendent pourtant au milieu d'un paysage flottant la demi-assurance d'une texture géométrique. Seule cette solidité relative permet et supporte la vie : « Quelques-uns de ces ponts sont encore chargés de masures. D'autres soutiennent des mâts, des signaux, de frêles parapets ...» Refuges, liens, noyaux de solidarité, centres d'architecture, les ponts ressemblent donc à ces « accords mineurs », qui, un peu plus loin dans la même illumination, « se croisent et filent ». Ce sont des harmonies fixées et des lieux de passage : les seuls possibles arcs-en-ciel du paysage humain.

Tous ces efforts de construction ne parviennent pourtant pas à vraiment fixer le jaillissement ou la dérive, ni donc à fonder un paysage. A la fin de *Ponts*, tout s'écroule, se dissipe; un seul rayon tombé du ciel suffit à « anéantir cette comédie ». Cette comédie, c'est-à-dire ce réel rongé d'irréalité, cette architecture dépourvue de conviction matérielle et tout au fond d'elle-même dénuée de sérieux. Ce qui fait défaut au paysage rimbaldien, pour que ce paysage se ressaisisse comme une architecture humaine et s'érige vraiment en paysage, ne serait-ce pas ici l'existence, le sentiment d'une extériorité irréductible? Car beaucoup de ces visions nous résistent mal; elles n'ont pas la dureté, l'opacité d'un *en soi*. Rimbaud lui-même les traite paradoxalement à la fois comme des fantasmagories et comme des spectacles; il souligne le fait qu'elles sont issues de lui et que sans lui elles n'existeraient pas, mais c'est seulement afin de les projeter hors de lui sur un écran de verre ou de papier, et de les transformer en objets spectaculaires. En faux objets par conséquent. A la fois rêves et tableaux, illuminations et enluminures, ils participent en même temps d'un délire et d'une volonté d'art. Êtres hybrides, situés à mi-chemin entre subjectivité et objectivité, ne relevant tout à fait ni de l'une ni de l'autre, il est normal qu'ils choisissent souvent de s'établir dans un espace hybride lui aussi, où le subjectif n'existe que projeté hors de soi et où l'objectivité ne soit que simulacre, un espace de *comédie:* l'espace même du théâtre.

Rimbaud, on le sait, adore le théâtre, les comédies qu'il se donne à lui-même *(Vies)*, et celles qu'on lui donne *(Parade)*. Il aime en lui surtout sa gratuité, son caractère de pure convention. Tout théâtre lui est féerique. Aucun risque ici de se laisser emporter par le réel, car d'emblée le théâtre se place hors de toute réalité; ou du moins s'il accepte les choses, c'est seulement pour les soumettre à ses propres normes. Tel n'était pas le cas des routes, des ponts, ou bien des quais, de toutes les fausses rectitudes posées en surimpression sur le désordre élémentaire : elles risquaient toujours de succomber à la contagion d'une réalité bien plus puissante que la leur, et de se laisser emporter par l'anarchie. Le pont s'effondre, ou bien il est recouvert par l'eau montante du déluge, la route tourne, elle se laisse envahir par la douce descente du talus, elle est vite occupée par l'invasion de l'ombre, des taillis, ou de l'herbe. Son irréalité, son caractère purement arbitraire protègent au contraire le monde du théâtre contre de tels empiètements. En toute tranquillité, loin de toute contagion existentielle, la vision s'y divise, s'y réassemble, s'y organise. Un réel fait d'impressions successives et contingentes, y acquiert, — et sans même avoir le droit de protester, — un sens nouveau et unitaire :

> Boulevard sans mouvement ni commerce
> Muet, tout drame et toute comédie
> *Réunion des scènes infinies,*
> Je te connais et t'admire en silence.

Dans ces scènes, il ne sera pas question de réintroduire la profondeur ni même son simulacre : Rimbaud s'y refuse absolument. Mais il existe des succédanés théâtraux du profond, qui, sans engager à une fausse poursuite du lointain, permettent cependant une certaine dramatisation du spectacle. Ainsi des plans superposés, juxtaposés d'avant en arrière, pourront dédoubler la verticalité et donner plus de force à la présentation des figures. Rimbaud aime à ce que ses visions, et plus particulièrement ses personnages, danseuses, idoles, génies, se détachent sur une toile de fond; il les situe devant une neige *(Being Beauteous)*, à la lisière d'une forêt *(Enfance)*, ou encore sur une plage, devant « azur et verdure insolents » *(Id.)*. Quelquefois cet effort de mise en scène suscite autour du personnage central tout un regroupement signifiant des apparences. Par exemple, pour Hélène (*Fairy*) « *se conjurèrent* les sèves ornementales dans les ombres vierges et les clartés impassibles dans le silence astral ». Rimbaud va même jusqu'à distribuer des rôles : « L'ardeur de l'été *fut confiée* à des oiseaux muets et l'indolence requise à une barque de deuils sans prix par des anses d'amours morts et de parfums affaissés. » Le paysage s'ordonne en vertu d'une exigence purement scénique; il se couvre de significations évidentes; à vrai dire, il cesse d'être un paysage pour se muer en un décor. A la fin de *Fairy* Rimbaud chante en effet le « plaisir du décor et de l'heure uniques ». Plaisir d'une mise en scène parfaitement réussie, Rimbaud voyant n'est plus ici que Rimbaud spectateur.

D'autres illuminations nous font assister à une lutte de la volonté scénique contre la spontanéité objective, à une sorte de conflit imaginaire du théâtre et de la nature. Dans *Scènes*, par exemple, l'espace théâtral essaie de reconquérir l'espace spontané du jaillissement, et pour cela le divise harmoniquement, le découpe en une série de compartiments, de petites tranches scéniques. « L'ancienne comédie poursuit ses accords et divise ses idylles »; elle lance au travers du paysage des routes artificielles, « des boulevards de tréteaux », et même des quais scéniques : « un long pier en bois ». Curieusement l'effort de mise en scène bannit du paysage (champs rocailleux, arbres dépouillés) les herbes ou les feuilles, c'est-à-dire tous lès signes végétaux du spontané. Cette spontanéité reparaît pourtant par la suite, mais endiguée, dans les « corridors de gaze noire ». Puis des oiseaux « s'abattent », mais ce sont des « oiseaux comédiens », qui tombent sur un quai de théâtre, « un ponton de maçonnerie », construction apparemment solide, mais mue par une étrange machinerie flottante, « l'archipel couvert des embarcations des spectateurs ». Puis le principe de division théâtrale s'affirme sur plusieurs plans et avec divers degrés de vigueur et de réussite : il triomphe avec force dans « les scènes lyriques... », qui « s'inclinent dans des réduits ménagés sur les plafonds autour des salons de clubs modernes ou des salles de l'Orient ancien »; il se manifeste ensuite avec moins d'efficacité, avec une certaine hésitation, dans la « féerie » qui « manœuvre au sommet d'un amphithéâtre couronné de taillis »; enfin le théâtre en plein air semble sur le point de succomber à la contagion végétale, à la poussée de la nuit et de la mobilité naturelle : la féerie « s'agite et module pour les Béotiens, dans l'ombre des futaies mouvantes ». Mais même alors elle souligne des structures; elle se situe « sur l'arête des cultures », et l'illumination s'achève sur la description, presque incompréhensible à force de précision, d'un espace scénique réduit à n'être plus qu'architecture : « l'opéra-comique se divise sur notre scène à l'arête d'intersection de dix cloisons dressées de la galerie aux feux ». Divisions, arêtes, intersections, cloisons dressées, la scène se trouve alors presque bouchée par la prolifération insolite du décor. L'effort de théâtralité a si bien occupé l'espace qu'il a réussi à l'anéantir. A la place du jaillissement, du chaos ou de la dérive, il installe un compartimentage absurde et infini : c'est-à-dire qu'il instaure finalement une nouvelle forme d'anarchie.

***

Il nous faut bien conclure à l'échec sensible de Rimbaud. Partagé entre un univers brut et un monde de théâtre, entre l'anti-paysage et le décor, il ne parvient pas à créer une réalité qui soit à la fois naturelle et humaine, continue et discontinue, libre et architecturale : les « *sauts d'harmonie* » auxquels il rêve demeurent inouïs. Et c'est sans doute pour cela qu'il finit par se taire : « la musique savante manque à notre désir ».

Elle n'a pourtant pas manqué au désir de Rimbaud écrivain : car dans un seul domaine il triomphe, il parvient à trouver des « *rythmes instinctifs* » : et c'est le domaine du langage, de la création poétique. Le prestige unique de la poésie rimbaldienne tient en effet au mariage qu'elle opère, et qui ne sera jamais plus réalisé après elle, d'un jaillissement et d'une forme, au croisement qu'elle réalise, tout comme le Génie lui-même, entre une « grâce » et une « violence », à la possession simultanée qu'elle rend possible d'une « élégance », d'une « science » et d'une « vigueur ». Les mots y éclatent dans une solitude, ils semblent s'y dévorer eux-mêmes tant ils sont rapidement proférés et brûlés, rendus au silence; mais il est bien vrai aussi qu'ils y sont porteurs d'un sens global, générateurs de réciprocité, qu'ils y « font l'amour ». Ils vérifient en somme la définition que Rimbaud a donnée du langage futur : « de l'âme *pour l'âme*, *résumant tout*, parfums, sons, couleurs, de la pensée accrochant la pensée et tirant ».

Car les mots s'unissent bien ici les uns aux autres, mais c'est en raison de leur éloignement et de leur liberté, de leur caractère tranchant et solitaire. Entre eux point de brouillards verbaux, au-dessus d'eux aucun glacis, aucune unité formelle; pas d'adverbes de liaison; l'adjectif même, loin de vaporiser le substantif comme chez Baudelaire, l'isole et le confine dans son étrangeté. Et c'est la distance creusée entre les mots par cette étrangeté même, qui produit l'*accrochage*, le *tirage*, l'ébranlement lointain d'une signification qui finit par circuler de terme en terme et par créer tout au travers du poème une forme dynamique d'unité. Rien de semblable ici à la profondeur résonnante de Baudelaire, à l'unité mystique de « tous les sens fondus en un », ni même aux petits éclatements sous-jacents, « pianotés autour », du poème mallarméen. Chez Rimbaud le sens poétique se brise à chaque instant, et pourtant se poursuit, se propage de mot en mot à la manière de cet « influx de vigueur et de tendresse réelle » que Rimbaud redécouvre à la fin de la *Saison;* son avancée ressemble au foudroyant progrès d'une *fraternité* verbale.

Mais cette fraternité se fonde d'abord sur un refus, sur une solitude. Rimbaud est bien un poète moderne, le premier peut-être des poètes modernes, au sens où l'entend par exemple un Roland Barthes [103]. Le mot est bien chez lui un signe debout, « un bloc, un pilier qui plonge dans un total de sens, de réflexes et de rémanences ». Sa densité s'élève bien « hors d'un enchantement vide, comme un bruit et un signe sans fond, comme une fureur et un mystère ». Mais le suprême mystère c'est que cet enchantement, le mot est aussi capable de l'emplir, de le peupler. Comme la vigueur s'achevait chez Rimbaud en tendresse, comme l'orgueil finissait par devenir « plus bienveillant que les charités perdues », le langage nous fait assister ici à un constant dépassement, et comme à un déni de sa profondeur originelle. Nous devenons par lui témoins d'une sorte d'avènement existentiel à la largeur, c'est-à-dire à l'humain. C'est donc de sa verticalité, de son aridité, de son orgueil naturel que le mot tire ici sa bienveillance, son pouvoir de réconciliation, sa force de contagion. Et cela est si vrai que le poème de Rimbaud qui nous donne l'idée la plus exacte peut-être du *bonheur* poétique rimbaldien, c'est aussi et précisément le poème où Rimbaud solitaire rêve au miracle d'un *Génie* qui réunirait êtres et objets séparés, et qui rétablirait entre eux un courant tout humain, une nappe horizontale de solidarité :

> Il nous a connus tous et nous a tous aimés. Sachons, cette nuit d'hiver, de cap en cap, du pôle tumultueux au château, de la foule à la plage, de regards en regards, forces et sentiments las, le héler et le voir, et le renvoyer, et, sous les marées et au haut des déserts de neige, suivre ses vues, ses souffles, son corps, son jour.

103. *Le Degré zéro de l'Écriture*, p. 69-70.

Chant de gloire de l'*exil* terminé, et aussi d'une certaine manière de la profondeur vaincue. Admirable mouvement d'une amitié poursuivie, appelée, accueillie, renvoyée et multipliée par ce parcours lui-même; trajet d'une vigueur qui non seulement parvient, de regard en regard, de fatigue en fatigue, à relier les hommes les uns aux autres mais qui les réunit aussi aux choses, et aux mots qui nomment ces choses. Peut-être le langage rimbaldien, dans sa réalité la plus secrète, n'est-il rien d'autre qu'une telle chaleur toujours rompue et toujours propagée, le génie rimbaldien que la vaine et pourtant nécessaire poursuite du Génie.

Table

Géographie magique de Nerval

Profondeur de Baudelaire

Fadeur de Verlaine

Rimbaud ou la poésie du devenir

Du même auteur

aux mêmes éditions

Littérature et Sensation
coll. «Pierres vives», 1954
(Stendhal, Flaubert
coll. «Points Essais», 1990)

Poésie et Profondeur
coll. «Pierres vives», 1955

Pour un *Tombeau d'Anatole*
coll. «Pierres vives», 1961
coll. «Le don des langues», 1990

L'Univers imaginaire de Mallarmé
coll. «Pierres vives», 1961

Onze Études sur la poésie moderne
coll. «Pierres vives», 1964
coll. «Points Essais», 1981

Études sur le romantisme
coll. «Pierres vives», 1971

Proust et le Monde sensible
coll. «Poétique», 1974
coll. «Points Essais», 1990

Microlectures
coll. «Poétique», 1979

Pages paysages
Microlectures II
coll. «Poétique», 1984

chez d'autres éditeurs

Stéphane Mallarmé
Correspondance, (1862-1871)
(recueillie, classée et annotée
en collaboration avec Henri Mondor)
Gallimard, 1959

Nausée de Céline
Fata Morgana, 1973

L'État des choses
Études sur huit écrivains d'aujourd'hui
Gallimard, 1990

AUBIN IMPRIMEUR À LIGUGÉ (8-94)
D.L. 1er TRIM. 1976. N° 3838-7 (L 46029)

Collection Points

SÉRIE ESSAIS

DERNIERS TITRES PARUS

261. Voici le temps du monde fini, *par Albert Jacquard*
262. Les Anciens Grecs, *par Moses I. Finley*
263. L'Éveil, *par Oliver Sacks*
264. La Vie politique en France, *ouvrage collectif*
265. La Dissémination, *par Jacques Derrida*
266. Un enfant psychotique, *par Anny Cordié*
267. La Culture au pluriel, *par Michel de Certeau*
268. La Logique de l'honneur, *par Philippe d'Iribarne*
269. Bloc-notes, tome 1 (1952-1957), *par François Mauriac*
270. Bloc-notes, tome 2 (1958-1960), *par François Mauriac*
271. Bloc-notes, tome 3 (1961-1964), *par François Mauriac*
272. Bloc-notes, tome 4 (1965-1967), *par François Mauriac*
273. Bloc-notes, tome 5 (1968-1970), *par François Mauriac*
274. Face au racisme
1. Les moyens d'agir
sous la direction de Pierre-André Taguieff
275. Face au racisme
2. Analyses, hypothèses, perspectives
sous la direction de Pierre André Taguieff
276. Sociologie, *par Edgar Morin*
277. Les Sommets de l'État, *par Pierre Birnbaum*
278. Lire aux éclats, *par Marc-Alain Ouaknin*
279. L'Entreprise à l'écoute, *par Michel Crozier*
280. Nouveau Code pénal
présentation et notes de Me Henri Leclerc
281. La Prise de parole, *par Michel de Certeau*
282. Mahomet, *par Maxime Rodinson*
283. Autocritique, *par Edgar Morin*
284. Être chrétien, *par Hans Küng*
285. A quoi rêvent les années 90, *par Pascale Weil*
286. La Laïcité française, *par Jean Boussinesq*
287. L'Invention du social, *par Jacques Donzelot*
288. L'Union européenne, *par Pascal Fontaine*
289. La Société contre nature, *par Serge Moscovici*
290. Les Régimes politiques occidentaux
par Jean-Louis Quermonne
291. Éducation impossible, *par Maud Mannoni*
292. Introduction à la géopolitique, *par Philippe Moreau Defarges*
293. Les Grandes Crises internationales et le Droit
par Gilbert Guillaume
294. Les Langues du paradis, *par Maurice Olender*